UN(e)SECTE

MAXIME CHATTAM

UN(e)SECTE

roman

ALBIN MICHEL

J'écris, et lis, avec de la musique. Voici quelques-unes des ambiances que je vous conseille vivement d'écouter pendant votre lecture :

– *Mindhunter*, par Jason Hill.

– *Seven*, par Howard Shore.

– *Mesrine, l'instinct de mort*, par Marco Beltrami et Marcus Trumpp.

– *The Leftovers*, par Max Richter.

À ma tribu, ma famille, mes amis.
Je suis un écrivain qui ne peut s'isoler sereinement
pour créer que parce qu'il est bien entouré.
Vous êtes ma galaxie.

« L'homme a besoin de ce qu'il y a de pire en lui s'il veut parvenir à ce qu'il a de meilleur. »

Friedrich Nietzsche, *Ainsi parlait Zarathoustra*

Prologue

Le rocking-chair grinçait à chaque oscillation, et son mouvement se répercutait sur la latte branlante de la terrasse qui s'enfonçait en gémissant avec la régularité d'une pendule. En guise de balancier, Janie Fulher donnait une légère poussée sans même s'en rendre compte, réflexe acquis pendant plusieurs décennies. Elle s'asseyait toujours à la même place, à l'angle sud-est, pour avoir une vue dégagée sur le potager et le ru, carrefours de toute une faune qu'elle aimait surprendre en levant les yeux, entre deux pages. Car Janie aimait lire. Au-delà du raisonnable, estimait-elle parfois. Et depuis plus de quarante-cinq ans qu'elle habitait cette vieille demeure de bois, elle ne dérogeait jamais à son rituel de l'après-midi. Un bon livre, à l'abri sous la marquise. Une couverture sur les genoux durant la demi-saison ou, contrainte et forcée, dans le bow-window juste derrière pendant l'hiver. Elle éclusait les livres comme certains les godets à la taverne, buvant l'encre jusqu'à s'en faire des caléidoscopes d'histoires dans la cervelle, et lorsque ses pupilles se relevaient brusquement, attirées par un craquement suspect près de la rive, deux paysages se superposaient durant un bref instant, celui de ses romans et son propre jardin, sans qu'elle sache très bien ce qui était réel.

Janie était née à Carson Mills, Kansas, et y mourrait probablement sans jamais avoir dépassé la frontière de l'État. Sortir du comté était déjà un événement en soi. La lecture lui offrait le monde sans avoir plus d'effort à fournir qu'un coup d'index. Bernie, son mari, affirmait que c'était pour ça qu'elle avait développé cette manie de se balancer : cela lui donnait l'illusion de se déplacer pour de vrai. « Ta bascule, c'est la courbe de la Terre, ma chérie, et dans ta vie tu as fait plus de fois le tour de notre planète que Spoutnik ! » Elle ignorait si c'était vrai, et s'en moquait même du moment qu'elle avait un bon livre à dévorer.

C'était son principal sujet de préoccupation. Les factures, Bernie s'en chargeait, et la maison avait été payée lorsqu'ils avaient hérité de leurs parents respectifs. En somme, Janie avait la vie dont elle rêvait. Faire tourner son petit domaine personnel, puis lire. La bibliothèque de Carson Mills avait déjà rendu les armes face à cette boulimique insatiable, et Janie s'était tournée vers la grande Mecque des lecteurs compulsifs : Internet. Elle achetait des lots entiers, en vrac. C'était moins cher, plus rapide, et l'obligeait à mettre son nez dans des romans qu'elle n'aurait jamais osé découvrir autrement que parce qu'ils débarquaient dans un carton. Une fois qu'ils étaient sous son toit, elle n'avait d'autre choix que de leur faire un sort, tôt ou tard.

Revendre était difficile. Elle ne pouvait y échapper, pour essayer d'équilibrer au mieux ses comptes mais surtout pour une question de place. Les étagères dressaient déjà une seconde peau aux murs de la maison, et Bernie s'était montré compréhensif, mais n'avait jamais cédé lorsque sa femme avait tenté d'envahir le sous-sol qui abritait son atelier, dernier bastion non colonisé par les tranches multicolores.

Ce matin de mars, il faisait frais, une auréole de brume nimbait le cours du ru le long du jardin. Comme tous les dimanches, Janie ne travaillait pas dans la maison, c'était le jour de repos. Habituellement, elle s'obligeait à rester avec Bernie, ils s'asseyaient dans le salon, la télévision en fond sonore, et ils bavardaient de choses futiles, commentaient les commérages de la bourgade, ou dressaient l'inventaire de ce qu'il fallait faire pour entretenir le jardin ou la demeure. Ce n'était pas très passionnant, mais ils s'imposaient ce moment ensemble, pour ne pas se perdre de vue. Après quarante ans de vie commune, il était tellement facile de ne plus remarquer cette présence qui faisait partie depuis si longtemps du paysage, qu'ils devaient demeurer vigilants. Des couples finissaient par ne plus se parler du tout. Janie, elle, était convaincue que si Bernie changeait, ne serait-ce qu'une mèche de sa coupe de cheveux, elle le remarquerait instantanément.

Mais ce matin-là, Bernie lui avait pris la main pendant qu'elle buvait son café pour lui dire qu'il savait qu'elle était totalement absorbée dans sa lecture du moment, et qu'elle n'était pas obligée de l'interrompre. Il avait lui-même quelques affaires à régler dans le potager avant que les taupes ne finissent par tout saccager, d'autant que les premiers semis n'allaient plus tarder. Une petite entorse à leur cérémonial n'aurait pas de conséquence si elle demeurait une exception.

Son homme savait comment la rendre heureuse.

Et Janie se berçait, sans s'en rendre compte, un livre entre les mains, sa couverture sur les jambes, vivifiée par la fraîcheur et l'humidité du mois de mars.

Elle n'avait jamais aimé les récits horrifiques, ce n'était pas son truc, les Stephen King et consorts, elle n'y arrivait pas. Pourquoi payer pour frémir, alors que le monde était déjà bien assez rempli d'abominations comme ça ? Il suffisait d'ouvrir le journal ou d'allumer la télé pour s'en rendre compte. Et puis la peur n'était pas une émotion avec laquelle elle était à l'aise. Se faire déborder, submerger, perdre le contrôle... Quel était l'intérêt de se plonger volontairement dans des émotions qui lui étaient pénibles ?

Mais elle était parvenue au bout du dernier carton reçu, et il ne restait que ça. Un livre effrayant. Alors, telle une junkie en manque, elle s'était promis de chercher un nouveau lot, et faute de mieux, elle avait surmonté son aversion et avait entamé la lecture. Contre toute attente, elle y avait éprouvé du plaisir. Ce n'était pas de la peur viscérale, celle qui vous vide les jambes de leur substance, qui coulait d'entre ces pages, non, c'était une décoction ludique d'interrogations, de palpitations et finalement un voyage vers ses propres limites qu'elle effectuait. Avec la sécurité permanente de pouvoir se dire que ce n'était qu'un livre. À tout moment, elle pouvait ralentir le débit pour calmer le jeu, voire l'interrompre. Elle *jouait* à se faire peur, et ça changeait tout. Après autant de titres avalés, comment avait-elle pu ne découvrir ce plaisir que maintenant ?

L'ouvrage mettait en scène un enfant perdu dans une forêt, et tous ses fantasmes les plus anxiogènes prenaient forme au fil des heures de son errance. Janie en était à l'épisode de l'épuisement, lorsque le garçon finissait par s'effondrer sur un tas de mousse au pied d'un chêne et s'endormait, à bout de forces. Les insectes avaient commencé à l'envahir, les uns après les autres, grimpant sur ses jambes, sous son short, et Janie pouvait presque les sentir sur elle, au point de vouloir se gratter. C'était admirable le pouvoir qu'avait la lecture sur le cerveau. Il suffisait de lire qu'une bestiole vous sautait dessus pour avoir besoin de se frotter les mollets ou la nuque, convaincu qu'une infâme créature y rôdait.

Au loin, Bernie bêchait et traquait les traces de passage des fouisseurs. Une guirlande d'oiseaux pépiaient tout autour, discrètement, encore intimidés par la traîne de l'hiver perceptible dans l'air.

Janie était plongée dans son récit, et ne prêta aucune attention au long mille-pattes s'enroulant à la rambarde qui ceignait la terrasse. Il était impressionnant, comme sorti des pages qu'elle tournait, un demi-bras de longueur, ses anneaux ondulant à chaque mouvement de ses nombreux membres, agrippant le bois sans jamais glisser, ses antennes palpitant devant lui, sondant le terrain. Il avançait sans un bruit, spirale de chitine qui remontait à toute vitesse, décidé, certain de sa trajectoire.

Une brise glaciale remonta depuis le cours d'eau, et Janie resserra sa couverture contre elle. Il ne lui manquait que son café chaud, mais elle venait d'en vider une pleine tasse et le médecin lui avait demandé de calmer sa consommation, ça n'était pas bon pour sa tension. Alors elle focalisa son esprit sur les pages. L'enfant avait un sommeil agité. Des cauchemars puissants.

Le mille-pattes avait atteint le sommet de la rambarde et filait dessus, serpent luisant d'ébène aux reflets bruns. Il semblait suinter comme s'il exsudait un liquide naturel, lubrifié pour se faufiler par le moindre trou.

À l'opposé, dans le dos de Janie, un petit corps noir déplia ses longues pattes fines qui portaient son abdomen charnu, rond, marbré de taches rouges. Ses minuscules paires d'yeux ne reflétaient que les ténèbres de l'instinct de survie le plus primaire qui soit : manger.

L'araignée passa par une ouverture dans le bois de la marquise et commença à courir, à l'envers, l'énorme boule derrière elle trahissant sa présence. Elle ressemblait à du latex tendu à l'extrême sur une structure rigide. Agile, elle se faufilait partout, et fonçait au-dessus de la terrasse.

Juste au-dessous, Janie frissonna lorsque l'enfant manqua de se réveiller à cause de tous les insectes qui grouillaient sur sa peau. Elle eut l'impression de ne pas être épargnée. Bon sang, qu'elle n'aimait pas ce passage ! Et en même temps, elle dut reconnaître son efficacité. C'en était presque drôle.

Le mille-pattes se rapprochait de la lectrice, sa formidable mécanique le projetant en avant, antennes à l'affût.

Derrière, l'araignée commençait à tourner en rond, en chasse de quelque chose. Bien plus petite que la scolopendre, elle avait pourtant un pouvoir de répulsion largement supérieur. Le mille-pattes évoquait le dégoût, l'araignée la mort. L'un comme l'autre semblaient capables de prendre le dessus, et l'issue de la rencontre était incertaine à mesure qu'ils se rapprochaient, l'un sur la rambarde, l'autre au plafond.

Janie accéléra le rythme de sa lecture, elle n'était pas très à l'aise avec les descriptions d'insectes, encore moins quand ils étaient sur le corps fragile d'un enfant. Toutes ces saletés qui cavalaient sur la peau du garçon à la recherche de parties tendres et d'orifices où s'engager, prêtes à découper à la mandibule, à sucer, à piquer, à liquéfier avant d'aspirer, Janie détestait la précision des détails.

Le mille-pattes se dressa sur son arrière, ses antennes palpant l'air à l'instar de vers dodus. Il se rapprocha du bord de la rambarde et ses membres s'agitèrent tandis qu'il était suspendu dans l'air, tout près de l'épaule de Janie qui ne le voyait pas.

Au-dessus, l'araignée descendait à son fil.

Droit vers la toison argentée de la vieille dame qui oscillait régulièrement sur son fauteuil, un coup dans l'axe, un coup à côté.

Janie se gratta instinctivement le bras au moment précis du récit où un cafard remontait sur celui du garçon, passait sur le duvet, filait sur son cou et escaladait son menton pour palper ses lèvres entrouvertes.

Elle eut soudain l'impression d'avoir quelque chose qui lui remontait lentement dans le dos. Elle cessa le balancement le temps de se frotter contre le dossier du rocking-chair. Voilà. C'était passé.

L'araignée se tenait en équilibre au bout de son trait invisible, à quelques centimètres des cheveux de Janie. Ses pattes avant s'allongèrent pour tâter le terrain.

Janie allait reprendre son mouvement.

L'arthropode se laissa choir juste avant.

Janie, trop captivée par sa lecture, ne s'en rendit pas compte.

L'araignée se mit aussitôt à bouger, précautionneusement dans ce terrain nouveau et potentiellement hostile. Elle se déplaçait sans toucher le cuir chevelu, en équilibre sur ses fines pattes.

La scolopendre, elle, continuait de s'étendre, ses anneaux courbés pour lui permettre de former un pont au-dessus du vide.

Ses antennes effleurèrent la couverture et aussitôt les crochets à venin se contractèrent.

Puis la jonction eut lieu, le mille-pattes parvint à agripper la laine et tout l'avant tracta l'arrière pour lui permettre de glisser sur Janie.

Plongée dans sa lecture et convaincue que ce qu'elle percevait n'était que le fruit de son imagination, la vieille dame ne réagit pas.

L'araignée s'introduisit sous les mèches, tout près de l'oreille.

La scolopendre disparut dans une longue reptation sous la couverture.

Les deux allaient se rencontrer tôt ou tard.

Janie arriva à la fin du chapitre, où le garçon fut réveillé par le cafard qui cherchait à forcer un passage entre les dents pour pénétrer dans sa bouche. Elle en était dégoûtée et avait presque envie de cracher pour aider l'enfant à en faire autant.

Quelque chose la chatouilla sur le côté droit. Probablement rien, juste un pli de ses vêtements.

Puis un léger grattement sur le côté du crâne, qu'elle ignora, habituée avec ses longs cheveux à ce genre de sensation.

Araignée et scolopendre se rapprochaient l'une de l'autre.

L'une était suspendue à une mèche, devant l'orifice de l'oreille, l'autre passait sous la couverture au niveau de la poitrine, fonçant droit vers le cou.

Janie reposa son roman sur ses genoux. Que c'était stressant ! Elle avait envie de se gratter partout et de secouer le garçon pour qu'il se lève et chasse toutes ces bestioles de sa peau !

Les antennes du mille-pattes caressèrent le dessous de son menton et, machinalement, Janie y passa la main sans rien percevoir.

L'araignée posa ses pattes sur le pavillon de l'oreille, délicatement. Son abdomen énorme ne pourrait jamais entrer dans le conduit auditif. Les pédipalpes tâtèrent le terrain.

Janie secoua la tête par réflexe.

– Fichu livre ! râla-t-elle. Maintenant j'ai l'impression d'être couverte d'insectes !

La scolopendre s'érigea pour atteindre le bas du visage de la vieille dame.

Et cette fois, Janie vit la créature sur elle.

Elle voulut se redresser mais le balancement arrière de son rocking-chair l'en empêcha et elle tira sur la couverture pour la jeter au sol.

Le mille-pattes était en dessous, immobile.

À ce moment, quelque chose s'enfonça dans son oreille. Prise de panique, elle parvint à se relever d'un bond.

Lorsque ses doigts entrèrent en contact avec le petit corps mou qui cherchait à s'enfoncer vers son tympan, elle réalisa qu'elle entendait distinctement les grattements de l'araignée qui se frayait un chemin. C'était comme si elle dansait *dans* sa tête. Le bourdonnement allait crescendo sous son crâne, et la rendit folle.

Janie, haletante, ouvrit la bouche en grand pour prendre une respiration et ce faisant, elle offrit un passage tout trouvé à la scolopendre qui écarta ses crochets à venin.

Plus loin, dans le potager, Bernie avait enfin déniché les galeries des taupes et il s'apprêtait à les enfumer, lorsqu'il sursauta au hurlement de sa femme.

Il ne l'avait jamais entendue crier ainsi, et il sut tout de suite que c'était grave.

Le temps qu'il se précipite, il ne vit ni la scolopendre ni l'araignée, seulement Janie, étendue sur la terrasse, le corps agité de convulsions.

1.

Ses longs doigts épais finissaient de coiffer sa tignasse cendrée avec un style faussement décontracté. Quelques épis bien disposés. Il caressa distraitement le début de barbe argentée qui sourdait de ses joues creuses et recula pour examiner l'ensemble dans le miroir.

Il hésita. Sourcils larges, d'un noir abyssal. Lèvres généreuses, presque provocatrices – il en avait toujours eu honte. Nez un peu trop osseux à son goût, mais au moins lui se faisait discret, tout en finesse.

Atticus Gore ne s'était jamais trouvé particulièrement beau. Du charme, certainement, mais il ne s'aimait pas. Peut-être parce qu'il n'avait jamais fait la paix avec lui-même. À quarante ans passés, il ignorait si c'était pathétique ou proche de la caricature, comme le laissaient entendre les unes de magazines psychologiques qu'il ne lisait pas mais dont il entrapercevait les couvertures glacées, sur les tables basses des salles d'attente en tout genre qu'il fréquentait. Club de sport. Spa, pour les massages. Institut de beauté pour les soins du visage. Chiropracteur. Et même salon de manucure à Chinatown. Atticus ne s'interdisait rien pour s'entretenir. Il ne s'aimait pas beaucoup, toutefois il ne pouvait se reprocher de ne pas tout essayer pour s'améliorer, quitte à en faire trop.

Il emprunta un peu du dentifrice qui traînait sur le rebord du lavabo, se frotta les dents avec son index, puis il tira sur le col

de sa chemise en jeans pour que celui-ci s'ajuste parfaitement
à l'échancrure de son T-shirt.

Dans son dos, il entendit le froissement des draps. Atticus
grimaça. Il n'avait pas envie de parler. Pas de politesses, de
regards gênés, d'échanges foireux pour se donner une conte-
nance. Il aurait dû partir aussitôt qu'il s'était réveillé, sauter
dans son jeans et terminer de s'habiller dans l'escalier ; encore
sa fichue coquetterie. Mais le silence revint, à peine éraflé par le
quitus d'une respiration endormie – ainsi l'interpréta Atticus qui
se faufila hors de la chambre sur la pointe des pieds, soulagé.
Une fragrance grasse appesantissait encore plus l'atmosphère.
Animale. Sexuelle.

D'un geste précautionneux, il collecta ses chaussures et sa
veste, puis déposa cent cinquante dollars roulés près de la lampe
de chevet. L'argent était tout froissé, les bords cornés, le visage
d'Andrew Jackson fripé à outrance, et Atticus ne put s'empêcher
d'y voir un signe de son propre malaise. *De l'argent moche.* Il
étouffa un soupir et, sans bien savoir pourquoi, posa la main
sur la crosse de son arme. Chargeurs supplémentaires rangés
également sur la ceinture, la paire de menottes dans leur holster,
et badge du Los Angeles Police Department clipsé sur le cuir,
près de la boucle, sorte de calandre prétentieuse assurant sa
virilité, songeait-il souvent en se préparant. Certains inspecteurs
préféraient la garder au chaud dans leur veste, lui l'affichait telle
une décoration, une annonce faite au monde, en tout temps,
ce qui ne correspondait pas vraiment à son caractère mais qu'il
avait fini par interpréter comme une forme de dissimulation. En
jetant à la vue de tous sa fonction, il gardait celui qu'il était
réellement caché, à l'abri.

Une jambe sortit de sous les draps, à ses pieds, puis un dos
nu roula. Une peau douce, presque brillante. Quelques grains
de beauté délicatement disposés, et une fine couche de muscles,
juste ce qu'il fallait pour dessiner des courbes et des saillies
sensuelles aux bons endroits. Atticus s'autorisa encore une poignée de secondes à admirer ce corps. Une envie de le respirer

l'envahit, de l'effleurer du bout des doigts, avant qu'il ne se contienne. Pas envie de la suite. De la confrontation. Mieux valait filer.

L'homme sous l'oreiller émit un ronflement sec avant de remuer une nouvelle fois. Il allait émerger.

Au même moment, le téléphone d'Atticus se mit à vibrer.

Merde, pas maintenant !

Il se précipita vers la porte tout en fouillant dans ses poches. Il claquait le battant derrière lui lorsqu'il vit le nom de Marcia s'afficher sur l'écran. Qu'est-ce qu'elle lui voulait ? Il n'était pas de service, une belle journée de repos avec une demi-douzaine de rendez-vous qui noircissaient son agenda, pour faire de lui un homme meilleur, dégrossi. Il se souvint alors que Marcia Velazquez et James Ottington étaient les inspecteurs de garde ce week-end.

– Gore, j'ai un truc pour toi, annonça Marcia sans préambule.

– Je ne bosse pas aujourd'hui.

– Je sais, mais ça, c'est ta came.

Il allait rétorquer quelque chose de désagréable pour qu'elle lui fiche la paix, mais au ton de sa collègue, il devina que c'était sérieux. Rien à voir avec une de ces vannes chiantes dont les flics raffolaient et qui exaspéraient Atticus.

– C'est-à-dire ?

– Un 187.

Le code pour « meurtre ». L'essence même de leur job. Pourtant, chaque fois qu'il l'entendait, Atticus se glaçait, le corps en alerte, l'esprit soudain prêt à bouillonner, les sens dans une étrange posture d'hyper-attention et de méfiance entremêlées. Les affaires sérieuses de ce genre n'étaient pas non plus légion, même sur le district d'Hollywood où travaillait Atticus, et lorsqu'un binôme d'inspecteurs en décrochait une, il était rare qu'ils la laissent à d'autres.

– Pourquoi tu m'appelles, si c'est ton tour ? demanda-t-il, soupçonneux.

– Parce que Ottington et moi sommes déjà sur la fille d'Argyle Boulevard et les ados sous Hollywood Freeway. Que je dois comparaître au tribunal la semaine prochaine pour un de mes dossiers en cours de jugement. Et que James marie sa fille dans un mois. On est ras la gueule, si tu vois ce que je veux dire.

– Pourquoi moi ?

Ottington ne l'aimait pas beaucoup et Marcia n'était pas du genre à se battre contre son partenaire. Atticus n'était pas dupe, ils ne lui faisaient pas une fleur, il y avait un loup quelque part. Ce coup puait à cent lieues les emmerdes, politiques ou show-biz.

– Parce que c'est dans tes cordes, génie. Viens voir, tu me remercieras.

– T'essayes pas de me refourguer un macchabée bien dégueu ?

– C'est tout juste s'il reste quelque chose. Mais la déco, c'est tout ce que tu aimes. Rapplique. Au vieux zoo abandonné de Griffith Park. Suis les guirlandes.

Le cliquetis de la ligne coupée résonnait encore dans la tête d'Atticus Gore tandis qu'il sentait monter en lui une forme de curiosité. Et s'il n'y avait pas de piège ? Marcia n'était pas une méchante, si elle l'appelait lui, c'est qu'elle avait une conviction, se rassura-t-il. De toute façon, à part annuler sa séance de sport et déplacer ses rendez-vous, cela ne lui coûtait rien d'aller jeter un œil et, s'il ne le sentait pas, de se défiler. Ce n'était pas son tour de garde, pas sa responsabilité.

Le temps de rejoindre sa MINI John Cooper Works cabriolet bleue à bande noire, la curiosité s'était muée en excitation.

Tout était dans le ton de Marcia. Il n'était pas normal.

Ce qu'elle avait vu l'avait perturbée. Et Marcia avait plus de vingt ans de service. Pas le genre à flancher devant un cadavre.

La connexion Bluetooth entre son smartphone et le système audio Bose de la voiture émit son bip caractéristique et Atticus sélectionna avec soin le titre qui allait démarrer sa journée. La musique et lui ne faisaient qu'un, et en la matière, ses goûts étaient bien particuliers. Pas un jour sans sa playlist. Du metal.

Sous toutes ses formes. Du plus mélodique à l'agression sonore pure et simple.

Il appuya sur l'écran dès qu'un morceau lui parut en accord avec son humeur de l'instant.

Iced Earth – « The Funeral ».

Le bolide de 231 chevaux rugit en sortant du parking et se jeta dans le trafic, sous la lumière vivifiante du petit matin qui se levait sur la Cité des Anges.

Atticus Gore avait rendez-vous avec la mort.

2.

Los Angeles déroulait son tapis urbain interminable jusqu'à l'océan, seulement barré au nord par les épaules voûtées des montagnes et vallées tortueuses dont Griffith Park formait l'extrémité est. Un vaste territoire sauvage en terres humaines, pentes abruptes, végétation sèche mais abondante, lacis de chemins poussiéreux pour randonneurs motivés. Quelques sommets offraient une vue parfaite sur la cité et son horizon flouté de pollution.

Le cabriolet d'Atticus Gore quitta l'autoroute 5 pour s'élancer sur un tremplin de longues artères désertes, jalonnées de chênes, palmiers et sycomores, et en quelques centaines de mètres, il fut perdu pour la civilisation, ne conservant que le cordon ombilical de la rumeur du trafic sur la Golden State Freeway qu'il effaça en poussant la musique plus fort. Un massif de fleurs roses l'accueillit près du bâtiment des rangers du parc, la montagne sur sa gauche, des aires de promenade tout autour de lui, et il ralentit pour chercher sa route. L'endroit était calme, très peu fréquenté, et Atticus supposa que ça n'avait rien d'étonnant, un vendredi à 8 h 15. Il avisa un panneau « Merry-Go-Round », le célèbre carrousel, et se souvint qu'il devait poursuivre jusqu'à la prochaine intersection. Il roulait lentement, scrutant le paysage autant pour se repérer que pour s'imprégner de cet endroit où il ne venait pas souvent, et se promit de l'ajouter à la déjà longue

liste de choses à faire, au sommet de laquelle trônait l'éternel
« Être un homme meilleur ». À cette vitesse, il en profita pour
respirer à pleins poumons le parfum des fleurs de ce début
de printemps. Sucré, légèrement piquant, une note boisée, une
autre cuivrée. *Les odeurs qui vont suivre seront bien différentes...*

Après avoir longé des pelouses émeraude constellées de jeux
pour enfants, les bosquets réinvestirent l'espace, la nature se fit
de plus en plus envahissante jusqu'à déborder sur la chaussée et
Atticus reconnut le parking en terre, au bout d'un cul-de-sac. La
présence d'une demi-douzaine de véhicules de police ainsi qu'un
flic en uniforme à l'entrée ne laissaient planer aucun doute.
Les guitares saturées et la batterie frénétique d'un morceau de
Slayer qui rugissaient par les haut-parleurs de la MINI décapotée
firent ôter ses lunettes de soleil à l'officier en faction, et Atticus
brandit son badge sans prendre la peine de ralentir avant de se
garer le plus près possible du sentier fermé par un gros ruban
jaune et noir caractéristique.

La camionnette de la SID, la police scientifique, était déjà là.

La musique disparut avec le ronronnement des quatre
cylindres. Atticus s'étira en grimaçant, réajusta sa chemise en
jeans et ferma les yeux pour inspirer profondément. Il recalibrait
ses sens comme il aimait à le penser. Il se préparait mentalement
à ce qui suivrait. À partir de maintenant, il allait tout enregistrer,
tout analyser, tout envisager. Il devait se débarrasser d'une part
de lui-même, la plus fragile, la plus intime, la plus perturbante,
pour laisser place à l'inspecteur. Une forme presque puérile de
mise en condition, il le reconnaissait, digne d'une mauvaise série
télé, mais il en avait besoin. Son rituel à lui.

Il rouvrit les yeux pour faire un tour complet sur lui-même,
prendre possession de son environnement. Hack, son partenaire,
détestait lorsqu'il faisait cela. Puis il déverrouilla son coffre pour
tomber sur son sac de sport et celui, en toile, qui ne quittait
jamais sa voiture. Ce dernier contenait une trousse de toilette
et quelques vêtements propres, juste au cas où. Il ne l'avait
même pas utilisé cette nuit, aspiré par l'obsession des pulsions

puis repoussé par l'urgence de fuir à l'aube. *Comme d'hab.* Il chassa cette idée dérangeante et fouilla pour saisir les poignées de la grosse masse noire tout au fond. Son *war bag*, comme on l'appelait dans le jargon. Celui-là non plus ne le quittait jamais, mais au moins il en faisait bon usage. À l'intérieur, il s'empara de gants en latex blancs et glissa dans ses poches de pantalon quelques sachets en plastique et petites enveloppes jaunes. *On ne sait jamais.* Puis il abandonna ses lunettes de soleil dans le coffre. Il voulait voir sans filtre, ne pas altérer ses sens. C'était important. Voir comme le tueur avait vu. *Souffrir comme la victime.*

Une pente douce embarquait vers un promontoire boisé duquel descendaient quelques voix. Atticus souffla et s'y rendit avant d'atteindre un second cordon de sécurité gardé par un autre officier en uniforme. Celui-ci tenait le journal de bord de la scène de crime, la plus belle invention des autorités policières en un siècle de progrès. Depuis son apparition, fini les hordes de curieux, qu'ils soient politiques ou parmi les huiles du LAPD : les scènes de crime étaient redevenues des sanctuaires relativement préservés. Toute personne qui posait un pied au-delà du cordon devait signer le journal de bord à son arrivée et à son départ, en déclinant identité et raison de sa présence. Et n'importe qui sur ce journal pouvait par la suite être appelé à témoigner à la barre lors d'un éventuel procès. Qui que ce soit. Jeté en pâture sous les projecteurs du serment et passé sur le gril des questions d'une défense acharnée ou d'un procureur belliqueux. Cela avait fait un ménage considérable.

Atticus s'acquitta des formalités et pénétra dans le cœur de la machine. L'ancien zoo de Griffith Park avait fermé dans les années 1960, laissant derrière lui des files de cages rouillées enchâssées dans la roche au pied d'une petite montagne. Elles formaient un serpentin sale, entouré de végétation, oublié des regards. La municipalité avait essayé en vain de leur redonner un semblant de dignité en aménageant une vaste zone de pique-nique où se dressaient quelques tables sur le rond d'herbe tondue qui servait de point central au site. Mais le lieu était reculé, peu connu, et il y flottait une atmosphère étrange. Certains n'hésitaient pas à prétendre que les spectres des animaux qui s'y étaient succédé demeuraient prisonniers de ces barres devenues marron, comme maculées d'un vieux sang poisseux.

Plusieurs flics sondaient le sol, éparpillés sur la zone, à la recherche d'indices. Un petit noyau se concentrait à l'extrémité nord de la pelouse, au pied d'une courte falaise constituée de blocs rocheux comme empilés distraitement jusqu'à former un paysage de bunkers semi-naturels, desservis par un réseau de galeries qui servaient autrefois aux fauves à s'abriter des chaleurs excessives de la région.

À mesure qu'Atticus s'en rapprochait, il reconnut plusieurs techniciens de la SID en train de photographier, disposer des marqueurs numérotés ou prendre des notes. En retrait, supervisant les opérations, un grand type très maigre hérissé d'une brosse blanche et affublé d'une moustache taillée au cordeau discutait avec une petite rousse au carré strict, avec un peu d'embonpoint et beaucoup de taches de rousseur. Costume et tailleur réglementaires d'inspecteurs des homicides au poste d'Hollywood Station. James Ottington et Marcia Velazquez.

Atticus les salua brièvement avant de se rendre au plus près de l'enclos qui n'était séparé de l'esplanade que par un minuscule muret facile à enjamber. Aucun grillage n'empêchait d'y pénétrer, toute protection avait disparu depuis qu'il n'avait plus servi à exposer des fauves.

– Je ne savais même pas que Griffith Park était sur notre secteur, déclara Atticus de sa voix grave.

– Le prochain mort au fond d'un ravin sera pour toi, répliqua Ottington, crois-moi, là tu t'en souviendras.

Des flashs crépitaient à l'intérieur des tunnels dans la structure au-delà de l'enclos et Atticus commença à imaginer le pire.

– Vous me briefez ?

– Tu prends la relève ? demanda Ottington.

– C'est une pochette-surprise ? Impossible de savoir ce qu'il y a dedans tant que j'ai pas accepté ?

– On te fait un cadeau, Gore, ajouta le grand moustachu au regard d'un bleu glacial.

Tu parles. S'il y avait bien un collègue en qui Atticus n'avait pas confiance, c'était lui. Archaïque, sexiste, homophobe, manipulateur et égoïste. Sa femme devait être une sainte pour le supporter, ou pire que lui : un authentique démon de l'enfer.

Marcia enchaîna, son calepin à la main :

– Corps retrouvé ce matin par un joggeur. Le grand classique. Son chien s'est barré et refusait de revenir, il est allé le chercher et a vu le cadavre, et nous a appelés aussitôt. La voiture de patrouille a demandé un superviseur dès qu'ils ont confirmé la présence d'un mort, et nous avons été envoyés sur place.

– À quelle heure ? demanda Atticus par habitude.

Il n'était pas du tout sûr de vouloir de l'affaire. Il n'avait pas besoin d'un bourbier de plus, mais sa curiosité prenait le dessus.

Marcia jeta un regard sur ses notes :

– Le mec a appelé à 6 h 15. Le dispatch nous a envoyés ici une demi-heure plus tard. L'armada a débarqué il y a vingt minutes.

– Légiste ?

La quadra désigna l'enclos du menton, et les rideaux roux de part et d'autre de son visage dansèrent comme l'eau d'un bain agité.

– C'est quoi le piège ?

– Comme je t'ai dit, Jay et moi on est débordés, pas le moment de se rajouter ce... Faut que tu le voies, Gore. Celui-là est... *spécial.* Et il est pour toi. Dans tes cordes.

Atticus fronça les sourcils. Il ne voyait pas bien ce qui était dans ses cordes, justement. Il n'avait pas la réputation d'être un excellent limier, encore moins ces derniers temps... Une vague idée commença à se faire un chemin ; elle tardait à se clarifier parce qu'elle provenait de la part intime qu'il s'efforçait de repousser sur une scène de crime, et ce qu'il en devinait ne lui plaisait pas. *Un crime de pédés.*

C'était tellement idiot et insultant qu'il préféra l'oublier.

– Vanessa veut se marier à Palm Springs, confia Ottington sur un ton geignard. Je dois me coltiner de tout valider, les allers-retours sur place pour vérifier les salles, le traiteur, je deviens dingue. Et on est déjà surchargés de boulot, à croire que tous les tarés d'Hollywood se refilent le mot pour passer à l'acte lorsque je suis de service. Gore, celui-là il est pour toi. Il t'appelle.

Marcia insista :

– Le lieutenant sera d'accord, répartition des charges de travail. Tu n'as rien de frais en ce moment.

Le quotidien des inspecteurs au département des homicides était fait de périodes intenses, qui duraient généralement une semaine, lorsqu'ils débarquaient sur un crime ; puis de longues sessions de paperasse, de vérifications, ou de relectures lorsqu'il s'agissait de reprendre des affaires qui n'avaient pas été bouclées, afin de préparer leur témoignage en vue d'un procès ou d'assister des collègues débordés. Mais la majeure partie des crimes se résolvaient en deux à trois jours. Au-delà, les chances d'y parvenir s'étiolaient quasiment d'heure en heure, et le rush de l'inspecteur retombait pour reprendre une activité monotone avec des horaires de bureau.

Atticus n'avait en effet rien sur le feu sinon d'anciens dossiers qu'il secouait de temps en temps, pour voir si rien ne remontait des sédiments du temps. Des cas pourris. Et il lui restait sur les bras deux crimes irrésolus, ça en faisait cinq sur ses dix dernières investigations. Fiasco sur fiasco. Il avait besoin de reprendre confiance, de redorer son blason vis-à-vis des patrons, et surtout de ses collègues, avant que son image, déjà passablement bancale, n'en soit irrémédiablement entachée. Le loser. Mauvais flic.

Atticus ne pouvait se permettre d'embrayer sur ce cadavre qui ne lui revenait pas de droit s'il s'agissait d'un marécage inextricable.

– Pourquoi moi ? insista-t-il, méfiant. Irzik et D'Angelo sont plutôt au calme aussi, ces derniers temps.

Ottington lui donna une tape amicale sur l'épaule.

– C'est tout ce que t'aimes. Tu remercieras Marcia, c'est son idée.

– La victime est identifiée ?

– Le légiste pense que c'est un homme, il est à son chevet en ce moment pour le fouiller.

– *Pense* ? répéta Atticus. Il est dans quel état ?

Le grand moustachu et la petite rouquine échangèrent un regard entendu et Marcia leva l'index vers les trois ouvertures au milieu des blocs de roche.

– Va jeter un œil, Gore, insista Marcia. Il y a des trucs qui sont difficiles à raconter.

Cette fois, la curiosité fut la plus forte. Atticus secoua la tête, dépité et agacé par les mystères que ces deux-là lui faisaient, et il prit la direction de l'enclos. Ottington le siffla.

– Prends ça, tu vas en avoir besoin, dit-il en lui lançant une petite lampe torche. Et surtout, regarde où tu marches.

L'œil brillant, il dévoila ses petites dents grises dans un sourire qui n'avait rien d'amical.

3.

La tanière des fauves n'avait plus grand-chose d'effrayant, sinon d'imaginer que ces prédateurs avaient dû passer leur vie enfermés dans ces quelques centaines de mètres carrés, une cour rectangulaire et trois arches ouvrant sur une galerie ombragée.

Atticus Gore se hissa sur un rocher pour accéder à l'une des ouvertures et se faufila au milieu des graffitis dans ce couloir étroit. Il s'immobilisa aussi sec, surpris par la large gueule rugissante qui le toisait. À l'intérieur du passage, le mur du fond était recouvert par une fresque peinte à la bombe. Un lion hurlait. Quelque chose dans ses traits le rendait anormalement humain. La souffrance de son cri. La pitié dans son regard. Le travail sur les reflets de ses yeux, sur les profondeurs, les ombres et les plis de sa peau était admirable. Ce lion transpirait une humanité évidente, d'une justesse formidable. De l'anthropomorphisme de haut niveau. Le genre d'œuvre qui n'aurait pas démérité dans l'une de ces expositions qu'organisaient les marchands d'art de Downtown. Atticus songea que c'était probablement ce que l'artiste en question voulait éviter. Un créateur en marge, privilégiant le message à la gloire. *Relax, c'est pas Christopher Wool non plus.*

En découvrant le nombre de tags qui constellaient les parois, Atticus imagina sans peine que le vieux zoo abandonné devait être le repaire de toute une faune nocturne avide d'expériences amusantes et de tranquillité. Le site était éloigné de la ville, trop pour les toxicos et les prostituées, il fallait être motivé et motorisé pour venir jusqu'ici. Il ne devait pas y avoir foule, mais quelques jeunes de temps à autre, venus fumer un joint en observant les étoiles, avant de déposer un peu de leur ego sur ces murs pour prouver au monde qu'ils avaient existé, au moins le temps d'une signature.

Un chevalet jaune numéroté 17 était posé plus loin au sol et Atticus enfila ses gants en latex avant d'allumer sa torche pour s'accroupir à côté. Ce qu'il avait pris de prime abord pour une tache de sang n'était en réalité qu'un amas d'insectes écrasés. Cloportes et autres arthropodes. Atticus s'y connaissait un peu en la matière : avant d'entrer dans la police il avait étudié l'entomologie à l'université de Californie à Davis, près de Sacramento, et en était sorti diplômé en biologie. Il avait longtemps rêvé de devenir entomologiste pour le compte de la police ou du FBI, avant de réaliser que ce n'était pas à proprement parler un métier, et que les forces de l'ordre avaient recours à des experts extérieurs, dont l'essentiel de l'activité consistait à mener des études entomologiques, donner des cours et parfois gérer des collections de musée. Atticus voulait être sur le terrain. Confronté aux crimes, pas enfermé dans un bureau, et il était entré à l'école de police de Los Angeles, sa ville natale, oubliant ses premières amours scientifiques.

Il dénombra une demi-douzaine de ces amas d'insectes et se demanda pourquoi on avait à chaque fois disposé un marqueur. Impossible de lire l'empreinte d'une chaussure bien sûr, et rien d'autre n'était apparent. Aucun fluide, aucun débris. Juste des insectes broyés.

C'est tout ce que t'aimes, avait déclaré Ottington.

Se pouvait-il que… Non. Ça n'avait rien à voir.

Atticus se redressa et poursuivit en direction des flashs qui illuminaient un renfoncement. Un angle droit puis des marches, nombreuses et très étroites, qui montaient entre deux murs, eux aussi tatoués jusqu'au moindre recoin, livres d'histoire urbaine en territoire sauvage. L'escalier de béton grimpait fort, jusqu'à six mètres plus haut, se concluant sur une porte grillagée. L'ancien accès des gardiens et soigneurs. Un cul-de-sac aujourd'hui, avec en guise de plafond un nid de ronces qui formait un dôme végétal.

Tout en haut, un technicien de la SID prenait des photos, en équilibre au-dessus du légiste reconnaissable à sa parka bleu foncé siglée du bureau médico-légal de Los Angeles. Ils étaient penchés sur un corps allongé sur les marches. De tout en bas et avec la pénombre, Atticus ne parvenait pas à en discerner davantage. Guidé par le faisceau de sa lampe, il se rapprocha, lentement, en avisant les chevalets 18 à 20 qui se succédaient jusqu'au sommet et qu'il prit soin de contourner.

Chaque fois, ils marquaient un petit charnier d'insectes en miettes.

En approchant du mort, Atticus s'était attendu à se faire envelopper d'une odeur aigre, piquante, voire juste froide et ferreuse si le corps n'était pas en trop mauvais état, mais rien de tout cela. Juste le chatouillement de la poussière, du renfermé et, peut-être, lointaine, l'acidité de l'urine accumulée ici au fil des années par les explorateurs nocturnes.

Il vit la semelle de la chaussure de la victime, cuir éraflé, le bas de pantalon en toile, et remarqua aussitôt la maigreur du type. Presque alarmante. Il semblait avoir la taille d'un adulte et à peine la corpulence d'un enfant. De plus près, c'était encore pire.

Embrasement fugace d'un flash. Pas de cuisses. Pas de hanches. Seulement un ridicule renflement à l'intérieur du vêtement. Mais surtout l'impression que le tissu était humide. Complètement imbibé, même. Et en dessous il y avait une large auréole sinistre. Pour autant, le sang n'avait pas dégouliné le long des marches, c'était comme s'il avait été absorbé, ne laissant qu'une tache croûteuse sur la pierre.

Le légiste lui masquait la vue. Atticus s'annonça en les saluant mais personne ne se retourna vers lui, trop absorbés dans leurs tâches respectives. Il reconnut néanmoins le médecin. Malkovian. Pas du genre à vous donner envie de boire un verre après le boulot, efficace cependant, minutieux. Un bon point. Atticus savait qu'il était préférable de ne pas l'interrompre et d'observer ; tant que le légiste n'avait pas terminé son œuvre, les détectives ne pouvaient rien toucher, c'était la règle d'or.

Limité par l'étroitesse de l'escalier, Atticus se contenta de se tordre la nuque pour en apercevoir un peu plus. Il promena son pinceau lumineux sur la cheville et remonta progressivement.

Il nota tout de suite leur présence. Là encore, des insectes morts. Nombreux. La plupart aplatis, concassés. Disséminés un peu partout autour de la victime. Ce qui interpella Atticus fut leurs origines. Il avait passé plusieurs années le nez dans ses livres d'entomologie ou sur les collections qu'il décortiquait, et si près de vingt ans s'étaient écoulés, il en gardait un souvenir vivace, aussi précis qu'un premier amour.

Ce qu'il avait sous les yeux, ce n'était pas exactement ce qu'on pouvait trouver dans un lieu vétuste comme celui-ci : c'était un mélange sans aucune cohérence biologique de familles d'insectes. Un amalgame qui n'avait absolument rien de naturel, ni en nombre, ni encore moins en association.

Atticus Gore sut pourquoi Marcia et Ottington avaient pensé à lui en découvrant la scène de crime. Son passé n'était pas un secret, et il savait que dans son dos, certains, et Ottington le premier, le surnommaient *Bughole*[1]. La colère n'eut pas le temps de monter, il était bien trop intrigué et il pensa que, quelque part, il ne pouvait même pas en vouloir à Marcia. Peut-être bien que c'était vraiment un cadeau qu'ils lui faisaient.

– Il en a sur lui ? demanda-t-il. Des insectes ?

Malkovian pivota pour le dévisager par-dessus ses lunettes fines. Couronne diaphane de cheveux sous un crâne lisse, sour-

---

1. Jeu de mots en anglais entre *butthole* (trou du cul) et *bug* (insecte).

cils hirsutes et gueule saillante tout en angles, sans une douceur graisseuse, le légiste n'avait rien d'aimable.

– Gore ! J'imagine que vous êtes là à cause de votre formation ? Va falloir tout ramasser. Un sacré merdier, il y en a partout. Dans les manches, sous la chemise aussi j'en ai aperçu. J'avoue que je n'y comprends rien.

À ces mots, la vue sur le cadavre s'était dégagée, et Atticus demeura circonspect de longues secondes.

Dans les éclairs des flashs, il vit, soulignée par sa propre lampe, la mâchoire osseuse, béante sur les longues dents, l'absence de nez, juste une double cavité oblongue, les pommettes projetant leur ombre en direction des orbites vides. Une tempête de cheveux roux coiffait bizarrement le haut du front blafard puis Atticus comprit qu'ils avaient dû être blonds *avant*. Le sang les avait poissés en tous sens, les figeant après la bataille dans un mouvement presque grotesque, comme une perruque mal ajustée. L'horreur, la tragédie et le ridicule de la mort entremêlés. Cette curieuse image d'un crâne agonisant sur sa propre futilité lui fit aussitôt penser à Hamlet. *Pauvre Yorick !*

Sauf que celui-ci n'avait rien d'un bouffon. *Il est mort en hurlant.*

Puis le regard d'Atticus fila vers les épaules affaissées en direction des mains. Des osselets recroquevillés qui formaient comme de minuscules cages. Une chevalière dorée, sertie d'une grosse pierre rouge, tenait encore, en équilibre, sur ce qui avait servi d'index. Ce n'était pas une maigreur maladive qui hantait ces habits du quotidien mais rien qu'un squelette. Parfaitement nettoyé, jusqu'à la dernière once de chair.

Et toute sa tenue avait été noyée par son sang. L'ensemble luisait encore sous l'éclairage fugace. Atticus constata que les gants du légiste en étaient recouverts, tout comme les nombreuses autres paires qui remplissaient le sac plastique posé à côté de sa mallette.

– Qu'est-ce qui s'est passé ici ? lâcha-t-il du bout des lèvres.

– Ça, si vous me le dites, vous êtes un champion. Les os sont parfaitement disposés, il y a encore de nombreux cartilages intacts. Pour moi, il est impossible qu'on soit parvenu à l'habiller ainsi. Le cuir chevelu ne tient quasiment plus, j'ai trouvé les ongles sous les os des doigts, et il reste une partie des organes à l'intérieur, mais ils sont en bouillie.

– Pardon ?

– Oui, je sais. Dix-sept ans de carrière et je n'avais jamais vu une chose pareille. C'est comme si on l'avait débarrassé de sa peau, de sa chair et de l'essentiel de sa matière, ici, sans même le déshabiller.

Atticus Gore flottait dans un état d'incrédulité totale. Son cerveau enregistrant des faits que sa raison ne parvenait à entendre.

Ses pupilles glissèrent vers les insectes à ses pieds.

C'était impossible. Scientifiquement inexplicable. Et pourtant, cela semblait s'imposer avec une telle évidence.

– Vous aussi vous pensez à la même chose que nous ? demanda Malkovian. Mais on est d'accord que ça n'est pas crédible ?

– Les insectes ne peuvent pas dévorer un corps. Pas comme ça. Il y a des processus lents et obligatoires qui interviennent avant cela, la décomposition, les larves de mouches qui se nourrissent de la viande, les différentes escouades d'insectes qui se succèdent selon une chronologie bien établie, logique, en fonction de leurs besoins respectifs, et sur plusieurs semaines, voire plusieurs mois.

Le légiste tendit la main vers Atticus tout en prenant à témoin le technicien de la SID :

– C'est ce que je disais.

– Le type est là depuis quand ?

– C'est votre enquête qui devra le déterminer. Chacun son job, détective. Mais si vous voulez mon avis, ça ne fait pas plusieurs semaines. Et ses fringues... je m'en colle plein les doigts. Il a pissé le sang très récemment. Quarante-huit heures au max. Il n'y a rien de normal ici. Rien.

Atticus partageait ce sentiment. Le sang qui imbibait encore tous les vêtements, les insectes fraîchement écrasés, le mort qui avait été retrouvé seulement ce matin...

– Il a des papiers sur lui ? s'enquit Atticus.

Malkovian attrapa une pochette plastique derrière sa mallette et la lui tendit tout en y laissant deux taches vermillon.

– Vos collègues traînaient en attendant votre arrivée, alors j'ai pris sur moi de collecter ses effets avant que tout ne soit fichu à cause du sang.

À l'intérieur, Atticus vit un portefeuille, un téléphone portable, un peu de monnaie, un paquet de chewing-gums ouvert, un trousseau de clés et plusieurs bouts de papier pliés qui ressemblaient à des reçus de carte de crédit. La plupart avaient viré au rose-rouge.

À travers le plastique, Atticus pressa une des touches du téléphone. L'écran s'illumina. Non seulement il n'était pas verrouillé par un code mais il restait 17 % de batterie. Suffisant pour rentrer le brancher. Les portables détenaient une telle quantité d'informations désormais, qu'il était capital de commencer par là, en s'évitant les longues procédures du laboratoire pour tout extraire lorsque c'était inaccessible. Ils allaient gagner du temps.

Ils ?

Atticus serra les dents. Ce n'était pas son enquête. Officiellement, il n'avait rien à faire là, et aucune obligation de poursuivre. Il ne cessait de se le répéter.

Il observa de nouveau le squelette, sa chevalière en or et la pierre rouge semblable à celle des champions de la NFL[1] et, après un examen plus attentif, constata que l'homme ne devait pas être très grand. Tous les insectes morts autour du corps et ceux des marches l'intriguaient.

Le genre de cas foutraque qui pouvait se révéler passionnant.

Ou complètement insoluble. Des semaines à creuser, une montagne de vérifications, d'impasses, de bizarreries, un budget colossal

---

1. National Football League.

englouti en analyses scientifiques, et au bout du compte : rien, sinon une hiérachie en rogne et tout le département qui se paye ma tronche. « Atticus Gore, la promesse d'un crime impuni ! »

Il ne pouvait se permettre un nouvel échec. Et c'était impliquer son partenaire dans sa décision, sans même l'avoir consulté. Hack n'apprécierait pas. Ils travaillaient en binôme, un ping-pong permanent entre deux cerveaux, une alliance tactique sur le terrain comme pour les interrogatoires. Hack et lui venaient d'être nommés ensemble il y a à peine cinq mois, le précédent partenaire d'Atticus ayant été transféré au bureau de la Valley, au nord, de l'autre côté de Griffith Park. Officiellement pour se rapprocher de sa famille à San Fernando, en réalité parce qu'ils ne s'entendaient pas. Le lieutenant qui dirigeait leur escouade avait sermonné Atticus : il fallait qu'il ait davantage l'esprit d'équipe, qu'il partage, qu'il écoute l'autre. Troy Brown était un sacré con. Difficile de faire corps avec un abruti, même avec toute la bonne volonté professionnelle du monde, huit heures par jour minimum. *Et Brown puait la transpiration à deux kilomètres à la ronde, qui peut supporter ça ?*

Hack et Atticus avaient deux affaires non résolues sur les bras depuis le début de leur collaboration. Et tout indiquait qu'elles le resteraient. Deux échecs et rien d'autre. Ils ne pouvaient pas se planter une nouvelle fois.

Le squelette luisait par intermittence à chaque nouvelle photo prise par le technicien qui dansait presque pour ne pas écraser les minuscules carcasses de chitine. Atticus brûlait d'envie de les étudier, de les passer au microscope ou au moins à la loupe lumineuse pour les répertorier et trouver le sens de leur présence.

Aux centaines de graffitis sur les murs autour d'eux se mêlaient des dessins, parfois obscènes, à de rares occasions plutôt réussis, quelquefois inquiétants. Atticus remarqua la présence de nombreux yeux ronds, blanc et noir qui, dans la pénombre, les fixaient étrangement. Il ressentit alors la pression d'un monde parallèle, occulte et effrayant, qui le scrutait depuis la crasse de ces parois, un monde emprisonné là à jamais, celui de la nuit, des marginaux, d'une certaine souffrance, d'une différence assumée. Et tandis qu'il leur rendait leur regard, il sut qu'il se cherchait vainement des prétextes pour reculer : il n'en trouverait aucun.

Il soupira longuement dans l'obscurité, aux pieds de cet homme dont les chairs avaient fondu, avalées par le néant, avec sa parure d'insectes en tout genre.

Et Atticus Gore résolut de ne plus perdre de temps.

4.

Une ville entière évaporée de tous ses habitants. Chaque année.

C'était un chiffre officiel. Dans ce pays dit « civilisé », l'équivalent de toute la population d'une grande cité disparaissait sans qu'on sache où ni pour combien de temps, ni si ces gens étaient encore en vie.

Environ 650000 personnes étaient déclarées disparues tous les douze mois. Rien que ça. Principalement des mineurs. La plupart finissaient par ressurgir quelque part, un jour, en plus ou moins bon état, parfois aussi froides qu'un pain de glace. Mais au bout du compte, environ 15 % s'envolaient pour de bon.

Près de 90000 personnes.

Sans jamais remonter à la surface de la société.

Et cela recommençait l'année suivante. Toujours et encore. Près d'un million d'individus en dix ans. Et le compte ne s'arrêtait jamais.

— Un million, répéta lentement Kat Kordell, effarée, comme pour mieux se figurer ce que cela représentait.

Assez étonnamment, avant d'aller les découvrir sur le site du NCIC[1], elle n'était pas au fait de ces chiffres malgré son

---

1. National Crime Information Center : base de données des statistiques officielles du crime aux États-Unis.

métier de détective privé. L'essentiel de son boulot consistait en des affaires d'adultère, quelques vérifications pour le compte d'avocats préparant un procès à venir, parfois un litige entre un employeur et son personnel qu'il fallait aider à « régler efficacement », établir le profil d'un individu en vue d'une embauche dans un secteur privé sensible. Mais au bout du compte, très peu d'histoires de disparition. Quasiment aucune même, en plus de vingt ans de carrière. Surprenant, quand on y pensait.

Kat avait choisi ce métier – qu'on considérait, encore aujourd'hui avec beaucoup de sexisme, comme un « job de mec » – à cause de son oncle. Big Tony Kordell. Un géant à la bonhomie communicative qu'elle adulait enfant. Elle avait ensuite découvert la face cachée de la vie de Big Tony pendant son adolescence. Les heures de planque, les filatures interminables, et toutes les photos punaisées sur l'immense panneau de liège qui recouvrait tout un pan de son bureau de Brooklyn. Dans ces moments-là, le jovial oncle Tony se transformait en un être fermé, les yeux toujours en mouvement, à respirer fort par le nez, son immense poitrine se soulevant et gonflant sa chemise avec la régularité d'un dormeur. Pourtant, sous son crâne de plus en plus chauve au fil des décennies, une activité frénétique lui brûlait les synapses. Loin d'être assoupi, Big Tony examinait, recoupait, fomentait. Puis brusquement, il bondissait pour taper son rapport sur la machine à écrire bruyante d'un autre siècle ou pour enfiler son imperméable beige usé et foncer dans la rue.

Il avait fasciné et façonné Kat.

Encore aujourd'hui, elle éprouvait toutes les difficultés du monde à s'expliquer les raisons de cet intérêt. Elle n'avait pas grandi dans la souffrance, mais au sein d'une famille relativement soudée, plutôt aimante. Aucune tragédie réelle pour fracturer sa psyché, pas de faille narcissique ou affective béante. Non, rien qui soit susceptible d'expliquer sa fascination pour la noirceur de l'âme humaine. Juste une gamine qui adorait le frère de son père, cet éternel célibataire qui fumait trop, qui venait dîner à la maison plusieurs fois par semaine, prompt à raconter de bonnes blagues, à rire fort, à boire allègrement, et qui, lorsqu'elle lui demandait ce qu'il faisait pour gagner sa vie, répondait d'un air mystérieux en baissant le ton : « Je fouille dans les secrets des gens. De préférence les secrets les plus honteux, ceux qu'ils voudraient ne jamais partager. »

C'était peut-être ça le point d'origine. Connaître les secrets. Kat, gamine d'une dizaine d'années, bouclettes châtain clair tirant sur le blond, petit nez mutin, grands yeux verts et sourire sincère, avait rêvé de s'immiscer dans l'intimité d'inconnus, et tout étaler dans une pièce rien qu'à elle pour les comprendre, les percer à jour.

Big Tony l'avait souvent accueillie dans son bureau au sommet d'un immeuble de brique safran, situé au cœur d'une zone industrielle sale du nord de Brooklyn. Un quartier d'entrepôts et de vieilles usines tombant en ruine les unes après les autres, entre le Brooklyn Bridge et le Manhattan Bridge, avec pour unique consolation une vue imprenable sur l'arrogante skyline du sud de Manhattan.

Kat avait grandi là, observant avec curiosité les affaires en cours de son oncle. Elle adorait venir y faire ses devoirs plutôt que de rentrer dans l'appartement vide de Williamsburg où ses parents revenaient parfois tard de leurs emplois d'imprimeur et d'infirmière. Tony lui expliquait sur quoi il planchait, et il aimait conclure ses exposés par une petite leçon de morale et quelques-unes de ses astuces.

L'idée s'était imposée d'elle-même lorsqu'on avait demandé à Kat ce qu'elle comptait faire de sa vie et, avec le plus grand naturel, elle avait répliqué qu'elle serait détective privé.

Oncle Tony s'était fait dévorer par un cancer du poumon alors qu'elle se débattait avec ses études de droit pénal et, n'ayant pas d'enfant, il lui avait laissé son bureau-appartement en héritage. Kat y avait posé ses cartons un mois plus tard, renonçant à poursuivre sa scolarité, et elle avait entrepris une formation privée afin d'apprendre tous les aspects officiels de la profession. Tous les petits trucs du quotidien, elle les connaissait déjà grâce au temps passé aux côtés de son oncle. Pour pouvoir postuler à une licence de détective privé dans l'État de New York, il lui fallait engranger un minimum de trois ans d'expérience. Elle avait pensé qu'il lui serait impossible de se faire engager, à seulement vingt et un ans et sans diplôme universitaire, avant de découvrir le cynisme du milieu. Une jeune femme motivée, connaissant déjà les rouages du métier, plutôt jolie et prête à tout pour se faire embaucher était un trésor pour les agences de la Grande Pomme. Une offrande irrésistible pour piéger les maris volages, un ange insoupçonnable pour extirper quelques infos à de vieux hommes d'affaires, une confidente idéale à la salle de sport pour ces femmes au foyer des banlieues chics préparant secrètement leur demande de divorce... la liste était longue et les perfidies nombreuses. Kat fit ses trois ans, pas un jour de plus, à manipuler, surveiller et trahir, puis passa avec brio l'examen écrit et fit sa demande pour s'installer à son compte.

Elle vécut ainsi de son maigre salaire d'apprentie et sur le pécule légué par ce colosse qui lui manquait tellement et dont elle croyait apercevoir le fantôme dans les recoins du bureau, avant de pouvoir poser son nom sur le mur, avec une licence officielle.

Remplacer la plaque d'Anthony Kordell par la sienne lui avait comprimé la poitrine, en même temps qu'une certaine fierté montait de loin en elle. Il ne manquait que lui, par-dessus son épaule, pour lui adresser un de ses sourires narquois.

Les premières années en solitaire furent les plus pénibles. Difficile de se faire une clientèle lorsqu'on a vingt-cinq ans et qu'on prétend recueillir les secrets les plus tabous de personnes qui viennent mettre leur existence entre vos mains. Kat dut prendre ce qu'elle trouvait, des cas minables, mal payés, douteux, en usant de son charme et de sa féminité, seuls atouts qui la rendaient rare face à une longue liste de concurrents. Elle se dégoûtait d'en être réduite à cela, se promettant qu'un jour elle serait si connue et talentueuse qu'aucun homme n'oserait jamais l'engager pour sa plastique et l'innocence que son âge pouvait induire.

À présent, les usines avaient toutes fermé, les entrepôts s'étaient métamorphosés en galeries d'exposition, en boutiques de luxe ou en appartements à la décoration minimaliste, et le secteur tout entier, Dumbo, avait muté en un haut lieu bobo branchouille. Multipliant par dix au moins le prix du loft, que Kat avait scindé en deux pour séparer son cabinet de travail, comme elle l'appelait pompeusement, de ses quartiers privés. Ayant dépassé la quarantaine, Kat Kordell jetait un regard amusé, parfois envieux, sur cette jeune femme en colère qu'elle avait été jadis, regrettant de ne plus incarner l'innocence et la plastique juvéniles qui avaient fait son succès. Ce n'était pas faute de s'efforcer d'entretenir la seconde : sport, alimentation relativement saine, elle ne fumait pas, ne buvait pas d'alcool en quantité excessive (le spectre d'oncle Tony et de son cancer le lui interdisait), et avait même cédé récemment à la folie de quelques injections de Botox. Juste ce qu'il fallait pour que ça reste naturel, tout en lui redonnant un petit coup de fraîcheur... Pour autant, le temps avait fait son œuvre. Elle était une quadra, certes séduisante, mais son teint de gamine lui manquait, sa chair perdait en tonus, ses seins ne visaient plus les anges mais cédaient peu à peu à la triste autorité de l'attraction, et son corps se creusait progressivement des sillons de l'usure. Quant à l'innocence...

Le chiffre de 90000 personnes griffonné sur une feuille devant elle l'aspira à nouveau vers le concret. Elle avait lancé ses recherches ce matin très tôt, avant que le soleil ne se lève et ne brûle de ses rayons les fenêtres miroitantes des buildings de l'autre côté de l'East River. Annie Fowlings avait appelé la veille au soir, très tard. Une voix déterminée qui parlait lentement, sans hésitation, et qui pourtant respirait une grande détresse. Elle voulait voir Kathleen Kordell tout de suite. Une affaire urgente. Très urgente. Sa fille, vingt-deux ans, avait disparu, les flics ne la prenaient pas au sérieux et Annie Fowlings avait besoin d'aide. Kat avait expliqué qu'elle n'était pas en ville, mais qu'elle pouvait la recevoir dès le lendemain matin, à 7 heures.

Dès qu'elle avait raccroché, Kat avait ramassé ses affaires éparpillées dans le chalet et fermé son sac, au grand désarroi de Mitch qui lui demanda plusieurs fois s'il avait fait quelque chose de mal. Mitch était un type gentil, c'était d'ailleurs sa principale qualité, ce qui le rendait si attachant et précieux aux yeux de Kat, en plus d'être un bon amant. Il n'était pas très beau et pas toujours le plus intellectuellement vif du couple. Ils se fréquentaient depuis plus de cinq ans, sans qu'il soit jamais venu à l'esprit de Kat d'en faire une relation plus établie. Chacun chez soi, se voir lorsque cela les arrangeait, ne pas déborder sur leurs métiers respectifs, ne pas se lancer dans des promesses puériles qui ne tiendraient pas l'épreuve du temps. Juste profiter, se respecter, s'épauler si nécessaire et naviguer à vue aussi longtemps que possible. Kat n'était pas une femme moulée dans la norme. Loin de là. Pas d'enfants, aucun désir d'en avoir, pas plus que de fonder une famille dans une maison en bois bien décorée avec un chien sur le paillasson. Elle prisait sa liberté égoïste de chaque instant et n'entendait la sacrifier sur aucun autel, pas même celui de l'épanouissement conventionnel du modèle défini par la société pour une femme. Sa modernité à elle se nichait dans sa singularité assumée.

Kat avait embrassé Mitch en lui expliquant qu'une urgence l'attendait, et elle avait quitté en pleine soirée le chalet qu'il louait dans les Catskills, sans une once de regret. Elle avait eu sa dose de compagnie, de confidences et de sexe. Besoin de retrouver son nid à elle, sa solitude. Son architecte de petit ami la comprendrait, il avait l'habitude.

Mon Dieu, « petit ami ». Horrible. « Mon mec », à la rigueur. « Mon compagnon », pourquoi pas. Mais « petit ami »... je n'ai plus vingt ans !

L'interphone sonna et résonna dans tout le bureau tapissé d'affiches de vieux spectacles de magie du début du XXe siècle, héritage là aussi d'oncle Tony. Même le panneau de liège couvrait encore un des murs du sol au plafond. Seule la machine à écrire avait été remplacée par un Mac portable, et Kat avait disposé quelques touches plus féminines, un peu de verdure, diffuseur de parfum, et les nombreux livres techniques dans lesquels elle ne cessait de se perfectionner en informatique et aspects légaux. Dans son dos, l'aube embrasait le monde, le nimbait de flammes liquides qui coulaient le long des constructions d'acier de Wall Street pour momentanément les changer en or. Une illusion répétée jour après jour, comme pour tous les motiver à poursuivre leurs folies humaines en cet eldorado où l'argent n'était plus que virtuel.

Kat s'assura qu'aucun dossier n'était ouvert, déplaça une chaise en face d'elle pour inviter à l'assise, et fila ouvrir la porte. Elle commencerait par l'écouter, puis elle présenterait les chiffres qu'elle avait appris par cœur – un moyen de rassurer sa cliente, de donner l'impression qu'elle connaissait bien ce genre de cas, de démarrer par une touche positive : 85 % des personnes disparues refaisaient surface tôt ou tard.

Dans le miroir près de l'entrée, elle jeta un rapide coup d'œil à son reflet et repassa une de ses boucles derrière son oreille. Sa crinière, un camaïeu de beige allant jusqu'au blond cendré, était domptée par un élastique au-dessus de sa nuque. Maquillage léger, juste ce qu'il fallait pour retrouver un teint uniforme et mettre en valeur son regard de jade. *Parfait.* Kat ajusta son chemisier – se donner un air sérieux. Deux boutons dégrafés pour recevoir une femme, trois lorsque c'était un homme. *Toujours détourner l'attention d'un homme du discours vers le physique pour pouvoir en jouer si nécessaire.* Elle n'avait pas tant changé que ça depuis ses vingt-cinq ans, songea-t-elle. Du moins pas dans ses stratagèmes. Son pantalon cigarette soulignait sa taille encore fine et le galbe de ses fesses. *Très bien.* Cela envoyait un message là aussi : Kat Kordell avait le physique pour assurer sur le terrain. Endurer. Courir s'il le fallait. Cela plaisait aux clients.

La lumière du palier avait encore des problèmes, constata la privée en ouvrant sa porte. Le transfo des spots dans le faux plafond, avait expliqué l'électricien. Manifestement, il n'avait rien changé du tout. Les deux ampoules sur son seuil crépitaient et arrosaient épisodiquement de leur jet de lumière la vieille moquette élimée devant l'ascenseur.

Et dans un de ces flashs, Kat vit la silhouette découpée de la mort qui l'attendait.

Haute et maigre, les mains jointes devant elle sur sa robe de ténèbres, elle la fixait sans aucune émotion, des cernes comme des faux sous ses yeux noirs semblables à des puits sans fond, les cheveux tirés en arrière à en souffrir, le menton pointu presque à l'instar d'une menace physique.

Elle surgissait par intermittence, de plus en plus proche, fonçant droit sur Kat, qui perdait toute assurance.

Annie Fowlings déplia l'un de ses bras décharnés et tendit ses os vers Kat.

– Aidez-moi, Miss Kordell. Je vous en supplie.

5.

Le soleil du petit matin se fracassait sur le glacis des buildings de Manhattan, projetant ses fragments incandescents jusque de l'autre côté de la rivière, à travers le bureau de Kathleen Kordell, heurtant de plein fouet le bas du visage de sa cliente, Annie Fowlings. Le store de la longue fenêtre protégeait son regard qui demeurait dans une vague pénombre où scintillaient faiblement deux billes fixes.

Kat ne se sentait jamais mal à l'aise face à ceux qu'elle recevait. Elle en avait vu d'autres, des tordus, des puissants, des dangereux, lorsqu'elle était jeune, jusqu'à s'épaissir le cuir, tanné et résistant, « à l'épreuve des trous de balle », comme disait oncle Tony pour parler de sa propre expérience.

Pourtant, cette fois, elle devait bien s'avouer que cette femme la dérangeait. Au-delà de son physique, que n'aurait pas renié Morticia Addams, son attitude la perturbait. L'absence de vie en elle, sorte d'enveloppe sèche, l'intensité brutale de son regard, vide de toute émotion sinon une conviction lugubre, absolue, et ses gestes, minimalistes, calculés au plus précis, rien d'inutile. Elle avait traversé la pièce pour se poser sur la chaise sans attendre Kat, et maintenant qu'elles se tenaient face à face, pourtant séparées par le large bureau en merisier verni, la détective privée avait l'impression d'être encore bien trop proche. Elle manquait de recul. Une distance de sécurité, songea-t-elle en se trouvant aussitôt ridicule.

— Mrs Fowlings, vous...

— Ma fille a disparu, comme je vous l'ai déjà dit hier au téléphone. Lena. Elle a vingt-deux ans. Je souhaite vous engager pour la retrouver.

Kat cilla puis hocha doucement la tête.

— Vous avez contacté la police, à ce que j'ai compris...

— Lena n'est pas mineure, elle n'est pas considérée comme une priorité pour eux, je l'ai bien senti. Ils pensent qu'elle a filé avec un garçon ou une copine, à moins qu'elle nous fuie pour une raison ou une autre. D'après eux, elle va revenir tôt ou tard. Bref, ils ne m'écoutent pas.

— Qu'est-ce qui vous fait dire qu'ils ont tort ?

— Je connais ma fille.

Kat fit la moue un court instant pour bien calibrer son ton, se montrer enrobante et compréhensive, tout en restant professionnelle.

— La plupart des parents de jeunes adultes le pensent, et ils ont parfois des surprises. Ne vous méprenez pas, Mrs Fowlings, je ne cherche pas à me débarrasser de vous, juste à bien saisir la situation.

— Je n'en attendais pas moins de vous. J'ai lu tout ce que j'ai pu trouver sur votre compte ces dernières vingt-quatre heures. Une mère qui a perdu son enfant ne dort pas beaucoup...

Kat tiqua. Savait-elle que son expérience en matière de disparition d'enfant était voisine du néant ? Pourquoi venir demander de l'aide à une privée qui donnait surtout dans les affaires d'adultères, de divorces tumultueux, d'entreprises paranoïaques ou de successions complexes ?

Comme si elle lisait en elle, Annie Fowlings répondit :

— Je n'ai rien trouvé vous concernant ayant un rapport avec des enquêtes pour enlèvement ou ce genre de chose, mais vous avez très bonne réputation dans votre domaine. Vous avez travaillé pour l'une de mes amies, Clara Reese.

Kat approuva, elle se souvenait très bien de Mrs Reese. Femme au foyer, naïve et aimante, qui avait découvert que son mari la trompait avec une fille de quinze ans de moins et qu'il envisageait secrètement de divorcer pour refaire sa vie. La timide gazelle s'était muée en lionne assoiffée de sang et Clara Reese avait engagé Kat pour tout savoir de ce que son mari tramait. Elle voulait le réduire en miettes. Qu'il ne s'en relève jamais. Une dépouille exsangue. Et Kat avait monté un dossier en béton pour l'y aider. Preuves de l'adultère, de son plan pour manipuler les comptes de son entreprise d'expert-comptable afin de tout vider pour ne rien lui laisser, de sa nature proche du pervers narcissique. Du bon boulot. Kat ignorait ce qu'il était advenu de ces ennemis jurés, ce n'était plus de son ressort, mais elle ne doutait pas qu'il avait dû passer un sale moment devant le juge au moment de la séparation.

Là encore, Annie Fowlings fit preuve de clairvoyance en répondant à ses interrogations.

– Adam Reese s'est suicidé quelques mois plus tard et Clara est plus rayonnante que jamais. Je sais que vous avez le souci du détail, que vous êtes une acharnée, Miss Kordell, et c'est ce que je recherche.

Kat encaissa. Le moment n'était pas à la culpabilisation. Elle avait juste fait son job. Elle décida d'oublier tous les chiffres qu'elle avait mémorisés. Ils ne serviraient à rien.

– Parlez-moi de votre fille, dit-elle pour détourner l'attention de sa propre personne.

Annie Fowlings demeura silencieuse plusieurs secondes, les reflets du soleil se prenant dans ses dents parfaitement blanches, insistant sur ses lèvres craquelées, maltraitées par de nombreuses petites morsures. L'ombre du store sur son regard la découpait en deux.

– Lena est une fille indépendante. Je ne vais pas vous mentir : elle a toujours eu un rapport assez conflictuel avec nous. Son père est décédé lorsqu'elle avait douze ans, un AVC. Je me suis remariée il y a trois ans, et elle n'a jamais apprécié Malcolm, qui partageait notre toit lorsqu'elle était adolescente ; ensuite elle est partie pour l'université.

– Quel genre d'études ?

– Sociologie. Lena a eu un parcours personnel disons… agité. Scarifications, mauvaises fréquentations, musiques extrêmes, ce genre de choses. Le décès de son père l'a énormément secouée. Elle manquait d'une présence masculine à la maison, et lorsque Malcolm a débarqué, elle l'a refusé.

– Drogue ?

– Non, heureusement, ça non, nous sommes parvenus à l'en tenir éloignée.

– Bonne élève à l'université ?

– Elle a tout abandonné en cours de route, il y a un peu plus d'un an, malgré sa bourse. Là aussi, je dois avouer que nous avons eu des différends, c'est le moins qu'on puisse dire. Cependant, ça n'a jamais rompu le lien mère-fille. Nous nous crions dessus parfois, mais ensuite nous nous prenons dans les bras, lorsque tout va mieux.

– Pourquoi a-t-elle arrêté ses études ?

– Elle ne supportait plus ce rythme, cette… mascarade, comme elle dit. L'enseignement, entrer dans le moule, prendre pour parole divine les textes qui façonnent notre société. Voilà le genre de mots qu'elle emploie.

– Elle vous parle ? De ses amis, de sa vie amoureuse, de ses états d'âme…

– Assez peu.

– Elle vit chez vous ?

– Non, après l'université, elle n'est pas revenue. Elle s'est mise en colocation dans le Queens, a multiplié les petits boulots, puis comme elle ne supportait plus la vie en communauté, elle a migré à l'automne vers un studio dans Lower East Side, à Manhattan, c'était tout ce qu'elle pouvait se payer. Un immeuble et un quartier pas terribles, j'ai essayé de l'en faire sortir, mais elle n'a pas voulu de mon aide, encore moins m'écouter.

Kat étudiait sa cliente. Celle-ci ne bougeait pas, pas même ses mains, elle se contentait de débiter ses phrases sans ciller, sans que son visage ne reflète la moindre émotion. Une vraie poupée de plastique. *Une poupée flippante...*

Soudain elle s'anima et, pour la première fois, bougea afin d'extraire de son sac à main une enveloppe kraft qu'elle déposa sur le bureau, avant de reprendre son immobilité de porcelaine.

– Voici ce dont vous pourriez avoir besoin. Un double de ses clés, avec l'adresse. J'ai noté le nom des gens qu'elle fréquente, en tout cas ceux que je connais, avec un numéro de téléphone pour les rares que j'aie. Vous trouverez tout ce qui m'a paru important. Les coordonnées de son employeur, également ; ces derniers temps elle travaillait au Starbucks près de chez elle, ainsi que...

Kat, qui recouvrait petit à petit la maîtrise d'elle-même, l'interrompit.

– Mrs Fowlings, pourriez-vous me dire quand vous l'avez vue ou eue en ligne pour la dernière fois ?

– Il y a dix jours. Le mercredi 27 mars. Je suis passée la voir au Starbucks, pour prendre de ses nouvelles, elle se faisait plus distante ces derniers temps.

– Comment ça ?

– Elle ne me rappelait pas, ne me donnait pas vraiment de nouvelles.

– Savez-vous pourquoi ?

– Elle avait besoin de tranquillité, pour se trouver. Lena s'interrogeait beaucoup sur elle-même, sur le monde.

– Aucun signe de dépression ? Elle mangeait normalement ? Changement de poids ou dans son apparence physique ?

Les minuscules éclats blancs se firent plus intenses brusquement, dans la pénombre. Annie Fowlings la fixait. Et pour la première fois, Kat crut déceler un début d'émotion. *De la colère.* C'était rassurant.

– Je sais que vous me demandez ça pour savoir si elle a pu se suicider quelque part, sans qu'on ait encore retrouvé son corps.

Kat n'eut pas envie de lui mentir. Elle se contenta d'un signe vague de la main confirmant que c'était une hypothèse.

– Je le saurais si c'était le cas, enchaîna la mère. Ma fille ne s'est pas tuée. Je peux vous le dire.

Il y avait tellement de certitude dans sa voix que Kat préféra changer de sujet.

– Des parents éloignés ou des connaissances qu'elle aurait pu rejoindre quelque part dans le pays ?

– Non. Lena n'entretient pas ses relations. Elle butine, puis passe à autre chose. C'est une solitaire, une vraie.

Plus le profil de la fille se dessinait, plus Kat comprenait pourquoi les flics ne voulaient pas perdre de temps à monopoliser les enquêteurs au détriment d'affaires plus inquiétantes. Tout indiquait que Lena Fowlings s'était fait la malle, c'était dans son sang, et vouloir se débarrasser provisoirement de la pression maternelle paraissait probable. Kat pouvait peut-être remonter sa piste, mais la fille voudrait-elle s'expliquer ou du moins confirmer à sa mère qu'elle était en vie ? *C'est du boulot, ça me change, et si Mrs Fowlings a les moyens de payer mes honoraires, pourquoi refuser ?*

– La virée romantique ou le road trip existentiel vous paraissent plausibles ?

– Je l'avais envisagé.

– Avais ? Ce n'est plus le cas ?

La bouche aux lèvres gercées se comprima, la gorge s'agita, et avant même qu'un début de sentiment n'émerge, Annie Fowlings se verrouilla de nouveau. Puis elle tira de son sac un téléphone portable.

– J'ai reçu ce message d'elle cette nuit.

Elle le tendit à Kat qui put lire : « Je vais bien maman. Relax. Embrasse Tanie pour moi. »

– Qui est Tanie ?

– Sa petite sœur. J'aurais peut-être dû retourner chez les flics avec ce message, mais je pense qu'ils se sont déjà forgé une conviction nous concernant. Vous devez m'aider.

Kat se pencha en avant pour poser ses coudes sur le rebord du bureau. Elle devinait chez sa cliente une fragilité qui remontait enfin à la surface.

– Pourquoi êtes-vous si inquiète, Mrs Fowlings ?

En face, il y eut comme un tremblement dans la pénombre, et la mère souffla sèchement par le nez. Sa poitrine se soulevait plus vite, plus fort.

– Ce n'est pas ma fille qui a écrit ce texto, ou alors elle me fait passer le message qu'elle est en danger.

– C'est pourtant bien son numéro, n'est-ce pas ?

Annie acquiesça.

– Mais Tanie est morte d'une leucémie il y a plus de dix ans.

À ces mots, Kat se raidit avant de reculer au fond de son siège, sans lâcher sa cliente du regard. Les deux femmes s'observaient, enfouies dans leurs pensées.

Puis le soleil cessa de rebondir sur les fenêtres et toute la présence d'Annie Fowlings s'estompa dans la pénombre.

6.

Eli Hackenberg ajustait le nœud de sa cravate tout en traversant l'aire circulaire du zoo abandonné de sa démarche imperturbable, massive, tout à son image. Un grand type à la blondeur si prononcée qu'elle en gommait presque ses sourcils, les joues un peu flasques, le dessous du menton s'affaissant déjà malgré sa quarantaine à peine entamée. « Hack », comme ses collègues du LAPD le surnommaient, avait eu un physique de joueur de ligne offensive au football américain, mais les heures passées assis à son bureau ou au volant de sa voiture au lieu de faire du sport avaient progressivement eu raison de ce qui restait du dynamique jeune homme qu'il avait été.

Hack n'était pas un subtil, loin de là. Il n'avait pas peur de déranger, de poser la question qui fâche, de bousculer, et nul ne savait s'il accentuait volontairement son côté fonceur qui collait parfaitement à son physique ou s'il était réellement cette armoire à glace brutale et sans concession.

Lorsqu'il arriva au niveau de son partenaire Atticus Gore, il désigna la dizaine de flics en uniforme dispersés un peu partout à la recherche d'indices supplémentaires.

– Tu m'expliques ce que je fous là un vendredi où je ne suis pas de service ?

– On prend le relais de Velazquez et Ottington.

— Putain, j'espère que c'est du tout cuit, pas envie d'y passer le week-end ! La prochaine fois, demande-moi au moins mon avis...

Atticus ne le regardait pas, les yeux fixés sur l'esplanade herbeuse cerclée d'arbres. Il avisait plusieurs groupes de longues tables de pique-nique en béton, sales et anciennes.

Hack, lui, ne semblait pas se préoccuper le moins du monde de son environnement. Il considéra Atticus de haut en bas, tout en jeans et bottines en daim.

— T'es même pas en costard, lâcha-t-il avec une pointe de dégoût. Bon, qu'est-ce que ça raconte ?

— A priori notre victime est Oscar Riotto, je dis a priori parce que c'est le nom sur le permis de conduire retrouvé dans sa veste, mais le corps est réduit à l'état de squelette, impossible à identifier de visu.

— Squelette ? Genre le type est là depuis des années ?

Atticus secoua la tête, toujours avec le même air songeur.

— C'est là que ça se complique. L'état du corps laisse à penser que la scène de crime n'est pas le lieu du crime, ça paraît peu envisageable, pourtant d'autres penchent vers l'hypothèse inverse : impossible à déplacer dans cette condition. Plus de chair sur les os, pas de peau momifiée, c'est pas un mec qu'on a abandonné là jusqu'à ce qu'il se décompose, il a été *nettoyé*.

— Merde. Genre acides ?

De nouveau, Atticus nia brièvement.

— Dans la cage thoracique, quelques organes demeurent, à moitié liquides. Le reste du squelette est parfaitement agencé, avec cartilages, les os s'emboîtent naturellement, et il y a du sang séché tout autour. Plutôt comme si le mec avait été entièrement écorché et dépouillé de sa chair.

— Putain...

— Et il a encore ses vêtements. C'est assez... incompréhensible. Rien n'est cohérent. Certains éléments suggèrent que c'est ici qu'il a été tué, mais c'est matériellement impossible. Donc ce doit être seulement le lieu de dépose. Tout est contradictoire.

– Gore, dans quoi tu nous as embarqués ? On peut pas se permettre de se planter encore une fois...

Imperturbable, Atticus poursuivit :

– Et il y a plus étonnant : des insectes écrasés un peu partout en quantité énorme.

Hack fouetta l'air de sa grosse main, accablé.

– Ils sont encore là, les deux guignols ? Je vais voir si je peux rattraper le coup.

– Je veux l'affaire, Eli. Je le leur ai déjà dit. C'est réglé. Petrozza est au courant et c'est validé. Nous sommes officiellement dessus.

Hack jura en serrant les dents.

– Des officiers ratissent large pour récupérer d'éventuels témoins, très peu probable qu'il y en ait, précisa Atticus. J'ai envoyé un gars de confiance interroger les rangers du service national des parcs. Leur bureau est à un kilomètre et demi seulement, ce sont eux qui gèrent l'endroit. A priori les panneaux qui indiquent que le lieu est sous surveillance vidéo sont bidon. Aucune caméra. Seulement de la dissuasion.

Hack ne l'écoutait qu'à moitié, il continuait de secouer la tête, en colère. Atticus n'y prêta pas attention, il savait que Hack redescendait aussi vite qu'il montait en pression. À la place, il lui montra les enclos en forme de grottes.

– Le corps est par là-bas, fais-toi plaisir.

– Tu fais chier, Gore, siffla le grand blond en s'éloignant dans la direction indiquée tout en sortant son téléphone portable.

Atticus savait qu'il allait appeler sa femme pour lui expliquer qu'il ne rentrerait pas de la journée, probablement tard ce soir, et qu'il ne serait pas à la maison du week-end. Ça allait barder. Mais Atticus s'en moquait. Chacun ses problèmes. Hack avait choisi d'être inspecteur, aux homicides de surcroît, avec tout ce que cela impliquait, et sa femme connaissait les contraintes. Ce n'était pas à lui de s'en soucier, il aurait déjà bien assez à faire avec les jérémiades de son partenaire.

Il se focalisa de nouveau sur l'aire tout entière. Les petits chevalets jaunes numérotés dépassaient à peine de l'herbe. Ils partaient de la table en béton centrale, puis se répartissaient un peu chaotiquement jusqu'à pénétrer dans la grotte artificielle qui conduisait à l'escalier où reposait la victime. Leur numérotation pouvait prêter à confusion, ils avaient été disposés l'un après l'autre dans l'ordre où les traces avaient été découvertes, ce qui ne reflétait absolument pas la véritable chronologie de ce qui s'était passé.

Les flics avaient bien bossé, balayant toute la zone, mètre carré après mètre carré, marquant chaque endroit où ils découvraient des amas d'insectes broyés. Marcia Velazquez l'avait jouée fine, sur ce coup-là. Dès qu'elle avait vu le cadavre, elle avait ordonné qu'on ratisse large en identifiant aussi d'éventuels autres insectes morts. C'était bien vu. Parce qu'il y en avait un paquet. Bien trop pour que ce soit anodin.

Atticus commençait à envisager différentes hypothèses. La première était que la table en béton avait servi au tueur pour déposer le corps d'Oscar Riotto. Dans une bâche ou une housse. Aucune trace de sang évidente n'avait été relevée sur place, mais peut-être que tout avait été lavé ensuite. Les gars de la SID allaient vérifier, Atticus les voyait inspecter avec minutie chaque parcelle. Ils avaient déjà entassé plusieurs malles non loin, qui contenaient l'ossature métallique et la bâche d'une large tente qui recouvrirait bientôt toute la table pour la plonger dans la pénombre. Ils vaporiseraient du Bluestar dessus pour détecter les coulures de sang. Même si ces dernières avaient été abondamment rincées, et en particulier sur une matière aussi poreuse, elles brilleraient d'un bleu intense, presque électrique. Si elles existaient.

La table était un point déterminant. C'était de là que partaient les insectes morts. Rien avant, hormis le chemin tracé vers la table. Soit le tueur avait ouvert quelque chose qui contenait les bestioles et elles s'étaient répandues au fur et à mesure qu'il marchait de la table vers l'enclos, soit ça s'était fait dans l'autre sens : abandon du corps sur les marches après l'avoir sorti d'un contenant, disposé minutieusement, puis fuite en faisant tomber de la housse tous les insectes, sur lesquels le tueur avait marché.

Mais pourquoi un chemin aussi erratique ?

Comme s'il ne savait pas où il allait. Panique ? Hésitation ?

Avec un cadavre sur le dos ? Sauf s'il l'a laissé sur la table pour choisir le lieu de la dépose, sa housse à la main, répandant son contenu tout au long de son exploration...

Atticus était dubitatif.

Il n'était pas seul. Il fallait être au moins deux pour transporter la dépouille.

Pour lui, il ne faisait aucun doute que le ou les tueurs avaient à un moment entreposé leur victime morte dans un endroit clos, bourré d'insectes, pour accélérer le processus de nettoyage. Il ignorait comment ils étaient parvenus à un tel résultat, mais en récupérant les restes humains ils n'avaient pu faire autrement que d'embarquer en même temps plusieurs centaines de petits charognards qui s'étaient déversés comme les miettes du Petit Poucet sur leur passage.

Tout commençait ou se concluait à cette table.

Les deux techniciens de la SID étaient penchés entre un banc et la table, et l'un montrait quelque chose à l'autre.

Atticus se rapprocha.

– Du nouveau ?

Le plus jeune, qu'Atticus connaissait vaguement, souvent affublé d'un sourire aussi intense que le noir de sa peau, lui montra une tache sombre au sol qui leur avait échappé jusque-là, largement bue par la terre craquelée. Atticus se souvint de son prénom : Devon.

– Du sang. C'est pas évident à voir, mais faites-moi confiance, c'en est. Et c'est frais. Moins de vingt-quatre heures, affirma Devon. Et là, sur le pied de la table, quelques fines éclaboussures. Pas grand-chose, mais on va vérifier si c'est en rapport avec notre mort.

Atticus acquiesça. Les vêtements d'Oscar Riotto étaient tellement imbibés de son sang qu'il n'était pas étonnant qu'on en retrouve ici, surtout si c'était là qu'on avait extrait son corps d'un sac. Les éclaboussures, en revanche, le laissaient plus circonspect. Elles étaient généralement l'empreinte d'une attaque, trahissant un geste ample, l'arc de cercle de l'arme, ou tout simplement une projection lorsque le sang était encore sous pression, ce qui n'était pas possible dans ce cas.

À moins qu'il n'ait été vivant ici et que ce soit le lieu de la mise à mort. Non. Impossible, comment expliquer la disparition de toute son enveloppe ensuite, aussi rapidement et au même endroit ?

Atticus recula pour les laisser prendre des photos puis retourna circuler entre les chevalets. Il en compta neuf jusqu'au pied de la petite falaise percée d'ouvertures où gisait le squelette. Neuf. Aucune ligne droite, pas de trajectoire évidente.

Qu'est-ce qui s'est passé ici ?

Plus inquiétant encore : la détermination qu'il avait fallu pour se débarrasser d'un homme de cette manière. Ça sentait le gang. Les Mexicains. Il semblait peu probable qu'une seule personne soit à l'origine de tout ça, encore moins qu'elle ait pu transporter le corps sur son dos jusqu'ici. Et puis il avait fallu une sacrée dose d'ingéniosité pour parvenir à ce résultat. La mise en scène elle-même, horrible, ressemblait à un truc des cartels pour faire passer un message.

Dans ce cas, pourquoi l'abandonner ici, loin des regards ?

Quelque chose ne collait pas. Le morbide du résultat et les moyens nécessaires pour en arriver là renvoyaient à un gang, mais le lieu et le corps lui-même faisaient penser à l'acte d'un malade. *Un putain de tordu...*

Atticus s'accroupit près d'un des chevalets. Juste à côté, une purée de chitine et de pattes s'agglomérait aux herbes écrasées. Après un rapide regard pour s'assurer que personne ne l'observait, il sortit un des sachets en plastique qu'il avait emportés et s'en servit pour prélever quelques fragments d'insectes. Il le referma et le glissa discrètement dans la poche arrière de son pantalon. Il y en avait bien assez comme ça pour le labo, cela n'allait nuire en rien à l'enquête. Puis il répéta l'opération sur deux autres sites avant d'estimer que c'était suffisant. L'expertise du laboratoire allait prendre du temps, Atticus était bien placé pour savoir qu'il n'y avait pas d'entomologiste attitré à la SID, seulement quelques techniciens qui disposaient de bases de données pour les assister, et lorsque nécessaire, ils requéraient l'éclairage d'un spécialiste dans le civil, généralement professeur à l'université ou attaché à un musée.

Hack réapparut sous une des arches de l'enclos, son téléphone vissé à l'oreille. Atticus se demanda s'il était resté tout ce temps avec sa femme, alors même qu'il avait un cadavre sous les yeux.

L'apercevant, Hack fonça droit sur lui de sa démarche déterminée et lourde. Impossible de savoir s'il était en rogne et s'apprêtait à démembrer son partenaire ou s'il était juste dans son état normal.

Il raccrocha en arrivant au niveau d'Atticus et manqua de peu de marcher sur l'une des purées d'insectes, qu'il évita en trébuchant sur le chevalet et en insultant la mère de quelqu'un.

– On se fait enfumer, annonça-t-il ensuite. Ton Oscar Riotto, c'est pas notre victime.

– Tu es sûr ? Le légiste avait l'air de dire que la taille du squelette pouvait correspondre...

– Catégorique. Je viens d'appeler pour passer Riotto au NECS[1], et figure-toi que le bonhomme a été arrêté en début de soirée par des gars de West Bureau, excès de vitesse. Je viens d'avoir le collègue qui l'a verbalisé, il est catégorique, c'était bien Oscar Riotto qu'il avait en face de lui, ou alors le type a un frère jumeau !

Atticus repensa à l'état du corps sur les marches. Impossible que des insectes l'aient nettoyé en quelques heures, il avait fallu

---

1. Network Communications System : logiciel utilisé par la police de Los Angeles pour croiser les fichiers informatiques sur les individus.

plusieurs semaines au moins, sinon des mois, ne cessait-il de se répéter.

Pourtant les fringues n'étaient pas poussiéreuses, ni particulièrement sales, et le sang qui les poissait était frais. Et les os étaient parfaitement connectés entre eux.

– Impossible, confirma Hack. Pas compatible avec le squelette. Pas en une nuit. Donc soit notre John Doe[1] avait piqué le portefeuille de Riotto, soit on le lui a glissé dans la veste après l'avoir buté.

Atticus croisa les bras sur sa poitrine. Il inspecta encore le site d'un rapide regard circulaire. Il avait le sentiment qu'il devait poursuivre ici, qu'il y avait encore des éléments à tirer au clair. Pourtant, il savait qu'il était vital d'agir vite dans une affaire d'homicide, de remonter la trace du tueur tant qu'elle était encore fraîche.

C'est là toute la question : est-ce que ce crime est récent ?

Techniquement, ce n'était pas plausible. Toutefois, son instinct lui commandait d'être moins cartésien, pour une fois. De s'ouvrir à d'autres possibilités, même s'il peinait encore à envisager lesquelles.

– Laisse ta bagnole ici, fit Hack, on prend la mienne. Tu conduis comme un taré et si j'entends encore une fois ta musique de sataniste, je te colle mon flingue sur la tempe.

– Tu as l'adresse ?

– J'espère que cet Oscar Riotto aura une explication à nous fournir. Si tu nous as embarqués dans une affaire moisie, je te jure que je demande à changer d'équipier.

Plus loin, les techniciens de la SID ouvraient leurs malles pour déplier la structure tubulaire de la tente. Ils allaient vaporiser leur révélateur pour faire parler les lieux, à la recherche d'empreintes invisibles. Des fantômes de sang.

---

1. Expression américaine pour désigner un corps non identifié.

7.

Les cohortes de travailleurs s'étaient diluées depuis le réseau autoroutier jusque dans les quartiers d'affaires, libérant partiellement le trafic aux abords de Downtown dont les buildings dominaient Los Angeles comme des antennes reliées au reste du monde.

Eli Hackenberg avait pris le temps de passer par le commissariat d'Hollywood le matin même, pour échanger sa voiture contre son véhicule de fonction, et la Ford Taurus grise glissa hors de l'échangeur au niveau de Pico-Union pour se fondre sur South Union Avenue. Un secteur d'habitations, succession de petits bâtiments trapus sans charme et de zones commerçantes pour rendre autonome chaque pâté de maisons ou presque, et parcouru de rues plus étroites flanquées d'arbres pour donner l'illusion que la nature était toujours vivante dans ce noyau d'acier pur et de béton gris, que recouvrait le voile graisseux de pollution.

Hack avait tourné dans l'une d'elles et ralenti à l'approche d'un immeuble de deux étages, et pointait son gros index dans sa direction.

— Là, je me gare un peu avant, on ne sait jamais.

— Tu crains quoi ?

— On n'est jamais trop prudent. Pas envie de courir, il est encore trop tôt dans la journée pour ça.

Atticus ne chercha pas à contrarier son partenaire et le laissa stationner cinquante mètres en amont. Trois minutes plus tard, ils étaient au sommet de l'escalier, sur un palier desservant deux appartements. Hack tapa fort du plat de la main contre la porte en annonçant qu'ils étaient de la police de la ville.

Sous la force des coups, le battant s'ouvrit légèrement, dévoilant la gâche abîmée qui ne retenait plus le pêne.

Hack et Atticus échangèrent un bref regard entendu et tous deux sortirent leur arme.

— Police de Los Angeles ! répéta Hack encore plus fort. Il y a quelqu'un ? Nous entrons !

Du bout du pied, Hack repoussa la porte complètement et Atticus en profita pour se faufiler dans le vestibule, tenant son Glock à mi-hauteur, prêt à ajuster sa ligne de visée si besoin.

D'un geste souple, Atticus pivota pour s'assurer du contrôle visuel autour de lui. Cuisine, salon, et une porte vers ce qui devait être la chambre, où Hack s'introduisit aussitôt. Tout avait été retourné. Placards de la cuisine ouverts, boîte de céréales et sachet de pâtes renversés au milieu de bouteilles d'eau et de soda. Le salon avait subi le même sort, livres étalés sur le parquet, armoire béante, pochettes cartonnées déversées sur la table et le canapé avait été éventré en plusieurs endroits pour fouiller dans la mousse.

— R.A.S., déclara Hack en revenant dans le salon et en rangeant son arme. La chambre aussi a été saccagée.

Atticus rengaina à son tour. À la recherche d'informations, il balaya attentivement les lieux du regard, tout en enfilant une paire de gants en latex.

Hack grimaça, dévoilant ses dents presque trop carrées pour être naturelles.

— Manifestement, Oscar Riotto a contrarié les mauvaises personnes, dit-il. Le portefeuille dans la poche du macchabée, et maintenant, ça.

— Peu de chances qu'on déniche quoi que ce soit. Tout a déjà été ramassé.

Par acquit de conscience, Atticus commença à sonder les feuilles éparpillées sur la table. Des pages Wikipédia imprimées, des articles de presse, et plusieurs dossiers visiblement récupérés sur des blogs via Internet. En déambulant parmi les décombres, Atticus remarqua un chargeur d'ordinateur encore branché à sa prise.

– Je suppose qu'on ne retrouvera pas le portable qui allait au bout, fit-il.

– Ça pourrait coller avec l'hypothèse d'un cartel mexicain.

Pendant le trajet, Atticus lui avait confié toutes ses théories. Hack développa :

– Je veux dire : la mort par... bouffage de chair, la mise en scène du squelette, et l'appartement dévasté. Oscar Riotto planquait de la came ou du pognon. En plus c'est un quartier très largement hispanique.

Atticus essaya de se couper de tout avis sur la question. Leur manque de renseignements sur les victimes était flagrant. Il leur fallait commencer par là. Qui était Oscar Riotto, et où était-il à présent ? en vie ? Il fallait aussi identifier le corps de Griffith Park.

– Il fait quoi dans la vie ce Riotto ? demanda-t-il.

Hack haussa les épaules lorsqu'une petite voix répondit, depuis le seuil :

– Journaliste.

Le grand blond posa la main sur sa crosse, avant de se raviser.

Une brune, frêle, d'une cinquantaine d'années, à la peau hâlée, se tenait dans l'encadrement de la porte, les mains nouées sur sa poitrine, l'air inquiet. Des cernes marquaient ses traits, déjà passablement usés par la vie.

– Vous êtes ?

– La voisine du dessous. Je vous ai entendus crier. Vous êtes de la police, n'est-ce pas ? interrogea-t-elle tout en avisant le badge officiel que Hack affichait à sa ceinture.

– Hollywood Station, précisa Hack en sortant son calepin de la poche intérieure de sa veste. Et vous, madame ?

– Je m'appelle Rosalina Torrebiarte.

Elle n'avait presque pas d'accent, même si son physique trahissait ses origines. Salvador ou Guatemala, estima Atticus. Deux populations très largement représentées à Pico-Union, en particulier depuis la fin des années 1970 et 1980 où les guerres civiles les avaient obligées à migrer. L'âge pouvait correspondre.

– Vous connaissez Oscar Riotto ? s'enquit Atticus.

– Oui, bien sûr. Je le croise de temps en temps.

– Quand l'avez-vous vu pour la dernière fois ?

– Il lui est arrivé quelque chose ?

– Quand était-ce, Mrs Torrebiarte ?

– Euh... hier. Après-midi. Je l'ai croisé lorsqu'il sortait. Je revenais de mes courses. Il va bien ?

Hack et Atticus échangèrent un bref regard. Oscar Riotto confirmé vivant par un proche, en plus de sa verbalisation dans la soirée. Techniquement, il ne pouvait pas être le corps lentement dépouillé de sa substance dans le zoo.

– Nous aimerions bien le savoir, intervint Hack avant de désigner l'appartement. Vous avez entendu quelque chose aujourd'hui ou hier ? Cette nuit, peut-être ?

La quinquagénaire, nerveuse, fit un non catégorique de la tête, ses mains toujours nouées.

– Mais je ne suis pas là la nuit. Je travaille à l'hôpital Saint-Vincent. Je rentre vers 7 heures.

– La nuit dernière aussi ? insista Hack.

– Oui.

– Personne chez vous ? Un mari ?

– Ma fille, Ximena. Mais elle n'a rien entendu, elle me l'aurait dit sinon. Et elle dort avec ses écouteurs sur les oreilles. Je sais que c'est mauvais, je n'arrête pas de le lui dire, mais elle ne m'écoute pas. Ça l'aide à s'endormir. Je préfère ça à des médicaments, mais tout de même...

Hack acquiesça, ce qui lui servait de sourcils, presque transparent, soulevé, ne masquant pas son ironie.

– Quel âge a-t-elle ? demanda Atticus.

– Vingt-quatre ans. Elle vit chez moi parce que c'est difficile de trouver un logement avec son salaire de caissière.

– Et elle connaît Mr Riotto ?

Rosalina Torrebiarte ne parvint pas à dissimuler une certaine gêne.

– Oui, un peu.

Flairant le malaise, Atticus insista :

– Votre fille et Mr Riotto se voient ?

– Ils se croisent…

Atticus se rapprocha pour dominer d'une tête la petite femme. Il planta ses prunelles dans celles, fuyantes, de la voisine.

– Ils se fréquentent ?

Elle haussa une épaule timidement.

– Oscar l'aime bien.

– Il la drague, n'est-ce pas ?

– C'est possible.

Manifestement, cela la dérangeait, en tout cas elle n'assumait pas cette relation pour une raison ou pour une autre, estima Atticus qui opta pour un changement d'approche.

– Il est journaliste pour quel média ?

– Il est indépendant. Il a un blog.

Hack, qui continuait d'écouter tout en déambulant dans le salon, s'arrêta pour demander :

– Et il en vit ?

– Je crois. Pas très bien, sinon il n'habiterait pas ici, mais il se débrouille.

Atticus reprit la main :

– Il traite de quels sujets ?

– Je l'ignore. Je ne le lis pas. Je n'ai pas le temps…

– Votre fille l'aide dans ses recherches ?

Rosalina secoua la tête.

– Non. Mais je sais qu'il aime bien se vanter auprès d'elle.

Son visage se contracta, accentuant ses rides, comme si elle était contrariée à l'idée de poursuivre dans cette direction, mais finalement elle se lança et ajouta :

– Il est un peu vantard.

– Savez-vous s'il a de mauvaises fréquentations ? Déjà vu des individus louches traîner ici ?

– Non, pas que je sache. C'est un homme calme. Écoutez, je ne veux pas lui attirer d'ennuis, il est un peu... *caliente*, mais ce n'est pas quelqu'un de méchant.

Atticus la rassura en acquiesçant.

– Vous lui connaissez de la famille que nous pourrions interroger ?

– Non, il n'en a jamais parlé. Je crois qu'il est assez... solitaire de ce côté-ci. Il me semble qu'il n'est pas originaire de Californie.

Atticus poursuivit avec d'autres questions formelles, prit l'adresse où travaillait sa fille, résuma l'essentiel dans son carnet. Puis, pour répondre aux doutes de la voisine, il lui expliqua qu'ils allaient appeler une voiture de police pour qu'un officier vienne poser des scellés sur la porte en attendant l'intervention du serrurier. En prenant la carte d'Atticus Gore, elle promit qu'elle l'appellerait aussitôt si Oscar Riotto réapparaissait.

Une fois seuls, les deux détectives soupirèrent presque en même temps.

– Ça pue, lâcha Hack. Journaliste indépendant ? Mon cul. C'est la vitrine. En arrière-boutique il gère de la came. Je ne vois que ça.

– Je voudrais interroger la fille.

Hack leva la main au ciel.

– Grand bien te fasse. Moi je veux en savoir plus sur ce Riotto. Je rentre au bureau creuser. On a besoin d'infos plus complètes. Les affaires du cadavre du zoo, elles sont où ?

– Velazquez et Ottington se chargent de les enregistrer et de rédiger le mandat pour accéder au téléphone.

– Parfait. Je m'occupe de la suite. Bon courage avec la fille, ajouta Hack en donnant une puissante tape sur l'épaule de son partenaire. Ça va aller pour le retour ? Je te déposerai ce soir au zoo pour récupérer ta bagnole.

Atticus approuva, sans lâcher l'appartement du regard. Il évitait de marcher sur les objets au sol, les écartant du bout du pied. Il y avait beaucoup de livres – très peu de romans, essentiellement des ouvrages de référence sur des sujets divers et variés. Atticus se pencha pour en soulever quelques-uns. Construction automobile. Écologie, beaucoup. Expertise financière, comptabilité, montages complexes. Quelques ouvrages d'art.

Hack était sur le point de sortir lorsque Atticus l'interpella.

– Notre cadavre du zoo, dit-il, c'est bien Oscar Riotto.

– Impossible ! Vu encore vivant hier par plusieurs témoins, dont un flic. On ne se transforme pas en squelette en une nuit, tu le sais très bien.

Atticus se tenait accroupi. Une photo dans un cadre à la main. Dessus, un homme souriait à pleines dents, un énorme thon fraîchement pêché dans les bras, à l'arrière d'un bateau. Oscar Riotto. Le même que sur ses papiers.

Atticus désigna la grosse chevalière au doigt, bien visible. Ornée d'une pierre rouge. La même que sur le squelette.

8.

À l'aise dans son treillis kaki, chaussures de marche et veste en cuir usée, Kat Kordell se fondait parfaitement dans la faune d'East Village. Elle avait préféré se changer pour aller traîner dans un coin qu'elle savait reculé et pas toujours rassurant, plutôt que d'y débarquer avec son chemisier sexy et son pantalon qui moulait parfaitement ses formes. Elle était parvenue à enfouir une large partie de sa tignasse châtaine sous une casquette des Yankees et dissimulait l'émeraude de son regard avec une paire de lunettes de soleil rondes. Les confins d'East Village abritaient toute une série de tours donnant sur l'autoroute FDR et où s'entassaient quelques milliers d'habitants, certains d'entre eux n'étant pas toujours les plus recommandables.

Annie Fowlings lui avait donné de quoi travailler. Kat avait mémorisé la photo de Lena, tirée d'un selfie mère-fille assez récent sur lequel la jeune femme arborait un pull à grosses mailles noir sous un visage blafard, allongé, percé par deux trous sombres et des lèvres d'ébène. Maquillage noir, gothique, et cernes assortis. Le demi-sourire ne suffisait pas à masquer un air profondément mélancolique.

– J'ai pris la photo la plus récente que j'ai et où elle est assez neutre, avait expliqué la mère dans le bureau de Kat, deux heures plus tôt. Pour que vous puissiez bien la reconnaître lorsque vous la retrouverez.

Mais Kat avait douté qu'elle dispose d'une pleine collection de clichés où sa fille riait et grimaçait. Le peu qu'elle avait appris d'elle, et ce qu'elle en voyait à présent, tout renvoyait à une jeune femme triste, peu expressive. Le SMS qui paniquait Annie Fowlings était assez inquiétant, là-dessus Kat partageait son avis. Pourquoi mentionner sa petite sœur décédée depuis plus de dix ans et faire comme si ce n'était pas le cas ? Kat avait conseillé à sa cliente de retourner voir la police avec ce message et de tout leur expliquer. Elle ne voulait pas l'alarmer, mais ça ne sentait pas bon. Pas bon du tout. Annie Fowlings lui avait tout de même confié la mission, les honoraires n'avaient posé aucun problème. Kat avait été claire sur un point : lorsqu'un privé parvenait à mettre la main sur une personne disparue, c'était à cette dernière de décider ou non de reprendre contact avec son entourage. En aucun cas Kat ne pourrait lui forcer la main. Cela signifiait ne pas dire à Annie Fowlings où se trouvait sa fille si Lena refusait que sa mère remonte jusqu'à elle. Annie Fowlings avait accepté. Du moment qu'elle aurait la confirmation que sa fille était en bonne santé et en sécurité, c'était tout ce qu'elle demandait.

Les trottoirs du quartier n'étaient pas aussi bien entretenus que ceux des zones mieux fréquentées à l'ouest. L'herbe s'immisçait entre les dalles déchaussées, qui tentaient de faire trébucher la moindre semelle approximative, et des détritus s'amassaient un peu partout. La plupart des gens marchaient vite, regard baissé, cherchant le minimum de connexion possible avec les autres. C'était assez ironique, quand on y songeait : plusieurs hackers connus s'étaient fait prendre ici même. Des as du virtuel, multipliant les connexions dans un monde parallèle, tandis que dans la réalité ils se fondaient parmi les ombres. Mais n'était-ce pas la nature même des liens modernes ? Les réseaux sociaux pullulaient sur Internet tandis que les relations sociales se tendaient de plus en plus dans le quotidien fait de chair et d'os. C'était le lot de la décennie. Le nouvel eldorado, la conquête de l'Ouest pour tous, nivelant les différences, physiques, financières et même intellectuelles. Chacun y avait sa place avec un sentiment d'espoir, d'apparence, d'affirmation, d'appartenance, qu'il ne trouvait plus sous sa véritable identité. La « vraie vie » servant surtout à alimenter les profils numériques pour exister sur la toile. Cela en disait long sur l'état du monde.

Tu vieillis, ma pauvre. Les jeunes ne voient pas ça comme ça. C'est une dualité assumée pour certains, un prolongement pour d'autres, un outil naturel ou juste une facette d'eux-mêmes. On ne se rencontre plus par le biais de copains communs, on étend les possibilités au monde entier, via le Web. Tu flippes parce que ce qui se passe, c'est que tes frontières explosent, et que tu n'as pas grandi avec, pas appris à ce que ton horizon soit sans fin, il ne dépend que du temps que tu es prête à y consacrer.

Quand même. Vieillissante ou pas, dépassée probablement, il y avait quelque chose là-dedans qui ne la rassurait pas.

Kat longea une école primaire qui ressemblait à un blockhaus avec ses murs gris sans fenêtres, puis traversa vers ce qu'elle prit d'abord pour un entrepôt derrière une haute grille et caché par les rares arbres et buissons du secteur. Une croix en pierre surplombant l'entrée lui indiqua qu'il s'agissait d'une église. Elle y était. Elle s'était repérée au préalable sur Google Maps, pour éviter d'avoir l'air d'une touriste perdue. En face, un conglomérat d'immeubles en brique rouge dominait la centrale thermique de Consolidated Edison qui barrait la route au nord avec ses hautes cheminées et fournissait à Manhattan la vapeur de ses chauffages et climatiseurs. Les tours d'habitation étaient en forme de X, comme pour mieux fondre la population dans l'anonymat, entourées d'écoles-bunkers, d'églises qui ressemblaient à des hangars abandonnés, d'autoroutes bruyantes et d'usines fumantes. À bien y réfléchir, se dit Kat, il y avait finalement de quoi garder les yeux fixés au sol lorsqu'on vivait ici.

Lena logeait au neuvième étage du 10C. Double de ses clés en poche, Kat trouva la bonne entrée rapidement et sonda la boîte aux lettres pour y relever la présence d'un paquet de courrier qu'elle préleva avec son passe. Elle enfourna sa trouvaille dans sa besace en toile, avec l'intention de l'inspecter une fois là-haut, et s'empressa de filer devant l'ascenseur, préférant prendre l'escalier. Un peu d'exercice lui ferait du bien. Espace étroit, peinture fraîche mais déjà taguée à presque tous les niveaux. Kat s'accorda quelques étapes, le temps de souffler pour grimper jusqu'en haut, sous la lumière jaune des plafonniers. Elle avait les cuisses en feu lorsqu'elle parvint au neuvième. Elle identifia la porte de Lena, sonna puis, n'ayant pas de réponse, l'ouvrit avant de refermer doucement derrière elle. Kat retira ses lunettes et sa casquette. Il faisait sombre. Les volets étaient tirés, une odeur nauséabonde empestait l'appartement. Le rance d'une bouillie de graisse fondue mêlée à l'acide ferreux de la viande gâtée. Le parfum de la mort. Kat se rassura immédiatement. *Si c'était le corps de Lena, ce serait bien plus puissant encore. Insupportable. Là, c'est plus... timide.* De la nourriture pourrie dans la cuisine ? Pas seulement, songea-t-elle en cherchant l'interrupteur de la main. Ce dernier cliqueta sans que la pénombre ne se dissipe. *Tu n'as pas payé ta facture d'électricité depuis combien de temps, Lena ?*

Kat n'était heureusement pas une débutante et sortit de sa veste une petite lampe torche qui souligna aussitôt les particules de poussière flottant dans l'atmosphère. Il y avait une pièce principale à sa gauche, puis ce qui devait être la cuisine et, en face, la chambre et la salle de bains. Kat décida de procéder dans l'ordre et entra dans le salon. Elle stoppa sur le seuil en manquant de se prendre la tête dans une forme étrange qui dansait mollement dans l'air. Un curieux lacis de fils, de forme arrondie, semblable à une rosace tissée. Une fois la chose prise dans le faisceau de sa lampe, elle reconnut un attrape-rêves indien d'environ cinquante centimètres de diamètre. Il pendait du plafond.

Le faisceau poursuivit son exploration, lentement, dévoilant trois autres attrape-rêves qui tournaient lentement sur eux-mêmes, à chaque angle de la pièce. *C'est à cause du déplacement d'air que j'ai créé en entrant.* Kat balaya toute idée stupide. Elle était seule entre ces murs, ça ne faisait aucun doute.

Lena avait des goûts particuliers en matière de décoration, songea la privée en immobilisant l'attrape-rêves devant elle. Elle découvrait l'ensemble petit à petit, au gré de ce que son pinceau lumineux voulait bien lui révéler. Une table occupée par des livres et des feuilles, avec quatre chaises. Un sofa sur le côté, lui aussi jonché d'une couverture roulée en boule, d'un paquet de biscuits ouvert et d'un T-shirt froissé. Au fond, une longue étagère pleine de livres et d'objets en désordre, plusieurs ouvrages empilés et non disposés avec les autres à la verticale, un verre qui traînait au milieu et, plus loin, une tasse. Pas de télévision, remarqua Kat. Des bougeoirs, un peu partout. Et des coupelles à encens disposées sur chaque meuble. *Pour masquer l'odeur de pourriture ?* Cela impliquerait que Lena vivait avec cette odeur. Non, peu probable. Elle avait dû quitter son appartement sans le nettoyer et Dieu savait ce que Kat trouverait en entrant dans la cuisine. L'encens n'était là que pour le plaisir.

À l'exception de deux affiches de groupes de musique gothique ou punk – Kat n'était pas en mesure de faire la différence –, les murs étaient nus.

Un mince filet de soleil s'immisçait difficilement dans l'interstice du volet de l'unique fenêtre, posant son trait d'or sur le lino imitation parquet. Une bouteille de Coca vide gisait au pied du sofa. Lena avait-elle fermé tous ses volets avant de partir, prévoyant une absence prolongée, ou était-elle partie tôt un matin sans avoir le temps de tout ouvrir ? Était-ce dans ses habitudes de tout calfeutrer chaque nuit ?

Kat s'efforça de maîtriser l'afflux de questions qui surgissaient et de les ordonner. Il y avait celles qui faisaient sens, celles qui nécessitaient de se renseigner et donc de débusquer la source de ces informations, et les interrogations parasites qu'il fallait écarter pour le moment.

Est-ce qu'elle partirait longtemps sans ranger tout ce foutoir ? Kat nota mentalement de demander à sa mère, mais surtout à d'éventuelles amies, si Lena était maniaque ou bordélique. Cela ne ressemblait absolument pas à un cambriolage, mais bien à des empreintes de vie qu'une fille sans discipline de rangement aurait pu accumuler facilement.

Kat se rapprocha de la table et se pencha pour constater qu'il n'y avait pratiquement pas de poussière. Lena n'avait pas disparu depuis si longtemps. Dix jours – comme sa mère le pensait – pouvaient correspondre. Kat se gardait bien d'en faire une preuve irréfutable, mais elle aimait accumuler les informations pour se faire son idée.

Sur une table de chevet près du sofa, elle aperçut une pile de flyers et les compulsa brièvement. Des concerts, principalement. Punk, gothique, hard rock, ce genre de musiques que Kat ne connaissait pas du tout. Dans des salles modestes, quelques-unes non loin, d'autres plus éloignées, dans Brooklyn, une dans le Queens. Un *event* de tatouage *live*, un autre de piercing et scarification en public. Une pub pour une conférence sur l'Apocalypse. Puis des annonces de soirées à thème, même genre d'ambiance. *Clous, cuir, maquillage et gros décibels*, pensa Kat. *Alcool, drogue probablement*. Lena y faisait-elle des rencontres ? Ce n'était pas le genre de sortie qu'on faisait seule, elle devait avoir au moins une connaissance pour l'accompagner. Il fallait l'identifier.

Avait-elle un petit ami ?

Question parasite. Plus tard. Reste sur le concret, ici et maintenant.

Elle se pencha pour mieux inspecter les livres dispersés sur la table. Pour une fille qui avait laissé tomber ses études, elle semblait bien studieuse.

Des ouvrages sur le tatouage. Deux ressemblaient à des catalogues de photos, mais la plupart étaient théoriques, sur l'histoire du tatouage, ses symboliques...

Manuel du suicide parfait.

Cette fois Kat l'attrapa et le compulsa lentement. Plusieurs pages étaient cornées. À chaque fois sur des méthodes qui décrivaient précisément comment faire pour parvenir à se tuer sans souffrir.

Merde.

Kat passa à la bibliothèque du fond. Manifestement, Lena avait conservé ses manuels de sociologie. Ils occupaient une large place, mais la privée remarqua qu'ils étaient globalement disposés en bas, moins accessibles. Au-dessus se trouvaient des livres de philosophie, parfois de spiritualité, quelques guides de bien-être, pour trouver le vrai soi, s'affranchir du regard des autres, vivre hors de la société, et ainsi de suite. Un autre traitait du tatouage, mais cette fois sur la technique même, le suivant sur les différentes encres possibles. Et là encore, Kat tomba sur un mode d'emploi du suicide, juste à côté d'un livre à la tranche noire, titré : *La mort, pourquoi en avons-nous peur ?*

Cela commençait à faire beaucoup. Kat redoutait la suite.

Si elle s'est foutue en l'air, alors qui a envoyé le SMS à sa mère hier soir ? Et pourquoi ?

Il faudrait tout de même qu'elle fasse le tour des corps non identifiés retrouvés dernièrement dans un rayon de cent cinquante kilomètres au moins. Qu'elle liste les jeunes femmes. Lorsque Kat avait demandé à Annie Fowlings si Lena avait un signe physique reconnaissable, la mère avait serré les dents. Elle comprenait l'objet de cette question, et elle avait certainement dû batailler avec elle-même pour envisager cette hypothèse et répondre. Lena avait un tatouage d'ange sur l'épaule gauche, en souvenir de sa petite sœur, mais Annie suspectait qu'elle en ait fait d'autres depuis, bien qu'elle ne puisse le certifier : Lena aimait les vêtements couvrants, elle cachait beaucoup son corps.

Kat vérifierait si l'un des cadavres de jeune femme arborait un ange sur l'épaule gauche. Les flics avaient peut-être au moins lancé cette recherche s'ils avaient un minimum de conscience professionnelle. Mais rien n'était moins sûr : Annie Fowlings n'était pas un personnage qui poussait à la compassion et sa fille était libre de partir loin d'elle sans donner signe de vie si bon lui semblait.

Et si ces livres appartenaient à une autre personne qui venait souvent ici ? Comme un petit ami... La question n'était plus parasite finalement. Kat avait du mal à croire en cette éventualité, mais il fallait qu'elle garde toutes les hypothèses ouvertes.

Son regard dériva vers le sommet du meuble : un pendule y gisait, avec un jeu de tarot divinatoire, devant des livres ésotériques. Magie blanche, magie noire, le pouvoir de la prescience, les forces occultes et ainsi de suite. La plupart accusaient des marques d'usure, témoins d'un intérêt régulier. Lena faisait une obsession. *Sauf si elle les a achetés d'occase... Vas-y mollo avec les déductions rapides.*

Kat hésita alors à sortir son appareil photo pour mitrailler chaque parcelle du salon, mais opta plutôt pour une inspection complète en priorité.

La cuisine ne sentait pas plus fort que le reste – à moins que son odorat ne soit déjà anesthésié – et reflétait le même laisser-aller : vaisselle pas faite et partiellement moisie dans l'évier, placards mal rangés, ménage douteux... Plusieurs sachets de café Starbucks s'accumulaient un peu partout. Trop pour que ce soit juste des achats dispersés. *Un peu de fauche sur le lieu de travail...*

Kat posa la main sur le frigo avec appréhension et prit une grosse rasade d'oxygène avant de l'ouvrir.

Sa lampe éclaira des compartiments quasi vides à l'exception d'un pot de yaourt, un autre de cream cheese, quelques condiments. Aucune infection nauséabonde ni assiette grouillante. Kat en fut soulagée, avant de s'interroger de nouveau sur la provenance de la putréfaction.

Elle se glissa dans le couloir et poussa la porte de la chambre du bout de sa chaussure. Son faisceau attrapa un angle du lit pas fait et un sweat à capuche étalé à son pied.

D'un pas prudent, Kat pénétra dans la pièce.

L'odeur émanait d'ici, sans aucun doute.

Matelas large, mais une unique table de chevet, et aucune trace de présence masculine ou d'une autre personne. *À vérifier en étudiant la garde-robe et la salle de bains.* A priori, Lena vivait vraiment seule. Aucune décoration. Penderie fermée. Une chambre fonctionnelle.

Pas du genre à s'attarder sur la...
Kat s'immobilisa.

Face au lit, sur le dessus d'une commode, un amas de poils trônait étrangement, comme assis, les pattes écartées. Dans la blancheur artificielle qui le dévoilait, le pelage du chat paraissait gris. Sa tête gisait de côté, au-dessus de son ventre ouvert, ses entrailles étalées devant lui.

Soudain, ces dernières se mirent à s'agiter et les boyaux se soulevèrent, puis se mirent à ramper dans la direction de Kat qui se rattrapa au chambranle pour ne pas trébucher. D'un geste sec, de sa lampe elle refigea l'horreur et comprit.

Des asticots se dandinaient dans la viande gâtée et donnaient l'illusion qu'elle se déplaçait.

La lame souillée d'un scalpel brilla fugacement au passage de la lumière, ainsi que d'autres instruments chirurgicaux. Kat eut envie de sortir, de condamner la chambre, mais son instinct professionnel le lui interdit. Même si tout semblait clair, compte tenu des goûts particuliers de Lena et de ses lectures, il fallait vérifier. Tout examiner. Ne pas prendre le risque de passer à côté d'un indice. Et si elle avait laissé une lettre à côté du cadavre de l'animal ?

Kat se motiva en inspirant profondément l'air fétide, toussa dans la foulée, pas loin de vomir, puis se rapprocha de la commode.

Elle nota parmi les outils une sorte de gros stylo prolongé par un fil électrique, avant de reconnaître un fer de pyrogravure. Sauf que celui-ci était nettement plus évolué que ceux de son enfance, un boîtier permettait d'en régler la température ou même d'en changer les pannes selon l'effet souhaité.

Le jeune chat avait subi une éventration totale, avant d'être disposé, presque assis contre le mur, face au lit.

À quoi jouait Lena Fowlings ? Quel genre de tarée était-ce ?
Un sacrifice ? Une expérience cruelle et immonde ?

Les vers se cambraient dans un chuintement insupportable et pourtant Kat tenait bon, orientant son pinceau blanc sur chaque détail, en quête d'une information.

Les intestins et des organes avaient été complètement vidés, imbibant le meuble d'un sang devenu opaque, noir et épais, presque vitrifié. Une cavité bien ouverte, la cage thoracique certainement écartée avec force, laissait entrapercevoir la colonne vertébrale.

Kat soupira, proche de la nausée.

Elle en avait assez vu, elle ne trouverait rien de plus.

Elle était sur le point de rebrousser chemin lorsqu'elle décida de faire les photos tout de suite, pour en finir avec cette pièce et ne plus avoir à y remettre les pieds. Toujours se constituer un album photo, toujours. Big Tony le lui avait répété maintes fois. C'était la première règle. Pour pouvoir y revenir à tout moment et parce que c'était une preuve du boulot effectué pour le client, pour justifier les honoraires.

Préférant voyager léger dans ce quartier, Kat n'avait pas emporté le gros Canon des filatures, seulement un petit boîtier numérique assez précis pour des photos d'intérieur. Elle fit les réglages adéquats et soupira de nouveau avant de se coller à la corvée. Choisir les différents angles pour ne rien manquer, s'assurer de la netteté, de la lumière suffisante et multiplier les clichés. Pas trop pour ne pas passer ensuite des heures à tout trier, juste ce qu'il fallait.

Flash. Flash. Flash.

Voilà. Presque terminé. Kat s'efforçait de respirer par la bouche pour s'épargner au mieux le parfum de décomposition. Encore une ou deux photos de près, notamment le corps béant... Flash.

Kat fronça les sourcils. Il lui avait semblé apercevoir quelque chose d'inhabituel dans le chat. Elle se pencha un peu plus. Le clapotis des asticots se fit plus pregnant, en même temps que l'odeur de la viande pourrie – acide, ferreuse et graisse rance.

Kat scruta la cavité ouverte, rouge, immonde, sans rien voir de plus. Alors elle y ajouta un coup de flash.

Les ombres des vers qui se redressaient en se dandinant se projetèrent sur le pelage sombre du chat.

Un autre flash.

Des marques. Noires. Fines.

Comme des symboles incompréhensibles. Sorte d'alphabet inconnu.

Kat avait presque le nez sur le cadavre. Flash.

Cette fois elle en fut certaine.

On avait écrit dans la bête.

Pyrogravé les os de sa colonne vertébrale.

9.

L'air frais pulsé par la baie de New York à travers ses canyons d'acier, de verre et de béton ne suffisait pas à nettoyer les poumons de Kat. Elle avait envie de prendre une douche jusqu'à se noyer, jusqu'à se laver l'intérieur de la peau. Cette simple évocation lui rappela la mise en scène macabre du chat, le matin même, et elle reposa le bagel au saumon qu'elle avait à peine entamé.

Elle consulta sa montre : 13 h 45, encore un peu trop tôt.

Comprendre qui était Lena devenait prioritaire. Dans le jargon des détectives privés, les disparus étaient répertoriés selon deux catégories : les victimes, ceux qui subissaient leur disparition, et les décampeurs, ceux qui la provoquaient. Avec un tas de variations, selon qu'ils décampent provisoirement, parfois même involontairement, ou qu'ils mettent tout en œuvre pour qu'on ne les retrouve jamais. Le terminus de la définition consistant en un suicide loin du monde, avec dans l'idée de s'effacer totalement de la surface de la planète.

Lena ressemblait de plus en plus à ce genre de personne. Kat s'efforçait de rester positive, mais ce qu'elle avait vu chez la jeune femme n'était pas pour la rassurer.

Assise sur un haut tabouret face à la baie vitrée du minuscule restaurant, elle observa le ballet de véhicules dans Manhattan. Des silhouettes colorées se diluaient un bref instant au premier plan, tels des pastels effacés d'un coup d'eau. Tous ces êtres humains anonymes, bigarrés sur son horizon, fugaces et déjà oubliés... Et pourtant chaque individu au centre du monde pour lui-même, riche de milliers de péripéties, intarissables bibliothèques d'émotions et de souvenirs. Cette masse de vie qui, vue de l'extérieur, échappait à tous les autres, parfois cela étouffait Kat. Elle se sentait n'être rien, seule, inutile et perdue dans un agglomérat monstrueux sur lequel elle n'avait aucune prise. Un grain de sable au beau milieu d'une plage sans fin. Tout ça pour quoi, au final ?

Tu recommences. C'est bien, c'est joyeux.

Et puis ce n'était pas totalement vrai. Elle, au moins, avait le pouvoir d'en apprendre sur quelqu'un lorsqu'elle le désirait. À l'ère du numérique, pour une connaisseuse dans son genre, il n'y avait rien de plus simple que de choisir une personne, n'importe laquelle, et de creuser pour la mettre à nue. Numéro de Sécurité sociale facilement identifiable sur le Net pour qui sait où fouiller, bilan de santé pas toujours bien protégé par les compagnies d'assurance ou les mutuelles, bilan financier accessible via les impôts, les archives des tribunaux et certaines parutions officielles, adresse, informations personnelles au club de sport ou au club de poterie directement affichées sur leur site bien souvent, ou auprès de la fédération les regroupant, peu importe, publications des établissements scolaires sur le Net... Avant de dresser l'environnement familial étendu en utilisant les sites de généalogie, on pouvait circonscrire un environnement professionnel et amical via les réseaux sociaux, et pour ceux qui étaient parvenus à s'en tenir éloignés, on pouvait toujours compter sur les amis pour poster des photos et commentaires pleins d'enseignements... C'était presque sans fin. Et encore, en se limitant seulement à l'aspect légal. Non, Kat ne pouvait pas le nier, lorsqu'elle en avait besoin, elle pouvait décortiquer un individu pour s'en faire un portrait relativement précis.

Ce qui la perturbait c'était ce grouillement permanent au sein duquel elle n'était rien et ne savait rien. Des dizaines, des centaines, puis des milliers d'individus si riches de vie et si insignifiants la seconde d'après. Il y avait là quelque chose de vertigineux qui la dépassait, une source d'angoisse idiote, mais qui demeurait incontrôlable.

Si, justement, tu as une emprise sur toi et c'est déjà pas mal, alors fais-le. Concentre-toi sur ce qui compte. Et là, tout de suite, ce qui compte c'est Lena Fowlings.

Cette dingue de Lena Fowlings.

Qui était capable d'éventrer un chat pour ensuite se donner autant de peine afin de pyrograver ses os, délicatement, longuement ?

Kat en retenait plusieurs questions importantes : Lena était-elle l'auteur de cette horreur ? Avait-elle seulement un chat ? Avait-elle déjà effectué un séjour dans un établissement psychiatrique ?

En d'autres circonstances, Kat se serait alarmée de suite, jusqu'à prévenir les flics, craignant que la jeune femme ne soit tombée sur un psychopathe. Mais le profil de Lena coïncidait avec cette folie. Intérêt manifeste pour le tatouage, l'ésotérisme et le macabre. Lectures troublantes sur le suicide. Tout portait à croire que la jeune femme n'allait pas bien, pas bien du tout même, et qu'avant de disparaître une bonne fois pour toutes, loin de tous les regards, elle s'était embarquée dans une sorte de rituel immonde. Elle ne ressentait plus rien pour elle, au point de vouloir mourir, un long processus de délitation mentale. Mais de là à faire *ça* à son animal de compagnie ? Il y avait davantage qu'une froideur clinique, une cruauté...

Un dessein précis. Le chat posé en évidence. C'est un message.

Kat ignorait de quelle genre d'écriture il s'agissait. Cela faisait partie des questions qu'il lui faudrait poser à Annie Fowlings concernant sa fille : quelles langues parlait-elle ?

Et la sonder au passage.

Une interrogation ne cessait de tourner en boucle dans son esprit : puisqu'elle avait les clés de l'appartement de sa fille, pourquoi Annie Fowlings n'y avait pas mis les pieds ? Si elle l'avait fait, elle aurait découvert le cadavre du chat, elle aurait paniqué, prévenu les flics... Pourquoi une mère inquiète pour sa fille qui ne donne plus de signe de vie ne se rend-elle pas sur place pour vérifier ?

La détective privée repoussa son bagel, tirant un trait sur son déjeuner, et saisit son appareil photo pour se repasser les clichés pris dans l'appartement. Elle avait tout classé méthodiquement, pièce par pièce. Elle se remémora l'ensemble, zoomant lorsque nécessaire.

Cela l'occupa encore trois quarts d'heure avant qu'elle estime qu'il était temps à présent, le rush du déjeuner était passé, le Starbucks au bout de la rue serait plus calme.

Besace au flanc, elle entra dans le café et constata que la foule s'était en effet dissipée. Elle fit semblant de ne pas savoir ce qu'elle voulait et en profita pour étudier le personnel. Deux filles et un homme. Elle écarta le garçon immédiatement, trop sûr de lui, l'air autoritaire et trop propre sur lui. Les deux autres employées arboraient la vingtaine pétillante, étaient énergiques et plutôt souriantes. Dès qu'elle remarqua le bras entièrement tatoué de la plus petite, une brune décolorée en blond avec une repousse bien marquée au niveau de la raie centrale et une peau laiteuse, Kat en fit sa cible. Elle étudia brièvement leur routine, lut son prénom sur son badge, « Ashlee », et s'arrangea pour passer au comptoir au moment où Ashlee pourrait lui tendre son *latte*. Lorsqu'elles se retrouvèrent face à face, Kat opta pour une approche directe et dégaina sa carte de détective privée :

– Je voudrais vous parler de Lena, c'est très important.

L'air enjoué d'Ashlee se mua en air inquiet.

– Elle va bien ?

– C'est ce que je voudrais savoir, et j'ai besoin de vous.

– Moi ? Ah... Il y en a pour longtemps ?

– Cinq minutes.

Ashlee se rongea l'intérieur des lèvres pour réfléchir et ôta son tablier après avoir demandé à sa collègue une pause, puis contourna le comptoir pour venir s'installer dans un coin avec Kat.

— Vous êtes de la police ?

La licence de détective privé, lorsqu'elle était présentée rapidement, à côté d'un badge doré que Kat avait ajouté pour faire plus officiel, créait souvent cette confusion et elle n'hésitait pas à en jouer. Mais pas cette fois.

— Non, pas du tout, cette conversation est purement informelle, il n'y a rien qui sera officiel, et votre nom de famille ne sera même pas mentionné dans mes notes. Mais c'est très important. Pour Lena. Vous comprenez ? Vous la connaissez bien ?

Ashlee haussa les épaules.

— Comme ça. On bosse ensemble depuis… je dirais trois mois.

— Elle a des amis ici ?

— Pas trop. On papote de temps en temps, lorsqu'on peut. Moi, un peu Jenessa aussi, mais elle n'est pas là aujourd'hui, et Donnie, je pense. Lui non plus bosse pas, ou peut-être en fin de journée, je sais plus.

— Vous savez qu'elle a disparu ?

— Oui, le manager est furax, elle a pas prévenu, je crois que c'est mort pour elle si elle veut revenir. C'est pas du genre cool, avec lui. Elle est malade ou un truc du genre ?

Kat enchaîna, préférant poser les questions.

— C'est quel style de fille exactement ? Rigolote ?

Sans grande surprise, Ashlee secoua la tête.

— Nan, plutôt le genre… euh… vous voyez le Dr House ? Tout le temps à balancer des vannes un peu cruelles, genre la vie c'est de la merde.

— Cynique ?

— Ouais, on peut dire.

— Elle parle de sa mère, parfois ?

— Euh… Non, pas du tout.

— Vous ne l'avez jamais vue ici, rendre visite à sa fille ?

— Je crois pas, non.

— Et Lena, vous la sentez triste, voire dépressive ?

— Carrément.

Ashlee fit la moue, prise par une pensée complexe qu'il lui fallait détricoter pour en extraire les mots exacts, ce qui prit plusieurs secondes.

— En fait, non, corrigea-t-elle, peut-être pas dépressive mais... dure. Avec elle et avec les autres. Et pas trop dans les émotions cool. Elle balance des phrases des fois, du genre elle se moque d'un client dans son dos, ou bien des vannes glauques.

— Elle a déjà évoqué des idées noires avec vous ?

— Du style elle va se suicider ? Non, heureusement.

La lumière s'alluma dans son regard et Ashlee baissa le ton.

— Elle a fait une connerie, c'est ça ? Et vous travaillez pour qui, en fait ?

— Je suis détective privée, sa maman m'a engagée pour la retrouver. Nous sommes très inquiètes. Quand est-ce qu'elle est venue travailler pour la dernière fois ?

— Je vais demander pour être sûre mais je dirais il y a huit ou dix jours.

Cela correspondait à peu près à la visite de sa mère. Elles ne s'étaient plus revues depuis et Lena avait cessé de donner signe de vie.

— Vous savez si elle a des amis ? Elle a parlé de noms, de lieux qu'elle fréquente ?

— Je sais qu'elle va à pas mal de concerts. Ça l'occupe, comme elle dit, genre sinon elle déprime. Je crois pas qu'elle a beaucoup de potes, en tout cas elle en parle jamais.

— Un petit ami ?

— Non. Enfin... peut-être. Un type chelou est déjà venu la voir ici et ils se connaissent, elle était toute conne avec lui, intimidée. On s'est foutus de sa gueule après mais elle a rien dit. Je crois qu'elle a fini par dire à Jenessa qu'il tient un commerce ou un truc comme ça, à Brooklyn.

Comprenant qu'elle devait lui tirer les vers du nez, Kat demanda :

— Il a un nom ce garçon ?

— J'espère pour lui. Mais je le connais pas.

— Il ressemble à quoi ?

— C'est ça qui est tordu, il est même pas beau. En fait il est même un peu flippant, enfin moi je trouve. Un grand Black avec des dreads et le côté des cheveux rasé. Il a des tatouages sur le cou.

— Vous vous souvenez des motifs ?

— Non. Enfin si... juste un. Une sorte de crâne de squelette, mais on dirait que le dessin est raté, il est comme... mou, ou en train de fondre. Le regard du mec, le tatoué, est... tout noir. Je dis pas ça genre par racisme, hein ! Mais noir... super noir. Genre il vous transperce. Je me suis demandé ce qu'elle lui trouvait, même si c'est Lena et qu'elle est chelou aussi.

— Avant de disparaître, elle ne vous a parlé de rien ? Un plan quelque part ? Un voyage ? Un concert loin ?

Ashlee secoua la tête. Kat insista :

— Possible qu'elle ait laissé un mot à quelqu'un, d'après vous ?

— Ça m'étonnerait. Elle est pas très... il y a ici, son boulot, et son monde à elle, et Lena ne mélange pas.

Kat poursuivit aussi longtemps que possible pour tenter de grappiller le moindre petit morceau d'information, jusqu'à ce que l'homme fasse signe à Ashlee qu'il était temps qu'elle reprenne son service. Kat opta pour un dernier coup de pression.

— Vous êtes sûre de ne rien garder pour vous ? C'est important, Lena est peut-être dans une situation très délicate.

— Bah oui, j'ai répondu à vos questions !

— Je ne voudrais pas avoir à revenir parler avec le manager pour, par exemple, évoquer les petites disparitions de paquets de café dans les stocks, ce genre de choses qui pourraient mettre certains employés dans la merde, vous voyez ce que je veux dire ?

Ashlee s'empourpra aussitôt.

— Ah, euh... non. Enfin, oui, peut-être que certains font ça. Mais pas moi. Lena c'est possible...

Kat l'avait pressée jusqu'à la dernière goutte, Ashlee n'avait plus rien à dire. Mais juste avant de la quitter, une ultime interrogation lui revint.

— Savez-vous si Lena a un chat ?

La jeune brune décolorée fit un bruit de pet avec sa bouche en signe d'ignorance et, après s'être assurée que s'il y avait quelque chose de grave on la préviendrait, elle retourna auprès de l'autre fille enfiler son tablier.

Kat resta accoudée au bar face à la vitrine pour boire son *latte* tiède et rédigea quelques notes dans son calepin. Lorsqu'elle s'approcha de la sortie, Ashlee l'interpella :

— Hey, Amanda me dit que oui pour le chat.

La collègue, déjà au courant de tout, approuva vivement.

— Lena en parle parfois, précisa-t-elle. Elle s'appelle Vénus. Je m'en souviens parce que c'est drôle comme nom pour un chat...

Kat revit ce qu'il était advenu de Vénus et elle ne trouva pas cela drôle du tout. Ironique plutôt, pour la déesse de l'amour, de finir éventrée. Ce qui la fit s'interroger sur la portée symbolique.

Tu vas trop loin. C'est peu probable...

Pourtant Lena n'était pas une idiote, elle avait beaucoup lu, cette dimension ne pouvait lui avoir échappé. Cela ne faisait que renforcer sa cruauté. Comment en était-elle arrivée là ?

Tandis qu'elle avançait d'un pas rapide en direction du métro le plus proche, Kat appela Annie Fowlings qui décrocha avant la deuxième sonnerie.

— Vous avez quelque chose ? fit-elle vivement.

— Pas pour l'instant, Mrs Fowlings. Je collecte les infos. À ce sujet, j'imagine que Lena avait un abonnement téléphonique, mais ce n'est pas vous qui le payiez ?

L'expérience avait appris à Kat que certains parents ayant acheté un téléphone à leur adolescent continuaient de régler les frais une fois celui-ci devenu jeune adulte.

— Non, pourquoi ?

— Eh bien... s'il était à votre nom, vous pourriez obtenir légalement un relevé complet des appels sur les dernières semaines.

— Vous avez raison, je dois pouvoir m'arranger. Lena a toujours utilisé les mêmes mots de passe.

— Si ce n'est pas à votre nom, ce n'est pas légal, madame.

– Vous avez une piste ?

– C'est trop tôt pour le dire.

Lorsque Kat raccrocha, elle s'en voulut presque de ne pas avoir partagé son sentiment avec Annie Fowlings, pour préparer la mère de famille au pire, puis se rassura en se répétant que tout n'était pas encore joué. Lena était peut-être dans les bras d'un homme quelque part, pour soigner son désespoir.

Mais Kat avait du mal à y croire. Toutefois, son instinct lui commandait de ne pas aller trop vite avec sa cliente. Quelque chose dérangeait Kat à son sujet. Avoir le double des clés mais ne pas y aller pour vérifier. Connaître les mots de passe de sa fille et pour autant ne pas penser à fouiller, au moins sa ligne téléphonique, peut-être ses e-mails... Mais Annie Fowlings avait certainement ses raisons, sans pour autant que cela l'accuse de quoi que ce soit. *Nous avons tous nos lubies, nos limites, nos réticences...*

Et nos zones d'ombre.

Pas elle. Pas vis-à-vis de sa fille. Elle est véritablement inquiète. Et ça n'explique pas le message de Lena mentionnant sa petite sœur morte comme si de rien n'était...

Le monde était un patchwork infini et bouillonnant d'apparences, cimenté par-derrière avec nos névroses, nos excès, nos peurs et nos démons. Quels étaient ceux d'Annie Fowlings ?

Ta cible, c'est la fille. Reste sur Lena.

Kat s'arrêta au sommet de la bouche de métro. Il était temps de vérifier. Elle n'en était pas certaine... De nouveau elle saisit son appareil photo et fit défiler les clichés à toute vitesse, avant de ralentir lorsqu'elle retrouva celles des brochures, flyers et pubs amassés dans le salon de la jeune femme. Elle les avait étudiés brièvement sur place, puis à l'heure du déjeuner au restaurant, et une en particulier lui revenait en mémoire après sa discussion avec Ashlee... Elle l'identifia sur le minuscule écran et zooma jusqu'à pouvoir la lire. C'était une carte de visite. Une boutique à Brooklyn.

Silas Okporo.

« Spécialiste de l'occulte – articles et livres » était mentionné sous son nom.

Faute de mieux, Kat googlisa l'adresse pour identifier le trajet, puis en fit autant avec le nom du garçon. Aucune photo disponible. C'était assez rare. Il ne restait qu'un moyen de savoir s'il arborait un tatouage de crâne en train de fondre sur son cou.

Kat s'élança et la bouche de métro l'avala dans le rugissement métallique d'une rame qui grondait depuis le ventre de la ville.

Une civilisation sans cesse en mouvement, affamée de vies et de vices.

10.

Los Angeles ne pouvait se concevoir qu'en voiture. Tentaculaire, elle se dépliait sans fin, des montagnes au désert puis jusqu'à l'océan, et le moindre trajet se comptait en kilomètres.

Eli Hackenberg était retourné au poste d'Hollywood avec la voiture de fonction, laissant son partenaire se débrouiller à pied, ce qui, ici, revenait à dire qu'il n'était plus qu'un poisson privé de nageoires au milieu de l'océan. Atticus Gore était surtout privé de sa musique pendant les interminables déplacements, et cela le mettait de mauvaise humeur. Il appela un Uber et se fit déposer de l'autre côté de l'autoroute, au pied du centre commercial Figat7th. C'était une de ces fourmilières modernes semi-enterrées, rutilantes, récurées à en effacer l'odeur même des hommes, soupe musicale en fond et enseignes tapageuses pour mieux hypnotiser le chaland. Bien que soucieux de son look, Atticus détestait ce genre d'endroit où il avait l'impression qu'on faisait tout pour gommer sa personnalité afin de le couler dans un moule standardisé. Ici il n'était plus un être humain, il n'était qu'un consommateur, une proie dont les sens devaient être sous contrôle pour mieux être manipulée. Il repéra le magasin Target sur l'un des plans, et fila aussi vite que possible pour atteindre l'établissement, où il demanda à parler à un responsable après avoir exhibé son badge d'inspecteur.

Il se fit indiquer Ximena Torrebiarte et se rapprocha de la caisse où officiait une petite brune toute menue l'air complètement ailleurs au milieu du concerto abrutissant des *bips*. Pas encore vingt-cinq ans, elle était plutôt jolie, en tout cas elle avait un physique singulier. Un tatouage de dauphin sur le poignet. Atticus se présenta.

– Gore ? C'est un drôle de nom pour un flic.

Atticus ne releva pas, il l'avait déjà entendu cent fois.

– C'est votre mère qui m'a dit où vous trouver. Vous connaissez Oscar Riotto, n'est-ce pas ?

Ximena avait l'air de se réveiller, elle clignait des paupières et jeta un regard autour d'eux, pour s'assurer qu'aucun client n'attendait ou n'entendait. Seule sa responsable, curieuse, assistait de loin à la discussion.

– Euh... oui.

– Vous savez où il est ?

Elle déglutit et serra ses mains contre elle, mal à l'aise.

– Non. Chez lui ? Pourquoi vous me demandez ça ?

– Il pourrait être dans le pétrin.

– Oscar ? Il a fait quoi ?

Son visage s'était contracté, mâchoires serrées.

– Vous êtes proches, tous les deux, n'est-ce pas ?

– Que... comment ça ?

Il n'était pas besoin d'être un grand flic pour sentir qu'elle était plus que gênée. Le lieu, la confidence, sa vie privée ; Atticus songea qu'il aurait peut-être de meilleurs résultats avec la jeune femme s'ils s'isolaient. Mais il préféra poursuivre ici, sous une certaine pression qui la pousserait peut-être à tout dire pour éviter que cela ne dure.

– Vous l'aimez bien, Oscar, vous flirtez ?

Le type, à en croire les photos, n'avait rien de séduisant, et non seulement Ximena était plus jeune, mais elle pouvait prétendre à beaucoup mieux que lui. Atticus voulait savoir pourquoi ils se tournaient autour, la mère ayant confirmé qu'il la draguait, et à la façon dont elle en avait parlé, Atticus suspectait un peu plus que ça.

– On se voit de temps en temps, c'est tout. Mais pourquoi vous êtes là ? Il a fait une connerie ?

– Nous aimerions lui parler.

– Pourquoi je suis mêlée à ça, moi ?

Elle parlait tout bas, de toute évidence en surveillant ses mots. Atticus posa les mains sur le comptoir pour se pencher un peu vers elle afin de mieux l'entendre mais aussi pour imposer sa présence.

– C'est votre petit ami ?

Ximena fit un signe négatif du menton.

– OK. Va falloir être un peu plus précise, Ximena. Nous devons retrouver Oscar et vous êtes la personne la plus proche de lui.

– Qu'est-ce qu'il a ?

– Quand est-ce que vous l'avez vu pour la dernière fois ?

– Eh bien hier. On s'est croisés dans l'immeuble.

– Et ?

– C'est tout !

– J'aimerais tirer au clair la nature de votre relation. Il vous filait quoi ? De la came ?

La caissière fronça les sourcils, indignée.

– Non, bien sûr que non !

– Il ne dealait pas ?

– Non !

– Jamais un peu d'herbe, des amphètes ou de la poudre ? Même pas un peu ?

– C'est pas son genre !

Au moins cela éloignait momentanément la piste des cartels, ce qui n'était pas pour déplaire à Atticus.

– Pour qui vous le prenez ? insista Ximena.

Elle commençait à s'impliquer. *Très bien.*

– Alors pourquoi une jolie fille dans votre genre traînait avec lui ?

– C'est mon voisin, c'est tout.

– Il vous tourne autour et vous ne l'envoyez pas chier, j'aimerais savoir pourquoi. C'est quoi le lien entre vous ?

Elle haussa les épaules.

– Je l'aime bien.

– Vous laissez tous les mecs que vous aimez bien vous draguer ?

La douceur s'estompa un peu dans son regard, sa moue révélant un caractère plus trempé qu'Atticus ne l'aurait imaginé jusqu'à présent. Elle le fixa plus durement.

– Et alors ?

– Il n'est pas votre genre.

– Qu'est-ce que vous en savez ?

– C'est mon job de deviner ce que les gens sont réellement. Il vous trouve craquante, il vous offre un verre de temps en temps ? Quoi d'autre ?

– Rien...

– Un ciné ? Eh bien, il n'y a pas de piège, répondez !

– Oui, c'est arrivé.

– Une robe ? Un tour en bateau ?

– Mais qu'est-ce que ça peut bien vous faire ?

– Vous avez une voiture, Ximena ?

– Non. Qu'est-ce que ça...

– Et lui ?

– Euh... oui.

– Il fait le taxi pour vous ?

– Ça arrive...

– Vous allez au resto parfois ?

– Oui...

– Escapade amoureuse ?

– Non ! C'est juste... un copain.

– Qui vous tourne autour.

– Quel mal y a-t-il ? On se parle, c'est tout.

– De quoi ?

– De la vie, mon travail, le sien...

– Ça fait longtemps que vous bossez ici ?

– Non, trois semaines.

– Et lui ?

– Lui quoi ?

– Il planche sur quoi en ce moment ?

– Comme d'habitude, un article.

– Il vous les fait lire ?

– Oui. Il en est fier.

– Et celui en cours, c'est quoi alors ?

Les yeux de Ximena s'agitèrent un peu, elle sentait que les questions-réponses s'enchaînaient trop vite, qu'elle se faisait embarquer, elle n'avait plus le choix, il fallait être rapide pour ne pas paraître suspecte.

Mais la courte pause suffit à Atticus pour comprendre qu'il avait fait mouche.

– Il ne me raconte pas tout.

– Ne vous foutez pas de moi, Ximena. Sur quoi il bosse ?

– Euh… C'est un journaliste, il est protégé par le secret professionnel, la liberté d'expression, tout ça !

– Pas vous.

– Je…

Atticus se pencha davantage pour donner plus de poids au coup de bluff qu'il laissa filer entre ses dents :

– Vous préférez que je vous coffre ici, devant tout le monde, et qu'on aille s'expliquer dans une salle d'interrogatoire, plus officiellement ?

Un client s'arrêta en tête de caisse mais Atticus désigna son badge à la ceinture et d'un geste autoritaire l'envoya à la suivante avant de plonger de nouveau Ximena dans son ombre.

– Écoutez, je fais rien de mal, répondit-elle d'un ton plus geignard qui indiquait que les réticences cédaient. Je sais pas sur quoi il planche en ce moment, je sais juste que c'est du lourd, c'est ce qu'il a dit. Mais entre nous, Oscar se vante pas mal, et c'est pas la première fois qu'il raconte ça, alors s'il vous a dit quelque chose, vous feriez mieux de vous méfier, il exagère beaucoup, vous voyez ce que je veux dire ?

— Le sujet de son enquête, c'est quoi ?

— Je sais pas ! s'énerva-t-elle. Demandez-lui ! C'est vrai que je profite un peu de la situation, OK, mais j'ai rien fait de mal !

— Il ne vous a rien donné à lire ?

— Non, pas là ! Il se la raconte, c'est pour me séduire, je ne suis pas idiote, je me doute bien que c'est encore sûrement du vent. Oscar, c'est une grande gueule.

Atticus lut une forme de pitié dans la moue de la jeune femme, et peut-être un peu de culpabilité, en tout cas de la contrariété.

— Il ne vous a rien envoyé ? Un e-mail ? Donné une enveloppe ?

Elle secoua catégoriquement la tête, l'air lasse.

Atticus soupira et se redressa.

— Il a un bureau à votre connaissance ?

— Chez lui.

— Pas de garage quelque part ou un box qu'il loue ?

— Hey, je suis pas sa mère non plus, juste sa voisine, je sais pas tout de sa vie.

— Une petite copine ?

Elle le toisa avec un soupçon de colère.

— C'est vous qui me dites qu'il n'y a rien entre vous, insista-t-il. Vous êtes jalouse ?

— Pas du tout.

— Alors ?

Elle leva les yeux au ciel.

— Non, Oscar c'est pas le genre à enchaîner les filles, même s'il aimerait bien... Je crois pas, enfin, je veux dire qu'il est célibataire.

— Vous lui connaissez des amis ? Il vous a parlé d'endroits qu'il fréquente ?

— Non, il est assez solitaire.

— Aucun ennemi ? Rien qui pourrait lui attirer des ennuis ?

– Dites, il va bien au moins ?

Atticus préféra ne pas entrer dans les détails. Il n'avait encore aucune preuve de ce qu'il supposait, sinon la présence d'un portefeuille sur le cadavre, une morphologie pouvant correspondre, et la chevalière au doigt. *C'est lui, tu sais très bien que c'est son squelette.*

– Pour l'instant nous n'en savons rien. S'il repasse par chez lui, vous pourrez lui dire de nous appeler ? fit Atticus en déposant devant elle sa carte de visite. Et pour les ennemis ?

Ximena étudiait la carte comme s'il s'agissait d'un poison, n'osant la toucher. Mille pensées semblaient se télescoper derrière ses prunelles.

– Non, il n'en a pas, murmura-t-elle. Enfin, je crois...

– Vous qui avez lu ses articles, il y a des sujets engagés ?

– Sur son blog ? Vous plaisantez ? Vous devriez commencer par là. Oscar ne sait pas pondre un truc sans que ce soit explosif ! ricana-t-elle. Sa marque de fabrique, c'est la provocation.

Atticus se sentit idiot, c'était en effet la prochaine tâche à accomplir si Oscar Riotto s'avérait bien être le cadavre de Griffith Park.

Cinq minutes plus tard, il marchait sur South Figueroa Street, un sandwich à la main, lorsque Hack l'appela.

– Tu as vu la gamine ?

– J'en sors. Elle n'est pas très claire, mais je ne vais pas perdre mon temps pour une histoire de fesses.

– Elle pourrait avoir un lien avec le meurtre ?

– Je ne crois pas, juste une minette qui profite de la naïveté d'un pauvre gars, rien de plus si tu veux mon avis. Et toi ?

– Velaz et Jay ont enregistré les affaires du mort, et j'ai commencé à rassembler les quelques témoignages obtenus par l'enquête de voisinage, rien de brillant jusqu'à présent. J'ai également rédigé le mandat pour accéder au portable du macchabée. J'ai mis le paquet pour obtenir au plus vite les fadettes. Et je peux déjà te confirmer que la ligne est enregistrée au nom d'Oscar Riotto.

– C'est lui, Hack, c'est notre mort.

– C'est en tout cas ce qu'on veut nous faire croire. Pour moi, Riotto est le suspect principal ! Il fait tout pour qu'on pense que c'est lui, mais techniquement, c'est impossible, puisqu'il était vivant hier, et tu le sais comme moi. Malkovian me l'a dit lorsque j'étais dans ce putain d'escalier, on ne peut pas nettoyer un corps aussi bien et le rhabiller en l'espace d'à peine une nuit, rabâcha Hack avec véhémence.

– Il a aussi dit qu'il n'avait jamais vu un truc aussi tordu. Il y a une première à tout.

– Je vais pas me faire baiser sur ce coup, Gore, j'ai lancé un avis de recherche sur Riotto. Ce type est en fuite, et faut trouver pourquoi il s'est donné autant de mal pour mettre en scène sa propre disparition.

Atticus faillit lui reprocher d'aller trop vite en besogne, mais se ravisa. Après tout, c'était lui qui l'avait mis dans cette situation, Hack avait le droit de prendre ses propres décisions.

– Tu as retrouvé sa famille ?

– Le type est originaire du Texas, j'ai pas dégoté de parents encore vivants.

– Tu as consulté le DMV[1] ? Il a une bagnole, sa voisine me l'a confirmé.

– Oui, une… attends que je me relise… Ford C-Max Hybrid, les gars l'ont retrouvée ce matin, sur le parking le plus proche du vieux zoo. Elle est en cours d'analyse.

Atticus ne se faisait aucune illusion, ils n'y trouveraient rien. Il lui annonça qu'il serait là dans moins d'une heure et raccrocha.

La salle des détectives à Hollywood Station était un vaste espace sans fenêtres, éclairé par des plafonniers et constitué d'une série de bureaux en open space, regroupés par divisions et tout juste séparés par une fine cloison ne dépassant pas la

---

1. Department of Motor Vehicles.

hauteur d'un homme assis. Chacun avait colonisé son rectangle en punaisant quelques photos, des coupures de presse et surtout en déployant une armada de Post-it qui rappelaient tout ce qu'il restait à faire. La division des homicides était au centre, et Atticus salua plusieurs collègues avant de parvenir jusqu'à son siège. Hack occupait le bureau mitoyen, mais n'était pas présent pour le moment. En face, ceux d'Irzik et D'Angelo demeuraient tout aussi vides. Le week-end approchait et, bientôt, toute la salle serait désertée – sauf par les inspecteurs de garde –, silencieuse, un calme trompeur, laissant à croire que le crime aussi se reposait.

Atticus s'installa face à son ordinateur, dans un box presque entièrement immaculé en dehors d'un mug Burning Man Festival – il était l'un des rares à ne pas vouloir injecter de sa vie privée dans son espace professionnel –, et alluma son ordinateur pour se rendre sur le blog d'Oscar Riotto. Des dizaines de petits articles plus ou moins intéressants sur d'éventuelles connivences douteuses entre industriels et politiques, quelques brèves relevant davantage de l'éditorialiste, et surtout, mises en avant sur la page principale, plusieurs grosses enquêtes dont l'accès, au-delà de quelques lignes, s'avérait payant. Atticus se fendit du prix demandé, et se plongea dans la lecture.

Scandale sur les produits chimiques ajoutés dans les aliments d'une célèbre chaîne de burgers, dossier sur le juteux business de l'écologie, un autre sur les principaux groupes derrière la production de cannabis depuis sa légalisation en Californie, Oscar Riotto multipliait les révélations fracassantes. Plutôt bien écrits, très documentés et particulièrement longs, les papiers témoignaient d'une rigueur et d'une implication évidentes. Riotto ne publiait pas sans avoir bossé et vérifié ses sources. C'était un marathonien qui devait passer des semaines entières à fouiller, parfois plusieurs mois, jusqu'à tenir du solide. Avec un rythme de publication aussi faible sur la partie payante de son blog, il ne devait pas rouler sur l'or – le prix de l'indépendance et d'un travail d'analyse de qualité. Riotto incarnait un journalisme de convictions. Et après avoir soulevé autant de merde, il devait compter un certain nombre d'ennemis, songea Atticus en se mordant l'intérieur de la joue. Cela n'allait pas simplifier sa tâche.

Eli Hackenberg rentra en milieu d'après-midi, agitant le sachet en plastique contenant le téléphone portable retrouvé sur le cadavre le matin même.

– J'ai usé mes cordes vocales et mes talents de séducteur, mais tout a été fait en vitesse, on peut accéder à la bête ! claironna-t-il fièrement.

Cela signifiait que la pièce était enregistrée, les prélèvements ADN et d'empreintes digitales effectués et qu'ils pouvaient le manipuler, en attendant de recevoir les fadettes de l'opérateur téléphonique. Hack fit couiner sa chaise en prenant place et chaussa ses lunettes avant de se mettre au travail.

Atticus reprit sa lecture puis tapa le nom d'Oscar Riotto sur Internet pour voir ce qui sortait. L'homme avait sa cote de popularité. Bon nombre de journalistes locaux le citaient et mettaient en avant ses recherches. Riotto avait dû recevoir des offres de boulot de plusieurs journaux, mais son désir de rester un électron libre transpirait de ses écrits. De rares photos traînaient sur le Net, et Atticus identifia sur son index la même chevalière à pierre rouge que celle aperçue sur le squelette du zoo.

– Tu y crois à ça ? marmonna Hack juste à côté, le nez rivé sur le portable qu'il explorait avec ses gros doigts gantés de latex.

– Qu'est-ce qui t'arrive ? Il a plus de photos porno que toi ?

Hack exhiba l'écran vers son partenaire. Il avait ouvert la boîte mails. Entièrement vide.

– Il n'y a aucun e-mail, ni reçu ni envoyé. Et pareil pour les SMS !

D'après ce qu'Atticus venait d'apprendre sur Oscar Riotto, c'était un homme motivé, intellectuellement structuré, certainement pas paranoïaque. C'était un professionnel méticuleux, pas un adepte de la théorie de la conspiration généralisée, il ne l'imaginait pas tout effacer en permanence. Ses recherches témoignaient d'une pugnacité, d'une organisation stricte née de la nécessité d'établir un réseau important pour l'alimenter en informations, d'instaurer avec ses membres une relation de confiance...

– Quelqu'un a fait le ménage, dit Atticus. Tu crois toujours que c'est Riotto lui-même qui aurait manigancé tout ça ?

– Pourquoi pas ? Si tout son plan était dans ses échanges, ou s'il y avait de quoi remonter jusqu'à sa planque. Je vais demander les relevés bancaires, qu'on sache s'il a fait dernièrement des retraits importants en cash, ou s'il y a eu des mouvements sur ses comptes depuis ce matin.

Atticus ne partageait pas cette vision. Plus les heures passaient, plus il était convaincu qu'Oscar Riotto avait été transformé en squelette, dans ses vêtements, pendant la nuit. « Comment » demeurait un mystère. Et pour le « qui », la liste des suspects s'affichait avec presque trop de facilité sur son blog. Non, on avait pris tellement de soin pour brouiller les pistes sur la scène de crime que ça ne pouvait pas être aussi évident. Alors qui ? Riotto était-il vraiment sur un « gros coup » comme le prétendait Ximena ?

La vraie question est de savoir pourquoi une mise en scène aussi macabre et... barrée. Qui se donnerait autant de mal ?

Pendant une brève seconde, Atticus se demanda si la chair de Riotto ne constituait pas justement une preuve, raison pour laquelle on avait « nettoyé » le corps, puis il se ravisa. C'était idiot. En quoi la peau d'un homme pouvait-elle être une preuve ? *Sauf s'il avait absorbé une substance toxique, ou procédé à des tests sur lui-même...* L'hypothèse paraissait folle.

– Tu vas où ? lui demanda Hack lorsqu'il vit Atticus se relever en hâte.

– Je retourne là-bas, au zoo. J'ai l'impression d'avoir oublié quelque chose.

– Ta bagnole, s'esclaffa Hack.

Mais Atticus s'éloignait déjà. Une désagréable sensation d'être manipulé l'empêchait de réfléchir davantage. Il leur manquait une pièce centrale du puzzle, elle devait être là, sous leurs yeux, et ils ne la voyaient pas. Il le sentait, son instinct de flic, ou peut-être juste son subconscient qui, lui aussi, faisait une partie du boulot.

Il devait en avoir le cœur net.

11.

Une « noire et blanche », comme on surnommait les voitures de patrouille dans la police, déposa Atticus Gore sur le petit parking à flanc de forêt, dans Griffith Park. Un flic en uniforme montait la garde à l'entrée du périmètre délimité par du ruban jaune et noir. Atticus le salua et lui demanda depuis combien de temps la cavalerie était repartie.

– À peine une heure, inspecteur.

– Vous faites la nuit ici ?

– Oui.

Cela ne semblait pas l'enchanter et Atticus le concevait sans peine. Lorsque le soleil se serait couché, la faune des montagnes se réveillerait, les coyotes au loin, et en l'absence de tout lampadaire on ne verrait pas à plus de dix mètres si la lune ne se levait pas. La nuit serait longue, pleine de bruits, Atticus était passé par cette étape lors de ses années à battre le pavé dans des quartiers sordides, et il savait que l'officier ne manquerait pas de penser au cadavre qui avait traîné là, quelques heures plus tôt, ou aux criminels qui pouvaient rôder dans l'idée de revenir sur les lieux. Chaque heure serait lente et éprouvante pour ce pauvre type et Atticus espérait que, si la nuit était calme, des camarades en patrouille non loin penseraient à lui apporter un café pour lui tenir compagnie.

Atticus lui posa une main amicale sur l'épaule, pour le réconforter, mais l'officier se dégagea un peu brutalement, trop pour que ça ne soit pas autre chose que du dégoût. Manifestement il savait qui était Atticus et des collègues « bien intentionnés » n'avaient pas manqué de préciser son orientation sexuelle.

– Relax, officier, je préfère les mecs avec un casque de chantier ou les Indiens.

Finalement, Atticus se mit à souhaiter une nuit agitée et interminable au crétin de service. Il grimpa la pente et se hissa sous les branches les plus basses pour atteindre l'esplanade de gazon.

La SID avait tout ramassé, jusqu'au moindre indice, répertorié chaque trace, et tout partirait bientôt en analyse, mais rien ne valait un tour sur place, pour se remémorer le site, pour *respirer* la scène.

Atticus commença par la table de pique-nique en béton, au cœur du rond d'herbe. Elle était encore maculée des produits chimiques utilisés par les techniciens pour faire apparaître les éventuelles traces de sang effacées. Atticus ne remarqua rien de plus que les quelques éclaboussures déjà relevées le matin même.

Puis il entreprit de déambuler à la recherche des insectes écrasés, mais ne débusqua que des trous : tout avait été arraché au sol, motte de terre comprise, en vue des analyses complètes en laboratoire.

Il fit alors face aux enclos dans la falaise de blocs de pierre. Plusieurs cours sales, et pour chacune des arches donnant sur une galerie ombragée, elle-même conduisant à un escalier de service poussiéreux.

Oscar Riotto était vivant la veille au soir, ça ne faisait plus aucun doute à présent. Sa voiture retrouvée sur le parking en contrebas permettait d'envisager qu'il puisse être venu de lui-même dans la soirée, après s'être fait verbaliser pour excès de vitesse.

Le sang sur la table pouvait marquer le point de départ de l'attaque.

Un rendez-vous nocturne. Avec une source ? C'était fort probable. Pourquoi choisir un endroit aussi éloigné et relativement peu accessible sinon pour être tranquille, loin de toute surveillance possible ? Atticus n'imaginait pas Riotto amener une fille ici, ça n'avait pas de sens. *Non, c'est pour le boulot.*

Et ensuite ? La conversation dégénère. Et une autre personne surgit.

Atticus observa le site. La table de pique-nique était au centre, il lui parut difficile qu'on puisse être attaqué par surprise là, même la nuit, la cachette la plus proche étant à plus de cinquante mètres. *Si la nuit était noire et l'agresseur particulièrement silencieux...*

Le flic émit un grondement sourd. Il n'était pas convaincu. Si Riotto était venu jusqu'ici, c'est qu'il ne voulait pas de témoin, il devait être méfiant. On ne lui avait pas sauté dessus à l'improviste.

Alors c'est celui ou celle avec qui il avait rendez-vous qui a fait le coup.

Ça n'expliquait pas les insectes.

Qui les avait répandus et pourquoi ? C'était comme si le sol en avait été tapissé et qu'Oscar Riotto, voulant s'échapper, ait, en les écrasant, inscrit le tracé de sa fuite.

Impossible.

Cela faisait beaucoup de choses impossibles depuis le début de l'enquête, songea Atticus.

En tout cas, il est attaqué et cherche à s'enfuir, il ne sait pas où aller, il hésite, et dans la panique il entre dans cet enclos, il voit la galerie, l'escalier, grimpe et se retrouve dans un cul-de-sac. Là, il...

Il quoi ? Qu'est-ce qui s'était passé ensuite ?

Atticus soupira. Il n'en avait pas la moindre idée.

Les ombres commençaient à s'étendre, elles sortaient lentement de leur tanière et s'allongeaient dans sa direction. L'inspecteur leva les yeux vers le ciel. Il avait encore une bonne heure avant le crépuscule.

Le nez en l'air, il remarqua alors le promontoire rocheux qui dominait non loin. Un grillage délimitait ce qui devait être une sorte d'observatoire naturel. Une vue panoramique sur le zoo.

Atticus hésita avant de s'élancer, il n'avait pas les bonnes chaussures pour grimper. Tant pis, il improviserait. S'il se dépêchait, il avait le temps de faire l'aller-retour avant que le soleil ne disparaisse.

Un sentier déroulait sa langue brune par le nord, ondulant entre les massifs et longeant un filet d'eau qui dévalait sur des rochers polis par l'érosion. Atticus commença par le remonter, avant d'en emprunter un autre, plus étroit et sinueux. Il pestait lorsqu'il dérapait dans les virages aigus avec ses semelles lisses de citadin, et s'accrochait aux branchages ou agrippait d'une main les pierres saillantes. Le parfum de la nature lui plaisait assez, il était incapable d'identifier les odeurs précisément, mais il y avait des mélanges floraux, d'écorces, de terre, le tout brassé par la chaleur de ce début d'avril. Plus il avançait, plus l'ascension se faisait ardue, il avait présumé de ses capacités. Le soleil se rapprochait de la ligne d'horizon, il n'aurait pas le temps de redescendre avant de ne plus rien y voir. Tant pis, Atticus n'était pas du genre à renoncer lorsqu'il entreprenait quelque chose.

Il avait le dos en nage et les tempes luisantes lorsqu'il entama le dernier raidillon qui débouchait sur une intersection. Un panneau indiquait que la haute colline qu'il venait de gravir s'appelait Bee Rock, et l'autre chemin menait vers des sommets plus éloignés, et plus hauts encore. Atticus remarqua une route de service à l'écart, au flanc de la montagne sur laquelle Bee Rock s'arrimait. Il aurait pu s'épargner une bonne suée.

Il prit vers le sud, un grillage s'élevait de part et d'autre du sentier au sol rocailleux et glissant. Il était au point culminant, sur la saillie rocheuse, et sans ce grillage tordu et rouillé, le moindre faux pas aurait pu le projeter une centaine de mètres en contrebas avant que son corps ne dévale les pentes sauvages. Atticus parvint à l'extrémité de Bee Rock, après une saillie calcaire en guise de dernière marche. La vue valait l'effort : Glendale au loin, puis les monts San Gabriel, et en bas, au milieu de la végétation épineuse, l'arrondi de l'ancien zoo.

Atticus s'accorda un bref répit pour souffler et s'éponger le front, et regretta la bouteille d'eau restée dans sa voiture. Il dominait parfaitement la scène de crime, et même le parking plus loin, ainsi que la route.

Atticus fut soudain traversé par une évidence devant ce spectacle : ce n'était pas Oscar Riotto qui avait donné rendez-vous ici. On l'avait fait venir. Avec un peu de chance, l'étude du journal des appels que l'opérateur allait leur procurer tendrait dans cette direction. Un coup de fil tardif, pour le convoquer ici.

Si Oscar Riotto était tombé dans un traquenard, ce promontoire était le lieu idéal d'où tout superviser. En préparant bien son coup, on pouvait y accéder par la route de service, certainement réservée aux rangers qui surveillaient Griffith Park, mais qu'une personne suffisamment motivée ne devrait avoir aucune peine à emprunter une fois la nuit tombée.

On pouvait repérer tout véhicule approchant le parking puis, à l'aide de jumelles à vision nocturne, surveiller la table de pique-nique.

Atticus réalisa que tout cela supposait des moyens assez exceptionnels, et même l'intervention de plusieurs personnes.

Parce qu'il est mort de façon spectaculaire. Il faut plus d'un homme pour réussir un coup pareil.

En était-il sûr ? Le propre d'un grand pervers n'était-il pas de développer une imagination criminelle hors norme ?

La vérité était qu'il n'en savait rien. Il ne disposait d'aucun élément matériel assez probant pour valider la moindre hypothèse, et à en croire la réaction du légiste, il était préférable de ne pas s'attendre à des miracles de son côté.

Atticus s'agrippa au grillage qui émit une plainte métallique.

Son instinct lui soufflait qu'il était en train de contempler la scène d'un crime fou. Et plus il la regardait, plus il était convaincu que rien n'avait été laissé au hasard. Certainement pas l'emplacement.

– Quelqu'un se tenait exactement ici cette nuit, et il a tout vu, dit-il pour lui-même.

Comme pour le lui confirmer, un coyote se mit à japper au loin dans les montagnes. À moins qu'il ne se moquât.

12.

La MINI Cooper Works se gara au pied de la minuscule maison en bois, tout en hauteur et en profondeur, à peine la largeur de la voiture. Le rugissement frénétique des guitares saturées et de la double pédale de « Still Echoes » par Lamb of God disparut en même temps qu'Atticus coupait le contact.

Mrs Articott, la voisine, était déjà à sa fenêtre illuminée et Atticus lui adressa son plus beau sourire, provocateur au possible. Il se souvenait encore combien elle s'était réjouie d'accueillir un flic dans le quartier les premiers jours, avant d'entendre sa musique de démon et de comprendre qu'il était gay. Depuis, c'était tout juste s'il avait droit à un bonjour du bout des lèvres lorsqu'ils se croisaient.

Atticus vivait à Silver Lake, un quartier résidentiel tranquille au nord de Downtown, sur une colline au bord du réservoir qui lui donnait son nom. Ici la plupart des bâtisses s'imbriquaient au mieux les unes aux autres le long de rues étroites serpentant sans logique apparente dans un style plus européen que nord-américain. Presque pas de jardins mais des arbres partout pour compenser, au point que leurs racines torturaient le bitume jusqu'à le bosseler et le fendre. Il y flottait un air bohème, sur fond d'arômes d'hibiscus, de glycine et de rose.

Atticus escalada l'escalier extérieur et entra par l'étage, dans ce qui lui servait de cuisine et de salon. Une unique baie desservait le petit balcon. La flaque noire du réservoir dans l'obscurité était à peine visible, masquée par les toits en contrebas, mais l'autre colline, sur la rive opposée, offrait un spectacle qu'Atticus se plaisait à contempler, surtout le soir, lorsque les lumières venaient souligner toutes ces vies si proches et dont il ne savait pourtant rien. Il aimait admirer longuement ces lueurs et se dire que chacune correspondait à un être humain au moins, et qu'à cet instant même, celui-ci riait peut-être, pleurait, jouissait, s'abrutissait devant un écran ou même regardait dans sa propre direction, plein d'interrogations lui aussi.

Il alluma et s'installa au bar avec la salade qu'il venait d'acheter chez Whole Foods sur le trajet du retour. Il avait assez d'appétit pour en engloutir deux comme celle-ci mais s'en contenta. Il tenait à sa ligne. La quarantaine passée, les poignées d'amour se remplissaient plus rapidement qu'un bar un soir de match. Atticus ne s'aimait déjà pas beaucoup, s'il lâchait prise sur son physique il finirait par carrément se détester.

Puis il se posa devant l'impressionnante collection de CD qui occupait tout un mur. Il n'était pas adepte du tout-numérique, il avait besoin de toucher, de voir, pour laisser monter en lui les notes. À côté, les vinyles s'étalaient sur presque autant d'étagères.

Il sélectionna l'album *Skyscraper* de David Lee Roth pour démarrer la soirée en douceur et le disposa délicatement sur le tiroir du lecteur. Les deux amplis de cent cinquante watts s'embrasèrent et poussèrent les premiers accords dans les monstrueuses enceintes Focal.

Pour faire taire sa faim persistante, Atticus se prépara un thé aux agrumes, puis il s'installa dans son sofa, son ordinateur portable sur les genoux. Il n'en avait pas encore fini aujourd'hui avec Oscar Riotto. La page de son blog s'afficha. Atticus se mit à fouiller, lire les brèves qu'il n'avait pas eu le temps de décortiquer dans l'après-midi, et trouva un onglet « Contact », d'où il envoya un message. Demain il vérifierait sur le téléphone de

Riotto si le message était bien arrivé dans sa boîte mail ou s'il était réaiguillé vers une adresse inconnue. Il tournait en rond, et lorsque le silence revint dans le salon, Atticus se sentit un peu désemparé. Il se leva et, dans l'espoir d'être inspiré, il choisit un de ses albums vinyles préférés, *Clandestine* d'Entombed, un groupe de death metal suédois dont la pochette relevait de l'œuvre d'art, un paysage gothique et lugubre tout en nuances d'ocre et de violet. *C'est bien mon humeur du moment, tiens...*

De retour sur le site Web, il inspecta de nouveau des dossiers plus longs, payants, en utilisant son inscription du jour, pour s'assurer qu'il n'était passé à côté de rien, insistant sur les plus récents. Aucun détail particulier n'attira son attention, et il n'imaginait pas les lobbies de la malbouffe ou du tabac se muer en mafia pour éliminer un journaliste qui avait déjà diffusé ces articles. Il remarqua alors la section des commentaires tout en bas. Il y en avait peu, mais un nom revenait à plusieurs reprises. ISeekTru4U. Et le modérateur de la page, Oscar Riotto en personne de toute évidence, lui avait répondu à plusieurs reprises. Manifestement, ils se connaissaient, faisant allusion à des faits connus d'eux seuls. Atticus vérifia sur tous les articles majeurs et releva la présence de ISeekTru4U sur presque chacun, Riotto lui répondant la plupart du temps. Si quelqu'un était susceptible de connaître le prochain sujet de Riotto, c'était lui. Atticus doutait qu'il soit identifié dans le répertoire du téléphone de Riotto sous ce nom-là, mais il lui faudrait jeter un œil. Ses doigts pianotaient machinalement sur le rebord de son ordinateur. *Comment identifier un individu par des commentaires, dont le principe même est l'anonymat ?* Atticus n'avait pas la réponse et cela l'agaça. Il sentait que c'était intéressant, une piste à suivre, et la frustration s'intensifia. Le métier d'inspecteur : trouver des voies et se confronter à des culs-de-sac, jusqu'à ce qu'enfin l'une d'entre elles débouche sur la destination, lorsque c'était possible. Une longue errance sur les routes de la vérité, pleine d'étapes, sans garantie d'une arrivée.

Le solo aux notes mélancoliques d'« Evilyn », dominé par les grondements de la basse et les claquements de la batterie, extirpa Atticus de sa réflexion. Il se laissa entraîner brièvement dans ce tunnel d'émotions noires, puissantes, viscérales. Il aimait cette musique pour ça aussi, sa capacité à faire remonter ce qu'il avait de plus nostalgique, de plus fragile, une émotion primaire dont il ne captait pas bien le sens lui-même, un lien entre la cruauté de la vie et l'implacable terreur de la mort.

Lorsqu'il se leva pour changer la face du disque, Atticus repensa aux insectes qu'il avait prélevés sur la scène de crime plus tôt le matin et s'empressa de sortir de sa poche les sachets en plastique pour les déposer sur la table. Après une courte réflexion, il se souvint où il avait rangé son matériel datant de la fac, et fila au sous-sol pour exhumer un carton du fond du minuscule garage. Il nettoya sa paillasse portative à l'eau claire, fit de même avec les quelques instruments et brancha sa loupe lumineuse à une prise du salon. Il vida le contenu du premier sachet devant lui sur la plaque de plastique blanc et alluma la loupe.

La voix de Jay Ottington résonna sous son crâne. *C'est tout ce que t'aimes.* Et il avait raison. Cela lui rappelait ses années d'étudiant en bio, ses ambitions avortées d'entomologiste...

Les carapaces de chitine s'aggloméraient au milieu de pattes, de mandibules et d'antennes, broyées. On avait marché dessus. Plus que cela encore, on les avait écrasées, fort. Plusieurs fois ? L'image d'un talon qui s'abat sur une nuée d'insectes s'imposa dans l'esprit d'Atticus. Un talon qui frappe et insiste, tournant sur lui-même.

Comment étaient les semelles d'Oscar Riotto ? *Sales...*

C'était peut-être lui. À confirmer avec le bureau du légiste.

Mais si cela s'avérait, un étrange scénario s'était déroulé dans l'enceinte du zoo, la nuit dernière : un individu qui appelait tard pour fixer un rendez-vous dans cet endroit isolé, quelqu'un qui avait finalement attaqué Oscar Riotto sur le banc, avant que celui-ci ne cherche à s'enfuir... *Et s'il avait écrasé ces insectes* avant *d'arriver au banc et d'être agressé ?* Non, les petits charniers avaient été retrouvés disposés un peu partout, de manière erratique, sans aucune cohérence. Ce n'était pas quelqu'un qui marchait dans une direction particulière qui les avait écrasés, mais une personne en panique, qui courait partout à la fois, sans bien savoir où aller.

Atticus s'arma d'une pince et débuta un lent et minutieux travail de tri afin de tenter de reconstituer quelques fragments d'insectes, soulevant de minuscules corps pour en découvrir d'autres en meilleur état, récupérant un morceau pour en extraire une partie plus reconnaissable ou jouant au puzzle avec ce qui s'imposait comme une évidence. Ses souvenirs des dénominations remontaient à trop loin pour être pertinents, et sans ses ouvrages de référence il ne pouvait classifier avec précision chaque échantillon. Toutefois il lui sembla reconnaître un classique *Necrophila americana*, coléoptère (*silphe, pour être juste*, se corrigea-t-il) facilement reconnaissable à sa tête jaune, connu pour s'accoupler sur les morts avant d'enterrer ses œufs dans la chair pourrie. Puis un autre, sorte de scarabée, un histéridé identifiable au vert métallique de son enveloppe, et connu des entomologistes médico-légaux pour arriver sur les cadavres dans les vingt-quatre heures suivant le décès afin de s'en nourrir. Plusieurs spécimens parmi ses autres prélèvements ne lui disaient rien, avant qu'il ne tombe sur un *Omosita colon* – celui-ci il s'en souvenait bien car sa forme très arrondie l'amusait à l'époque, et il était connu pour arriver sur les charognes sur la fin, parfois des mois après la mort, pour nettoyer les derniers tissus les plus microscopiques sur les os. Et enfin, Atticus nota la présence de plusieurs chélicérés, ce qui le surprit car, contrairement à ce que pensaient la plupart des gens, les araignées n'étaient pas considérées comme des insectes, mais des arachnides, ce qui n'était pas la même chose pour les biologistes, deux univers assez éloignés. Il parvint à réassembler une araignée célèbre, *Loxosceles reclusa*, recluse brune d'intérieur, et progressivement se mit à froncer les sourcils, contrarié.

Il n'y avait aucune logique dans tout cela.

Des escouades qui auraient dû débarquer les unes après les autres sur un cadavre, car elles n'étaient pas censées intervenir au même moment dans le processus de dégradation des corps, souvent séparées par des temps très longs, se réunissaient au même endroit, concentrées les unes sur les autres au point de presque fusionner lorsqu'elles avaient été tuées.

Pire, c'était une violation totale des lois naturelles élémentaires : des familles d'insectes opposées, incompatibles, regroupées les unes sur les autres.

Et Atticus ne voyait qu'une explication possible. C'était bien l'homme qui était intervenu pour les répandre ici, sur le sol, avant qu'on ne marche dessus. Les insectes devaient être déjà morts pour ne pas s'enfuir.

Mais pourquoi s'était-on donné autant de mal ? Et comment avait procédé l'assassin d'Oscar Riotto ? Atticus était dans une impasse, il n'apercevait pas le moindre début d'idée, sinon qu'il était face à un degré de machiavélisme et peut-être de perversité qu'il n'avait jamais encore effleuré.

C'est tout ce que t'aimes !

Il n'en était pas si sûr à présent.

Le chanteur d'Entombed poussa un hurlement de souffrance interminable qui fit écho à ce qui se bousculait sous le crâne d'Atticus. Alors il entendit celui, terrifié, d'Oscar Riotto qui courait pour survivre dans le vieux zoo, sous une lune timide observant de son œil blafard cette scène d'horreur pure.

Et pendant un bref instant d'égarement, Atticus se demanda si les insectes n'étaient pas en réalité grouillants et en pleine forme lorsque Oscar Riotto les avait écrasés tandis qu'ils le pourchassaient et tentaient de le dévorer lui, vivant.

13.

Le métro aérien de Brooklyn offrait un panorama à trois cent soixante degrés de la ville de New York. De la skyline étincelante de Manhattan jusqu'aux toits des immeubles trapus de Park Slope ou Carroll Gardens. Fourmilières verticales ou dortoirs entassés, chromes rutilants ou briques sales, dans chaque interstice se disséminait la foule pressée ou le trafic routier ralenti.

Kat descendit à la station de Smith-9th Street qui surplombait le Gowanus Canal et ses péniches chargées de déchets industriels, et dévala les escaliers pour se retrouver au milieu d'une zone d'entrepôts, de friches grillagées, et de petits commerces vétustes aux néons branlants. Elle passa sous l'autoroute BQE et ses hauts pylônes d'acier peints en vert et se demanda ce qu'un food truck faisait là, dans le vacarme abrutissant des voitures au-dessus, préférant ne pas imaginer quel genre d'endroit sordide ce devait être une fois la nuit tombée. Elle n'avait pas envie de le découvrir et devait se dépêcher pour s'épargner cela.

Chaque chose en son temps. Là, ce qui compte, c'est de savoir à quoi ressemble ce Silas Okporo…

Et s'il s'agissait bien du garçon que Lena appréciait, d'après sa collègue du Starbucks. Lena Fowlings conservait sa carte de visite dans ce qui ressemblait à une compilation des lieux ou événements qu'elle aimait ; peut-être que ce Silas pourrait renseigner la détective sur ce que la jeune femme avait en tête avant de se volatiliser...

À mesure que Kat s'éloignait du serpent monstrueux que composait l'autoroute aérienne, la vie semblait déserter les rues. Bâtiments tassés, mal entretenus, tagués, parfois abandonnés, parkings envahis de mauvaises herbes, bitume craquelé et constellé de nids-de-poule plus gros que des ballons de basket. Les quelques passants marchaient vite, à l'abri dans leurs pensées, les voitures avaient connu plusieurs vies, depuis la présidence de Bush père, au moins. Red Hook avait été un quartier célèbre dans les années 1980 pour avoir servi de cimetière à la mafia, nombre d'exécutions avaient eu lieu dans ces impasses, ruelles et arrière-cours isolées, sans compter les cadavres retrouvés, mal lestés, dans le Gowanus Canal. Durant les années 2000, Red Hook résistant à toute tentative d'amélioration, les politiciens et entrepreneurs avaient redoublé d'efforts pour tenter d'imposer la fameuse *gentrification* – renouvellement économico-social d'un quartier par injection massive d'individus des couches supérieures –, sans succès. Ni l'installation d'un Ikea, ni les travaux opérés à droite et à gauche pour tenter de doper l'attrait du secteur n'avaient suffi. La greffe n'avait pas pris. Red Hook était une excroissance maligne sur le bord de Brooklyn, et personne ne voulait faire partie d'une tumeur.

Un semi-remorque passa en ronflant tout près de Kat qui finit par bifurquer dans Lorraine Street. Elle était arrivée.

La boutique de Silas Okporo n'était indiquée que par une enseigne en bois suspendue au-dessus d'un passage conduisant à un entrepôt marron. Qui venait jusqu'ici pour ce genre d'articles ? *Des fêlés. Des illuminés... Comme Lena ?*

Kat s'engagea dans le passage et découvrit une porte de hangar relevée, un écriteau « Ouvert » de travers, arrimé à une cordelette.

À l'intérieur, la lumière du jour peinait à s'imposer par les rares lucarnes horizontales, situées à plus de cinq mètres de haut près du plafond. À peine entrée, Kat fut saisie par l'odeur d'encens boisé et musqué.

Une immense gueule aux crocs pointus et surmontée d'yeux menaçants jaillit devant elle et la fit s'immobiliser.

Mesurant plus de trois mètres, elle devait peser plusieurs tonnes, entièrement sculptée dans de la pierre, et représentait une sorte de dragon maléfique. *Sympa pour souhaiter la bienvenue...*

Tout autour, le hangar recueillait d'autres êtres au moins aussi inquiétants, poteaux de bois taillés en démons, diables d'ébène, gargouilles ramassées sur elles-mêmes ou au contraire ailes déployées au-dessus de l'allée... Plus Kat avançait, prudemment, plus elle découvrait l'étendue de la collection. Il y en avait de tous les gabarits, alignés sagement ou au contraire entassés en une meute indisciplinée. Mais personne en vue.

Elle contourna une table en noyer dont les pieds représentaient des succubes lascifs aux seins proéminents et au sourire aussi lubrique que perfide. Plusieurs cônes d'encens brûlaient dans des vasques ressemblant à des bénitiers profanés.

Qui achète des horreurs pareilles ?

Y avait-il à New York des banquiers satanistes ou des chefs d'entreprise gothiques ? *Des artistes. Des excentriques...*

Kat remarqua une ouverture vers une autre pièce, plus basse et plus sombre encore. Un morceau de carton glissé derrière un tuyau pointait dans cette direction avec la mention « Renseignements ».

Kat s'y engagea lentement. Ici le plafond était à taille humaine, et des étagères s'alignaient les unes derrière les autres sous l'éclairage anémique de quatre lanternes rivées à des clous dans les murs.

Le parfum de musc et de cèdre mêlés s'intensifia. D'autres cônes brûlaient un peu partout.

— Il y a quelqu'un ? demanda-t-elle.

Sa voix vint se briser sur les lourdes étagères garnies de couteaux rituels à la fabrication exotique, de fioles contenant des racines, des herbes et des concentrés de fleurs, ou d'ouvrages parfois en piteux état sur différents types de magie. Les montants servaient à accrocher des lances et des masques tribaux africains dont certains arboraient une expression effrayante. Et presque sur chaque planche se trouvait au moins un animal empaillé. Furet, renard, belette, mais aussi plusieurs serpents, chouettes, vautours et même un tapir. Un zèbre fermait le fond d'une travée avec sa masse imposante, et il fixa Kat de ses billes de verre.

Elle repéra également des scorpions et des araignées, de toutes tailles, parfois plus grands que sa main, et elle frissonna. Quelques-uns s'abritaient dans des boîtes vitrées, la plupart seulement posés sur leurs pattes fines. Prêts à bondir.

Ne sois pas débile...

Kat s'engagea dans une allée, à la recherche d'un comptoir, et tomba nez à nez avec un crocodile de plusieurs mètres. Posé là au sol, il avait la gueule ouverte, le regard fixe, impassible, comme s'il attendait le moindre geste de sa proie pour déclencher son attaque. Kat recula, sans détourner son attention, puis s'aventura dans un autre passage. *OK. Déjà je sais que ce Silas Okporo est un odieux connard qui s'amuse à foutre la trouille à ses clients.*

Kat réalisa alors qu'elle déambulait au milieu de centaines d'yeux. Du sol au plafond. Ils flottaient tous dans un liquide brun, parfois minuscules, d'autres de la taille d'une orange, une collection absurde et dégoûtante, et tous la regardaient, inertes, à travers le globe de leur bocal, la lueur ambrée d'une lanterne non loin transperçant cette eau épaisse. Kat commençait à ne pas se sentir très bien.

— Certains sont humains, annonça une voix douce devant elle.

Kat pivota instantanément.

— Pardon ?

— Les yeux, fit une ombre derrière une étagère, certains sont humains.

— C'est dégueulasse..., ne put s'empêcher de lâcher Kat.

La silhouette marchait doucement, parallèlement à la détective privée. Encore trois mètres et les deux allaient pouvoir se faire face.

– Vous savez ce qu'on dit sur les yeux, n'est-ce pas ? ajouta l'homme à la voix grave.

– Ils sont le reflet de l'âme, c'est ça ? dit Kat un peu agacée par cette mise en scène.

– Exact. Alors imaginez donc toutes ces âmes capturées qui vous observent en ce moment même.

Ils étaient parvenus au bout de l'allée et l'homme apparut, vêtu d'un fin manteau de cuir qui ressemblait à une cape. La peau aussi sombre que sa parure, tempes rasées surmontées d'un bouquet de dreadlocks attachées par des épingles en cuivre ancien, il dominait Kat d'une bonne tête. Son regard, à peine décelable dans la pénombre au fond de ses orbites creusées, brillait pourtant d'une lueur fixe.

Kat scruta son cou.

Un as de pique tatoué sur la gauche.

Et un crâne presque souriant de l'autre côté. Il semblait sur le point de fondre...

C'était bien lui.

– Silas, pour vous servir.

Kat mentait rarement sur son identité lorsqu'elle était sur le terrain, son expérience (et Big Tony le lui avait souvent répété autrefois) lui avait prouvé que la plupart des gens se confiaient assez facilement à un détective privé. La fonction garantissait un cadre, un professionnalisme, il ne s'agissait pas juste de répondre à un inconnu de passage, et pour autant ce n'était pas comme avec un flic, les témoins ne se sentaient pas en danger d'être directement impliqués, convoqués au commissariat, voire carrément au tribunal. Le privé rassurait, là où le flic inquiétait.

Elle ouvrit son porte-cartes pour dévoiler sa licence.

– Je cherche une fille que vous connaissez bien, Lena Fowlings.

Lui montrer dès le début qu'il ne sert à rien de nier, de faire semblant de ne pas la connaître.

L'homme esquissa un rictus amusé.

— Cette chère Lena...

— Elle ne donne plus signe de vie depuis dix jours, sa famille est mortifiée. Vous savez où elle est ?

Silas Okporo pivota pour mieux jauger son interlocutrice. Une lanterne parvint à capter l'éclat de ses yeux au passage. Des billes noires, d'une intensité dérangeante. Pendant un instant, Kat eut l'impression qu'il cherchait à pénétrer en elle, à fouiller ce qu'il y avait derrière la fine barrière de son regard, et elle ne se sentit pas bien. *Reprends-toi. C'est son manège, tu es sur son territoire, il en joue, c'est son business...*

Mais les senteurs puissantes de l'encens, la pénombre, le décor et sa présence magnétique n'aidaient pas Kat à reprendre le contrôle de ses émotions. Silas se rapprocha encore un peu. Elle pouvait le sentir, une odeur agréable, animale... presque sexuelle.

À quoi joue ce type ?

— Quand l'avez-vous vue pour la dernière fois ? insista la quadra.

Rester dans l'action, guider l'entretien, voilà comment elle pouvait garder le contrôle.

— Samedi dernier.

Kat se redressa, intriguée. C'était enfin un signe de vie, le premier depuis dix jours.

— Vous êtes sûr ? Samedi, il y a six jours ?

Silas acquiesça.

— Elle est venue me rendre des livres que je lui avais prêtés.

— Quel genre de bouquins ?

Malgré le peu de lumière, Kat distingua un sourire se dessiner sur les traits du vendeur à la taille imposante, et elle crut apercevoir une dent sombre percée d'un éclat fugitif au niveau d'une incisive, comme un diamant au centre d'un implant. Silas désigna leur environnement.

— À votre avis ?

— Sur la magie ? Elle y croit ?

– La véritable question est de savoir si vous, vous y croyez, Miss... ?

– Kordell. Et non, je ne suis pas adepte de ce genre de pratique. Est-ce que je peux vous demander la nature de vos relations ?

Silas la toisa un moment avant de répondre.

– Je suis une sorte de mentor.

Kat craignait de faire l'objet de son prosélytisme, alors elle décida de ne pas poursuivre sur ce terrain.

– Vous vous connaissez depuis longtemps ? J'ai cru comprendre que Lena n'a pas beaucoup d'amis et encore moins de compagnons de longue date...

– Ça remonte à cet hiver, environ six mois. Elle est venue ici un jour, pour voir, discuter, et elle est repartie avec plusieurs ouvrages. Elle avait entendu parler de moi à une soirée.

– Elle sort beaucoup ?

– Disons qu'elle s'occupait. En tout cas lorsque je l'ai connue. Plus rarement ensuite.

– Vous savez pourquoi ?

– Parce qu'elle en éprouve moins le besoin. Lena chassait la solitude et la mélancolie en enchaînant les soirées, les concerts, puis elle s'est apaisée, et elle s'est plongée dans l'apprentissage.

On y revient. Je ne vais pas y couper.

– De la magie, c'est ça ? Elle vous a dit ce qu'elle y cherche ?

Silas inspira profondément, sans lâcher Kat de ses deux puits sans fond.

– La connaissance, le pouvoir, des alliances, tout ce qui fascine l'humain.

– Et à travers ses lectures, vous pensez qu'elle a trouvé tout ça ?

Silas se mit à marcher lentement, en tournant autour de Kat. Les bocaux remplis de globes oculaires les toisaient et soudain la détective privée eut le sentiment qu'ils la regardaient tous.

– Lire c'est ouvrir son esprit, mais pour que celui-ci grandisse, ensuite il faut pratiquer.

Kat ne put s'empêcher de repenser au chat à l'abdomen béant, les os pyrogravés. Elle hésita.

— Si je vous montre une photo, vous pouvez identifier des symboles ésotériques ?

D'un geste de la main, Silas l'invita à poursuivre. Kat sortit son appareil photo et retrouva un cliché où les symboles étaient assez visibles, puis zooma au maximum pour éviter qu'on puisse identifier leur support.

Silas se pencha, enveloppant au passage la détective privée de son odeur troublante.

— C'est de l'énochien, dit-il sans la moindre hésitation. Le langage de la magie.

— Jamais entendu parler.

— Les initiés le connaissent, dit-il en reprenant sa marche lente autour d'elle. C'est la langue primale. Celle qu'Adam parlait aux cieux avant d'en être chassé. Lorsqu'il s'est réveillé sur terre, il l'avait oubliée. C'est avec les quelques bribes d'énochien qui lui restaient qu'il est parvenu à inventer ce qui est devenu par la suite le langage universel que tous employaient avant la tour de Babel. Mais à l'origine de tout mot, il y a de l'énochien. On l'utilise en magie, ainsi que son écriture. Ce sont ces glyphes.

Kat ne put s'empêcher de faire remarquer :

— Si même Adam l'avait oublié, comment se fait-il qu'on puisse identifier son alphabet ?

Silas nota la pointe de défiance mais ne s'en formalisa pas, il répondit dans un rictus :

— Dee et Kelley, des occultistes britanniques du XVIe siècle, sont parvenus à le retranscrire en communiquant avec des esprits de l'au-delà. Vous devriez vous intéresser à ces deux-là, ils sont à l'occultisme ce qu'Einstein est aux sciences dures.

Kat préféra ne pas insister sur la crédibilité de telles pratiques, c'était au-delà des limites de sa bienveillance et de sa tolérance.

— Et cet énochien, Lena Fowlings le pratique ?

– Il est dans certains des livres que je lui ai fait lire. Ça a été gravé sur les os d'un animal, n'est-ce pas ? Pour un sacrifice.

– Du genre : je demande une faveur à un esprit et en échange je lui donne du sang frais ?

Silas, sans cesser de l'encercler de sa démarche hypnotisante, fit claquer sa langue contre son palais.

– La mise à mort est là pour créer une brèche entre le monde des vivants et celui des morts, et c'est au moment où l'esprit du sacrifié passe d'un état à l'autre que le rituel permet d'envoyer un message par cette brèche. Le sang n'a rien à voir, sinon qu'il est au contraire le symbole de la vie.

Kat commençait à se lasser du petit manège de Silas. Elle l'arrêta en posant une main sur son avant-bras, dont la manche relevée dévoilait les boucles et les spirales de tatouages indéchiffrables dans ce clair-obscur. L'homme avait la peau froide, à en tomber malade. Cela la perturba une seconde, avant qu'elle ne se reprenne :

– Vous faites quoi au juste ensemble ?

– Je satisfais sa curiosité. Je lui donne de la lecture et réponds à ses questions, voilà.

Dépressive, fragile, cible facile, s'énerva Kat sans rien en laisser paraître. Lena avait juste trouvé une béquille à son désespoir.

Kat lâcha Silas.

– Donc il y a quelque chose d'écrit, là, sur la photo ?

– Si vous m'en imprimez un exemplaire, avec un peu de temps je peux vous le traduire.

Une chose était sûre : elle ne pouvait pas lui reprocher son manque de coopération.

– Lena vous a dit qu'elle comptait sacrifier un animal ? Vous savez pourquoi ?

Silas se contenta de secouer la tête. Il devait percevoir son dégoût.

– Vous ne devriez pas vous inquiéter pour elle, répondit-il, elle va bien.

Kat se raidit.

– Vous savez où elle se trouve ?

– Cela fait des mois que Lena parle de la mort, et au début, j'ai pensé qu'elle était sur le point de passer à l'acte. Mais elle est revenue, avec une lumière nouvelle dans le regard. Tout ce savoir l'intéressait, il réveillait en elle une envie de vivre qu'elle pensait éteinte.

– Elle vous a parlé de suicide ?

– Elle n'en a pas eu besoin, je l'ai lu dans ses yeux dès la première minute où nous nous sommes rencontrés. Je ne lui donnais pas un mois de survie. Elle a tenu. Et elle s'est éveillée au monde. Parce qu'elle découvrait qu'il est plus que ce qu'on nous apprend, parce qu'elle en devinait les coulisses, la réalité. Et puis au fil des mois elle s'est faite de moins en moins assidue, elle ne venait plus me voir et ne me rappelait pas.

– Elle s'est trouvé un ou une amoureuse ? C'est la principale raison qui fait disparaître les gens en général.

– Lena n'est pas ce genre de fille. Elle a dépassé tout senti-ment de ce style depuis longtemps. Mais je suis allé la voir sur son lieu de travail, pour lui rappeler qu'elle avait encore des livres à moi en sa possession.

Le passage au Starbucks, puis la visite de Lena samedi dernier pour tout lui rendre. Tout se tenait. Sans ouvrir d'autre piste…

– Alors qu'est-ce qui vous fait dire qu'elle va bien ? insista Kat.

Silas inclina la tête légèrement en arrière, la dominant de toute sa stature. Il prit le temps de réfléchir, longuement. Dans le silence désagréable qui suivit, Kat crut percevoir les remous liquides de tous les yeux qui les scrutaient de part et d'autre de l'étroite allée.

– Lena s'est rassurée, finit par lâcher le vendeur. Elle a com-pris de quoi était fait le monde des esprits. Elle n'en a plus peur. Et si vous voulez mon avis : ce qu'elle a écrit dans le cadavre de cet animal, ce n'est pas un message pour vous ou moi, vivants. C'est un message pour les morts.

Théâtral, il marqua une autre pause avant d'ajouter :

– Elle les prévient de son arrivée.

Silas se pencha au-dessus de la détective privée.

– Miss Kordell, Lena a franchi le Rubicon. Elle est passée de l'autre côté.

14.

Le cristal du verre captait les éclats des quelques lampes pour les diffracter, les teintant au passage de son ton d'ambre. Un rhum guatémaltèque vieilli dans trois différents types de fûts pour le tanner et le caraméliser, faire jaillir sa personnalité.

Ou la lui donner ?

C'était la question futile qui revenait lorsque Kat s'enfonçait dans le fauteuil de son bureau, un verre devant elle.

Quelques gorgées pour l'accompagner dans sa réflexion, en guise de dîner. Les courbes de Manhattan dans son dos, à travers la fenêtre, sertie dans sa parure de lumières.

Le Zacapa ne lui brûla même pas la langue, au contraire, il l'enroba, diffusant ses arômes tièdes sur son palais, racontant son histoire, ses notes boisées, son miel vanillé, avec la délicatesse du cuir qui glisse dans la gorge. Elle respirait le rhum. Son regard s'aiguisait.

Silas Okporo semblait sûr de lui. Lena s'était tuée. Finalité d'une trajectoire irrémédiable pour cette grande dépressive qui avait passé ces derniers mois à se rassurer sur la nature même de la mort, jusqu'à n'en avoir plus peur.

Si tel était le cas, où était son corps ? Pourquoi s'être cachée ?

Et ça n'explique pas le SMS étrange expédié à sa mère la nuit dernière.

Quelque chose n'allait pas dans cette histoire. Jusqu'à preuve du contraire, Kat devait agir comme si la fille était vivante. La traquer. Jusqu'à la retrouver, où qu'elle soit, quel que soit son état.

Kat repoussa le verre et attira son ordinateur portable devant elle.

La plupart des bases de données sur Internet mettaient un certain temps avant d'être mises à jour, c'est pourquoi Kat avait préféré se rendre directement sur le terrain en journée et se garder la soirée pour les recherches virtuelles. Elle avait peu d'espoir, mais une bonne privée devait en passer par là.

Tout d'abord, et même s'il semblait improbable que Lena Fowlings n'ait pas utilisé son droit de téléphoner, il fallait s'assurer qu'elle n'était tout simplement pas derrière les barreaux depuis presque une semaine. Avec son nom complet et sa date de naissance, Kat avait ce qu'il lui fallait.

Elle commença avec le site des prisons de l'État de New York, puis, sans conviction, étendit sa recherche à celui des prisons fédérales. La plupart des gens ignoraient qu'il était facile de vérifier le lieu d'incarcération des détenus, et même leur date de sortie programmée. Tout était public, accessible en quelques clics.

Sans surprise : aucun résultat.

L'ère de l'informatique, dans une société exigeant la transparence de l'État et de son système, avait grandement simplifié le métier de détective privé, pour peu qu'on sache se servir d'un ordinateur avec une once de jugeote.

Là encore, par acquit de conscience, elle se rendit sur le site de la Sécurité sociale et consulta le fichier principal des décès, en entrant le numéro de Sécu de Lena fourni par sa mère. Dans un monde parfait, il était impossible que Lena Fowlings ait été retrouvée morte, déjà enregistrée comme telle auprès de la Sécurité sociale et que sa propre famille n'ait pas été informée de la disparition. Toutefois Kat avait appris qu'il se produisait parfois des choses insensées, surtout lorsqu'on touchait à l'administration.

Toujours rien. Là au moins, c'était en soi une bonne nouvelle.

Elle rédigea alors un e-mail succinct, en y joignant la photo numérisée de Lena, précisant ses détails physiques, dont le tatouage d'ange sur l'épaule, et l'envoya à tous ses contacts dans la police, ainsi qu'au bureau du légiste de Manhattan. Si un corps de femme pouvant correspondre avait été repêché dans le coin récemment, ils le sauraient et la préviendraient rapidement.

Pendant que les photos prises chez Lena se transféraient une à une sur son ordinateur, Kat tapa un autre mail, à Silas Okporo cette fois, sur l'adresse qu'il lui avait fournie. Puis elle y ajouta le cliché montrant le mieux les symboles pyrogravés sur les os du chat et expédia le tout.

Pendant plus d'une heure, sirotant son rhum dont elle éclusa plusieurs verres, Kat fit défiler les photos pour s'assurer qu'elle ne passait à côté de rien et en mémoriser le plus possible. En tombant sur celle d'une pile de flyers qu'elle avait ensuite immortalisés un par un, elle se souvint d'un courrier ramassé dans la boîte aux lettres de Lena. Elle avait complétement oublié de le déposer dans l'appartement.

Ça ne sera pas la première fois...

Le genre d'erreur qui pouvait lui coûter sa licence si ça dégénérait. Elle n'avait aucun droit de s'en emparer, même avec l'autorisation de la mère, Lena était majeure, sous aucune tutelle. Elle irait le remettre en début de semaine.

Kat ouvrit sa besace et en extirpa le petit paquet qu'elle déposa devant elle sur le cuir du bureau.

Lena Fowlings n'avait pas ramassé son courrier depuis un moment. Un coup d'œil aux cachets de la poste indiqua le 18 mars, soit presque deux semaines avant sa dernière entrevue avec Silas, dernière fois qu'elle avait été vue. C'était donc une flemmarde. Deux lettres avaient été ouvertes, signe qu'elle devait tout de même jeter un œil de temps à autre pour vérifier s'il n'y avait rien d'urgent. Kat en fit un bref inventaire. Essentiellement de l'administratif, une des enveloppes éventrées devait contenir un chèque de remboursement ; pour le reste, beaucoup de publicités sans intérêt.

Tu consultes ta boîte, mais bordélique comme tu es, tu ne t'embarrasses pas à trier ou remonter ce qui compte.

Cela collait avec le profil qui émanait de l'appartement. Vaisselle pas faite, fringues mal rangées, Lena entassait et ne triait qu'une fois acculée.

Rien de bien passionnant.

Kat s'enfonça dans son fauteuil, son verre à la main. Quelle était sa prochaine ouverture ? Effectuer une recherche des passifs financiers de Lena ? Dans quel intérêt ? Aller jeter un œil aux archives des tribunaux pour vérifier si elle n'était pas mêlée à une histoire quelconque qu'elle n'aurait pas racontée à sa mère ? Pour quoi faire sinon relever quelques noms associés ? Beaucoup d'énergie et de temps pour pas grand-chose. Non, Kat devait être plus précise, efficace.

L'entourage. Tout partait toujours de là dans une disparition.

Elle s'empara de son carnet de notes et jeta un œil aux rares noms et téléphones qu'Annie Fowlings lui avait confiés. De vieilles connaissances de Lena pour la plupart.

23 h 11.

Trop tard pour appeler.

Elle aurait dû commencer par là. C'est exactement ce qu'elle aurait fait en temps normal, alors pourquoi s'être précipitée dehors ?

Je voulais comprendre cette fille bizarre. Aller chez elle, la renifler, m'en faire une idée plus précise que ce que sa mère m'a raconté.

C'était important avant de parler à ses amis. Savoir qui elle était pour ne pas se laisser berner. Si Lena était couverte par un de ses contacts, il fallait pouvoir sentir lequel, qui lui mentirait.

Un e-mail était arrivé entre-temps et s'affichait sur l'écran devant Kat.

Expéditeur : Annie Fowlings. Comme promis, la mère était parvenue à trouver le code d'accès au compte client de sa fille sur son opérateur téléphonique. Elle lui envoyait plusieurs pages de relevés d'appels.

Si Lena Fowlings s'en rendait compte et portait plainte, Kat pouvait risquer gros. Elle cliqua néanmoins sur le bouton de téléchargement et imprima la liasse dans la foulée.

Le dossier n'était pas énorme pour trois mois de communications. Lena n'était pas une folle du portable, ni la plus populaire des filles.

Kat commença par attribuer une couleur de Stabilo à chacun des contacts déjà fournis par Annie Fowlings, et les chercha parmi la trentaine de pages. Aucune périodicité, pire : deux seulement apparaissaient. En effet, Lena n'était pas du genre à entretenir ses amitiés. Kat s'attela ensuite à entourer toutes les fois où elle repérait le numéro d'Annie. La plupart du temps, c'était la mère qui appelait sa fille, et non l'inverse.

Puis, armée de ses feutres, Kat fit émerger les récurrences.

Deux portables revenaient avec insistance.

Le premier était le plus régulier au début, au mois de janvier, puis s'étiolait de plus en plus en février, avant de presque disparaître en mars. Kat lui attribua le nom de X. Le second, c'était le contraire, un seul appel mi-janvier, puis une dizaine en février et le double en mars. Celui-ci fut désigné par Y.

Un petit ami qui se fait remplacer par un autre en quelques semaines ?

Kat était sceptique. Elle fila à la toute dernière ligne.

Lena avait appelé Y le dimanche 31 mars, à 8 h 27 du matin, soit le lendemain du jour où Silas Okporo l'avait vue. Puis plus aucun appel de la journée. Pas même entrant. *Téléphone coupé ?*

Les relevés n'incluaient pas encore les premiers jours d'avril, il faudrait attendre presque un mois pour cela.

Kat relut le nom de l'opérateur téléphonique et jura entre ses lèvres. Elle n'avait aucun contact chez eux.

X et Y étaient ce que Lena avait de plus proche sur ces trois derniers mois. Si quelqu'un était susceptible de savoir où elle était et quels étaient ses plans, c'était l'un de ces deux-là.

Kat ouvrit la fenêtre de son navigateur de recherche et trouva parmi ses favoris un annuaire inversé qu'elle savait plutôt performant, Masterfiles. Celui-ci ne donna rien sur les numéros de X et Y, alors la privée passa à une base de données professionnelle, Skipmasher, à laquelle elle était abonnée. Elle y entra les deux séquences recherchées et tomba sur un nom pour X, Cécile Kingsley. Y demeura inconnu, lui.

Kat googlisa le nom de Cécile Kingsley et tomba sur une tatoueuse de College Point, dans le Queens. *C'est elle, aucun doute. Une amie ?*

Il était presque une heure du matin, la bouteille de rhum avait passablement diminué, il était temps de fermer boutique, rien de ce qu'elle avait à faire ne pouvait être entrepris si tard dans la nuit.

Tout cela éclairait au moins Kat sur un point : Annie Fowlings n'était pas proche de sa fille. En tout cas cette dernière ne lui disait pas tout. Annie n'avait certainement jamais entendu parler de Cécile Kingsley, pourtant la personne que sa fille avait le plus appelée en début d'année. Pas plus qu'elle ne semblait connaître la passion de sa progéniture pour la magie.

Kat allait éteindre son ordinateur lorsqu'elle remarqua un autre e-mail entrant.

Silas Okporo en était l'expéditeur cette fois.

Elle cliqua pour l'ouvrir.

Le mystérieux vendeur avait traduit les symboles d'énochien pyrogravés dans la cage thoracique du chat de Lena.

Kat lut et pendant un instant, elle demeura circonspecte.

« *Puis je vis un Ange descendre du ciel, ayant en main la clef de l'Abîme.* »

Silas avait ajouté en dessous :

« C'est une citation de la Bible. Dans l'Apocalypse. »

Kat soupira longuement. C'était de pire en pire. Plus elle avançait, plus les questions l'assaillaient. Était-ce Lena qui avait vraiment fait une horreur pareille à son propre chat ? Pour la santé mentale de la jeune fille, et pour sa survie, mieux valait ne pas le croire. Mais impliquer une tierce personne, dans un rituel aussi sordide, était presque plus angoissant encore. Et quelle était la nature exacte de la relation entre Lena et sa mère ? *Qui sont Cécile Kingsley et Mr ou Mrs Y ?*

Kat claqua le capot de son ordinateur et se releva un peu trop vite. Elle avait la tête qui tournait. *Trop d'alcool...*

Heureusement son lit n'était pas très loin, au bout du couloir derrière cette porte qui tanguait...

Sa vie se résumait à cette porte, songea-t-elle. Un clapet de bois entre le privé et la privée. Son lit et son bureau. Quarante-trois ans d'existence amassés dans cet espace. Pas d'enfants, pas de legs spirituel à transmettre aux prochaines générations, rien qu'un passage fugace sur cette planète, et personne n'en saura plus rien d'ici une ou deux générations.

Tu as trop picolé, ma vieille...

Par la fenêtre, Kat vit la masse lumineuse de Manhattan qui se détachait sur les ténèbres du ciel. La pointe sud en particulier, avec ses tours immenses, comme autant de doigts cherchant à s'arrimer aux cieux. Kat lâcha un ricanement sec.

C'était drôle. Autrefois l'homme faisait tout pour se rapprocher de Dieu en bâtissant des clochers toujours plus majestueux, toujours plus hauts. Désormais, c'était Wall Street qui s'en chargeait.

Et si demain l'Apocalypse venait à s'abattre sur le monde, ce serait assurément de là qu'elle proviendrait. Les puits des Bourses mondiales étaient directement reliés aux Enfers. La finance contrôlait la destinée des hommes.

Mais non, ces types-là savent ce qu'ils font, ils ne sont pas dingues...

Des phares rouges clignotaient lentement au sommet des antennes des buildings. Kat songea alors qu'ils ressemblaient à des yeux maléfiques, attendant avec malice et patience le bon moment.

Elle émit un autre rire, moins cassant cette fois.

Plus inquiet.

15.

Le musée d'Histoire naturelle de Los Angeles se trouvait au cœur de la cité, sous la célèbre université de Southern California, dans un écrin de verdure. Atticus Gore y pénétra par le nord, traversant le pont qui enjambait une portion du parc. Le ronflement des ventilations de la clim qui sortait de ce côté-ci du bâtiment gâchait toute tentative de repos dans ces douves fleuries, comme en témoignaient les allées désertes. À l'intérieur, Atticus se repéra grâce aux instructions fournies le matin même par le responsable du département d'entomologie. Il passa sous les mâchoires gigantesques des dinosaures, remontant un couloir interminable vers les étages, laissant une coupole majestueuse sous sa droite, avant de se présenter face à une porte de service qu'il poussa pour gravir un escalier plus étroit jusqu'à atteindre l'enfilade des bureaux. Il n'était pas mécontent de fuir les réverbérations des cris d'enfants, nombreux en ce samedi.

Le professeur Malcolm Huxley le reçut dans une petite pièce tapissée d'ouvrages et de posters jaunis d'insectes en tout genre, éclairée d'une unique fenêtre donnant sur le nord d'où on percevait là encore le bourdonnement étouffé des clims. Huxley avait la quarantaine, des implants fraîchement posés qui lui dressaient une brosse éparse, un nez proéminent et un regard franc, d'un bleu pénétrant.

– Asseyez-vous, offrit-il d'emblée. Alors si j'ai bien compris votre appel matinal, vous avez des échantillons à me soumettre ?

Dents refaites également, nota Atticus. Belles rangées de facettes parfaitement alignées et d'un blanc immaculé. L'homme prenait soin de lui. Crise de la quarantaine ? Maîtresse ? Nouvelle vie ? *Qu'est-ce que ça peut faire ?* balaya-t-il en réfrénant ses vieux réflexes de flic.

– C'est exact.

– Dans le cadre d'une enquête criminelle ?

Atticus acquiesça tout en disposant sur le bureau plusieurs sachets contenant les insectes qu'il avait prélevés lui-même dans l'enceinte du zoo.

– Mais c'est une demande officielle autorisée par vos supérieurs ou par un juge ? insista Huxley.

– Non, une consultation pour mon enquête.

Huxley parut légèrement contrarié.

– Ah. Bien. Je ne vous rédigerai rien par écrit sans être saisi par les voies normales, vous comprenez ça, n'est-ce pas ?

Atticus fit signe qu'il comprenait et poussa les sachets vers l'expert.

– Voilà ce qu'on a retrouvé, dispersé dans l'herbe. Il y en avait encore beaucoup d'autres, comme s'ils avaient été écrasés par quelqu'un qui passait par là.

Huxley chaussa des lunettes fines et étudia brièvement les échantillons sans les extraire de leur plastique.

– Autant à chaque fois ? s'étonna-t-il.

– Oui.

Rapide regard circonspect par-dessus la monture des lunettes en direction d'Atticus.

– Comment vous expliquez cela ?

– Je ne l'explique pas, justement.

– Bon.

– Est-ce que vous pourriez vérifier si vous ne remarquez pas un détail particulier, peut-être parmi les familles d'insectes présentes, n'importe quoi qui pourrait vous paraître atypique ?

– Rien que le fait qu'il y ait autant de spécimens rassemblés sur un aussi petit espace n'est pas normal.

– Est-ce qu'il y a beaucoup de spécialistes dans votre genre à Los Angeles ?

– Eh bien... non, pas à ma connaissance. Quelques universitaires, c'est tout. Vous savez, nous sommes à peine trois mille entomologistes dans le monde, ce n'est pas une discipline particulièrement populaire. Pourquoi ?

– Et des collectionneurs ? Des marchés d'échanges entre passionnés qui troqueraient leurs « échantillons » entre eux dans la région ?

– C'est possible, mais je ne suis pas au courant, et puis vous savez, de nos jours, avec Internet, ils n'ont plus besoin de se réunir physiquement. Il y a un forum d'amateurs assez bien fréquenté, assez peu de parasites, la plupart des membres sont de véritables connaisseurs, je vais vous écrire l'adresse. Vous recherchez quelqu'un de précis pour votre enquête ?

– Juste pour me faire une idée du nombre de suspects que ça pourrait représenter sur notre secteur.

Un rictus étira la commissure des lèvres d'Huxley.

– Vous me dites poliment que je suis suspect ?

Atticus lui rendit un sourire poli, sans plus.

– Non. Je me demande combien de personnes seraient capables de rassembler autant d'insectes et d'arachnides pour les disperser ainsi sur une scène de crime.

Les facettes rutilantes disparurent petit à petit, mais le regard aiguisé continua de soutenir celui de l'inspecteur.

– Les insectes ont toujours suscité la curiosité de l'humanité, vous savez, parfois même une sorte de dévotion. C'est un monde parallèle au nôtre, bien plus vaste ! Et complexe. Avec ses espèces qui cohabitent placidement en s'ignorant, celles qui s'entraident, celles qui se livrent des guerres sans pitié... Très proches de nos sociétés pour certaines.

Atticus savait tout cela, que les trois quarts des animaux de notre planète étaient en réalité des insectes, une biomasse trois cents fois supérieure à celle de toute l'humanité, à laquelle il fallait encore ajouter tous les arachnides, souvent considérés à tort comme des insectes, et même les vers, les crustacés tels les cloportes et enfin les mille-pattes. Ils formaient la grande famille des « bestioles immondes et grouillantes », comme se la représentait le commun des mortels.

Ignorant qu'Atticus maîtrisait en partie le sujet, Huxley poursuivait :

– La population n'a aucune idée réelle de ce qui l'entoure, de toute cette vie qui gravite autour de nous en permanence. Les insectes sont si nombreux que nous ne sommes qu'une goutte d'eau face à un océan. Savez-vous que pour chaque être humain présent sur la Terre, il y a près d'un milliard et demi d'insectes ? Vous imaginez un peu le ratio ? Rien que pour nous deux, ils sont trois milliards répartis là-dehors sans même que nous les remarquions. C'est étourdissant si on multiplie ce chiffre par sept milliards d'êtres humains. Dix milliards de milliards d'insectes en tout, et c'est une estimation très basse, puisque nous avons recensé environ un million d'espèces différentes et nous pensons qu'il en reste trois à quatre fois plus à découvrir, par exemple dans les forêts tropicales.

Huxley ôta ses lunettes et recula dans son fauteuil.

– Je ne voudrais pas vous effrayer, ajouta-t-il, simplement il faut saisir l'ampleur du champ d'étude et l'attrait qu'ils peuvent exercer. En plus d'une poignée de professionnels, le monde des insectes fascine quelques passionnés, peut-être une dizaine sur Los Angeles et trois ou quatre fois plus dans tout l'État. Enfin c'est une estimation à la louche, seulement basée sur les rares discussions que j'ai pu avoir lors de conférences ou en jetant un œil sur des sites Internet.

– Je comprends.

– Je vais m'occuper de votre mystère, j'ai des bases de données pratiques pour identifier rapidement les espèces, en tout cas pour une partie au moins j'espère. Et si je manque d'informations, la communauté est restreinte mais elle se serre les coudes, et j'ai quelques amis disséminés dans tout le pays et au-delà. Si vous avez besoin d'une liste exhaustive, ça ne sera qu'une question de temps.

— Non, juste un avis général, du moins pour l'instant. Merci.

Atticus prit congé pour filer vers Hollywood et parvint au poste en vingt minutes. Contrastant avec le reste de l'activité du commissariat qui, derrière les portes, n'était plus qu'une rumeur persistante, la vaste salle des inspecteurs était d'un calme désarmant, week-end oblige. Elle était entièrement vide à l'exception d'une masse avachie sur son bureau. Atticus salua son grand blond de partenaire qui suçotait un lambeau de viande séchée teriyaki, le nez sur une liasse.

— Hack, tu embaumes tout le hall avec ta merde.

— Ravi de te revoir aussi, cher collègue. Dois-je te rappeler que si tu n'avais pas fait preuve d'un excès de zèle nous n'aurions pas à nous supporter et serions chacun chez nous à glander sur un transat, une bière à la main ?

Il écrasa plusieurs fois son gros doigt sur les papiers devant lui.

— Et j'ai récupéré les fadettes d'Oscar Riotto, si ça t'intéresse. Y en a qui bossent !

— J'étais au musée d'Histoire naturelle, pour les insectes. Alors, tu as quoi sur les derniers appels ?

Hack pivota sur son siège et jeta un regard brillant à Atticus, sourire à peine contenu.

— Il y a plusieurs appels en absence vendredi, mais puisqu'on avait déjà retrouvé son corps, ou celui qu'on voudrait nous faire passer pour lui, on va dire qu'ils ne comptent pas. Le dernier appel reçu et décroché est à 22 h 13 jeudi soir. À peine plus d'une minute de conversation.

— Tu l'as identifié ?

Hack attrapa une page arrachée à son carnet de notes.

— Un *burner*.

Téléphone portable prépayé et sans abonnement.

— Merde. Tu as déjà vérifié le point de vente ?

– Non, mais je n'imagine pas qu'on puisse acheter un téléphone jetable dans une intention criminelle sans s'assurer au préalable que c'est une boutique dépourvue de caméras et en payant autrement qu'en cash. J'irai voir, sans grand espoir.

– C'est la preuve qu'on lui a tendu un piège. Quelqu'un qui ne veut pas qu'on remonte jusqu'à lui. C'était prémédité, Hack.

– Ou c'est Riotto qui fait sa petite mise en scène ! Qui te dit que c'est pas son contact qui l'appelle pour lui dire que tout est prêt, le macchabée, la planque…

Atticus secoua la tête. Il n'y croyait pas une seconde.

– Et le reste des appels ?

– Je suis dessus, quelques numéros récurrents, pas tant de connexions que ça.

– Il faut identifier chacun et dresser la liste des noms qu'on obtient, avec adresse et…

Hack enfourna son morceau de viande séchée dans sa bouche et marmonna en retournant à sa liasse :

– Je connais mon boulot, Gore.

Atticus leva la main en signe d'excuse, son enthousiasme le rendait parfois directif. Il alla récupérer le téléphone de la victime et consulta la boîte e-mail. Le message qu'il avait envoyé la veille sur le blog de Riotto était bien arrivé, en compagnie de quelques pubs. Au moins il savait que le journaliste ne faisait pas suivre son courrier virtuel ailleurs.

Ensuite, il se connecta au DCTS, Detective Case Tracking System, un logiciel synthétisant toutes les notes des enquêteurs de la ville, permettant d'effectuer des recoupements dans plusieurs affaires. Il rechercha la moindre mention de crime en lien avec des insectes. Tous les morts retrouvés avec une armée d'asticots dans les entrailles ressortirent. C'était à prévoir. Atticus imprima les pages de résultats et les mit de côté pour quand il aurait le temps, ce n'était pas prioritaire.

Ils passèrent le reste de la matinée et une bonne partie de l'après-midi à récupérer les noms et adresses de la plupart des contacts qui apparaissaient dans les communications de Riotto, avant qu'Atticus ne se penche sur la géolocalisation du portable durant ces dernières semaines. Riotto n'avait pas énormément bougé de chez lui, et tous ses déplacements se cantonnaient à Los Angeles, beaucoup à Downtown.

– Il a pas mal traîné vers Skid Row, releva Atticus tout haut.

– Et alors ?

– C'est un quartier pourri. Qu'est-ce qu'il y faisait ?

– Je sais pas moi, des pipes pas chères par une clodo, ou il s'envoyait des verres dans un rade qu'il connaît !

– On a quelqu'un parmi ses appels qui vit pas loin ?

Hack consulta ses papiers.

– Nope.

Était-ce en rapport avec son boulot, sa vie privée ou quelque chose d'autre, qui aurait conduit à sa perte ? Atticus se sentait frustré, une fois encore dans une impasse.

Il lui fallait mettre un nom sur ce ISeekTru4U qui fréquentait le blog de Riotto et qui le connaissait. Il mettait un commentaire presque à chaque fois le jour de publication des articles. *S'ils se parlaient par commentaire interposé, est-ce parce qu'ils ne sont pas familiers au point d'avoir leurs numéros de téléphone respectifs ? Ou par habitude ?* Les deux hommes faisaient des allusions à des faits précis qui les concernaient. Ils se connaissaient plutôt bien, estima Atticus.

L'inspecteur releva les dates de chacune des publications de Riotto où ISeekTru4U avait posté un message, et compara avec les fadettes pour vérifier s'il n'avait pas envoyé un SMS au même numéro dans les vingt-quatre heures, pour le prévenir de la mise en ligne. Il fit de même avec les appels entrants et sortants. Aucune récurrence particulière. Alors il fit le même travail sur la géolocalisation, pour s'assurer qu'Oscar Riotto n'allait pas systématiquement au même endroit pour prévenir ou voir quelqu'un, avec un résultat tout aussi négatif.

En désespoir de cause, Atticus s'empara de son téléphone et commença à appeler les numéros qui revenaient le plus parmi les contacts d'Oscar. Il n'aimait pas l'idée de se manifester trop vite, pas tant qu'ils n'avaient pas davantage d'informations, mais il ne voyait pas d'autres pistes dans l'immédiat.

À chaque fois, il se présentait et demandait si la personne connaissait Oscar Riotto, ainsi que la nature de leur lien. Avant de poser ses questions, Atticus devait expliquer qu'une enquête était ouverte à la suite de la découverte d'un corps, cela calmait les plus rétifs, personne ne veut être mêlé à une enquête criminelle parce qu'il a raconté des salades ou qu'il ne coopère pas. La plupart se révélèrent des connaissances plus ou moins proches. Atticus guettait le membre de la famille, celui ou celle qu'il faudrait soigner, avec qui il faudrait faire preuve de tact et qu'il fallait rencontrer avant d'aller plus loin dans la discussion, pour ne pas annoncer par téléphone une nouvelle aussi dramatique. Surtout qu'ils n'avaient encore aucune preuve de l'identité du squelette. Les techniciens du labo, habilités et équipés pour ce genre d'intervention, allaient probablement passer chez Riotto dans le week-end ou lundi pour effectuer des prélèvements sur sa brosse à dents, son peigne et deux ou trois vêtements, afin de lancer les comparaisons ADN avec les os. Il ne fallait pas attendre un résultat avant le milieu de semaine prochaine. Autant d'angoisse pour la famille. *Jusqu'à preuve du contraire, il n'est pas très proche des siens.*

L'essentiel de ceux qui décrochèrent travaillaient dans le journalisme, plusieurs blogueurs, des reporters et des fixeurs – ces sources proches d'un terrain ou d'un milieu à risque qui guidaient les reporters. À chacun, il demanda s'il connaissait ISeekTru4U ou s'il lisait le blog de Riotto. Au bout d'un moment, un nom revint, Samuel Trappier, un personnage plutôt excentrique, connu pour publier anonymement des gros sujets sulfureux et que Riotto fréquentait et appréciait même si le type était assez paranoïaque. Le pseudo était tout à fait son genre. Puis un homme demanda à Atticus :

– Votre enquête criminelle, c'est parce qu'Oscar est mort ?

– Je ne peux pas vous répondre plus précisément. Pourquoi, vous avez quelque chose à me dire ?

Souffle dans le combiné.

– À vrai dire non, mais... Je sais qu'Oscar est sur un gros coup. Du lourd. Du très, très lourd.

– C'est lui qui vous l'a dit ?

– Oui. J'ai déjeuné avec lui mardi, on a un autre projet commun, un truc encore embryonnaire, on verra ce que ça peut donner. Vous pouvez me dire s'il va bien ? J'ai essayé de l'appeler hier, il ne répond pas.

– Nous le recherchons, donc si vous avez des nouvelles, merci de me prévenir. Son article important, vous savez sur quoi il est ?

– Non, Oscar est une grande gueule mais pas un idiot non plus, il ne se grille pas tant que ça n'est pas sorti.

– Et aucune idée de ce que ça pourrait être ?

– Il a été une véritable tombe avec moi.

Lorsqu'il raccrocha, Atticus alla se remplir un gobelet d'eau au distributeur. Voilà qui confirmait ce que Ximena avait déjà raconté, avec un peu plus de sérieux cette fois. L'hypothèse d'un assassinat pour le faire taire prenait de l'épaisseur.

De retour à son bureau, Atticus tapa le nom de Samuel Trappier dans la base de données de la police, NECS, et n'en sortit qu'une adresse reliée à son permis de conduire, du côté de Venice. C'était à la fois tout près à l'échelle de Los Angeles, et en même temps assez éloigné en comparaison des déplacements qu'avait effectués Oscar Riotto s'il fallait en croire la géolocalisation de son téléphone ces dernières semaines.

Atticus étudia les positions du téléphone et vit que Riotto était allé à Venice par deux fois depuis février.

Samuel Trappier n'avait aucun téléphone dans les fichiers que consulta l'inspecteur.

Lorsque Hack rota pour une énième fois du teriyaki, Atticus bondit. Il n'en pouvait plus de cette odeur.

– Je vais à Venice interroger un type qui pourrait bien connaître notre victime.

Tout plutôt que de supporter ça plus longtemps. Hack déplia ses longs bras et s'étira.

— Va pour la balade, ça va me dégourdir les guiboles.

Atticus ne voulait surtout pas s'enfermer dans une voiture avec lui, il allait puer la viande séchée jusqu'au soir.

— Non, avec la circulation du samedi soir tu vas mettre deux heures à rentrer et ta femme va te pourrir.

Hack ne se fit pas prier.

— OK, je vais passer à la boutique où la ligne prépayée du *burner* a été enregistrée pour m'assurer qu'ils n'ont rien sur l'acheteur, et je rentrerai. Si ça tire sur une ficelle, tu remontes pas la pelote sans moi, compris ?

Atticus promit avec la conviction de celui qui sait qu'il n'en fera qu'à sa tête et disparut respirer de l'air frais. Il se demandait s'il ne préférait pas encore le parfum des morts.

16.

Les eaux limoneuses du Long Island Sound emprisonnaient la lumière, la transformant en un lent mouvement de grisaille qui s'écoulait à la surface, imperturbable, entre le Queens de ce côté et le Bronx en face. Au milieu, un voile de brume planait au-dessus de Rikers Island comme pour flouter la gigantesque île-prison de New York. Et dans le ciel, les avions rugissaient en butinant au-dessus de LaGuardia, tout proche. Ce coin de la ville avait tout du purgatoire.

Il fallait être motivé pour venir depuis Brooklyn Heights jusqu'ici, songea Kathleen Kordell en s'arrêtant devant un petit immeuble en tôle peint en bleu. *Plus encore pour débarquer depuis Alphabet City...* Là où vivait Lena Fowlings.

La boutique de tatouage n'était identifiable que par une pancarte scotchée sur le carreau et Kat pénétra dans ce qui ressemblait à un local d'entreprise, avec son faux plafond, ses néons et ses linos au sol. Des centaines de dessins de toutes les tailles et couleurs recouvraient les murs. Un fauteuil de tatoueur trônait au centre, derrière un étroit comptoir, et c'était à peu près tout.

Une brune, pas encore la trentaine, frange au cordeau, piercings multiples et menton aussi saillant que son nez, rangea son téléphone portable dans la poche de sa salopette en jeans et toisa Kat de haut en bas.

— C'est vous qui avez appelé ce matin ?

Kat confirma et se présenta brièvement avant de dévier la conversation.

— Vous êtes loin de tout ici, fit-elle dans un sourire qu'elle s'efforça de rendre aussi léger que possible.

Kat avait toujours eu une certaine intelligence des émotions, et son expérience de détective privée n'avait fait que la renforcer. Dès qu'elle avait vu Cécile Kingsley, elle avait deviné la fille méfiante. Pas du genre à se confier directement. Il fallait d'abord la mettre en condition. Et pour cela, en si peu de temps, il n'y avait pas mille options.

— J'imagine que c'est vous tous ces dessins ? Vous êtes douée.

— La peau ne permet pas de faire des brouillons avant, mieux vaut avoir le trait sûr.

Léger accent. Son prénom était européen.

— Vous êtes française ? Votre prénom. Encore que Kingsley ne sonne pas français...

— J'ai épousé un Américain pour avoir la Green Card à l'époque où je suis arrivée ici, admit la tatoueuse sans aucune gêne. Depuis j'ai gardé le nom pour m'intégrer.

— Malin. C'est vraiment superbe ce que vous dessinez.

— Comme je vous ai dit au téléphone, j'ai un rendez-vous à midi, donc on peut discuter de votre projet mais je ne pourrai pas faire de proposition concrète aujourd'hui.

— Vous avez fait une école de dessin ? demanda Kat.

— Les Beaux-Arts à Paris.

— Rien que ça ? Bravo...

Kat sondait la pièce, mais il y avait peu d'accroches person-nelles, pas de photos de famille, pas d'objets intimes, rien qui puisse ouvrir une brèche vers l'affect de la tatoueuse. Kat devait rapidement trouver, pour nouer un lien entre elles, même fragile, passer de la case « inconnue » à « fille sympa ».

Puis, machinalement, Kat lâcha les murs pour s'intéresser au corps de Cécile. Le T-shirt noir sous sa salopette dévoilait ses bras couverts d'encre. Au milieu d'arabesques et de motifs abstraits colorés, une baleine et une panthère se dégageaient. À la base de son cou émergeait un serpent. Kat repéra également un visage sur le bras droit, dont la partie supérieure disparaissait sous la manche, mais il était évident que c'était une femme, âgée. Kat n'était pas sûre de la ressemblance, cependant elle supposa une certaine filiation avec Cécile.

– C'est votre grand-mère ?

La tatoueuse acquiesça sans développer.

– Je trouve ça fort de s'inscrire à jamais les traits des siens dans la chair. C'est une belle façon de leur rendre hommage, et de prolonger leur existence. Ma grand-mère aussi était une femme formidable.

– La mienne a été résistante pendant la guerre.

– Oh, je comprends mieux. Vous étiez proches ? Elle est décédée je suppose ?

– Il y a cinq ans. C'est un modèle pour moi. Libre, brave, engagée.

– Elle a vu le tatouage ?

– Hélas, non.

– Je suis désolée.

– C'est ainsi. Mais comme vous dites : elle est immortelle à présent.

Kat embraya sur sa propre famille et évoqua la France avec la jeune artiste, pour tenter de débusquer un point commun, jouer la carte de la familiarité, puis, au détour d'une phrase, mentionna son amour des animaux et son désir d'un jour se faire tatouer le chien de son enfance, parce qu'elle n'avait jamais digéré sa disparition.

Un avion qui décollait de LaGuardia fit trembler les murs et imposa une minute de silence entre les deux femmes.

– C'est pour lui que vous êtes là ? Vous avez une photo ? demanda Cécile.

Kat estima que la méfiance s'était dissipée, elles avaient surfé sur le terrain de l'affect pendant plusieurs minutes, l'air de rien, et inconsciemment, Cécile avait baissé la garde. Il ne fallait pas rêver, elles n'allaient pas tout se raconter en se tapant dans le dos, mais la glace était brisée, assez pour espérer un peu d'aide. Kat avait ses petites techniques, quitte à exagérer, voire mentir ce qu'il fallait pour s'inventer des similarités avec ses témoins.

— Pas aujourd'hui, non, répondit Kat. Je suis là pour vous demander votre aide concernant une fille que vous connaissez, Lena Fowlings.

— Lena ? Qu'est-ce qu'elle a ?

La surprise était sincère, analysa Kat. *Un soupçon de peur dans le regard.*

— Elle a disparu. Une semaine que personne n'a plus de nouvelles. Je suis détective privée, je travaille pour le compte de sa mère qui est morte d'inquiétude, comme vous pouvez l'imaginer. J'ai l'impression que vous étiez proches, n'est-ce pas ?

Kat ignorait si les deux filles étaient des amies, voire plus encore. Lena ne se confiait pas à sa mère sur ses aventures amoureuses et cela pouvait signifier qu'il n'y en avait pas, ou qu'elle n'assumait pas la nature de celles-ci. *Avec une mère comme la sienne, pas sûr qu'elle se soit sentie écoutée, qu'elle ait eu envie de partager cet aspect-là de son existence...*

— Oui, approuva Cécile. Nous nous sommes rencontrées sur un forum de tatouage. Lena était intriguée.

— Elle dessine ?

— Non, pas beaucoup, c'est son problème, son regret même. Mais elle s'intéresse aux techniques de tatouage. Elle s'est barrée, c'est ça ?

— C'est ce que j'aimerais savoir. Une idée de ce qui aurait pu la pousser à fuir ?

Cécile secoua la tête.

— On n'est plus très proches.

Le relevé téléphonique de Lena le confirmait. Janvier avait été le dernier mois de leur complicité.

— À cause d'une relation amoureuse ?

Cécile releva ses yeux songeurs vers la privée.

– Non, pas du tout. Une rencontre oui, mais pas amoureuse. Enfin, pas dans ce sens-là de la passion.

– C'est-à-dire ? Lena s'est découvert une passion intellectuelle ?

– Oui. C'est le moins qu'on puisse dire.

– Par le biais d'un homme ?

Cécile tordit le coin de sa bouche, sorte de confirmation dépitée.

Silas Okporo. La magie et toutes ces conneries...

Kat revit le chat éventré, les os pyrogravés. Voilà jusqu'où l'avaient conduite ces saloperies.

– C'est venu d'un coup, précisa Cécile. Elle a changé brutalement. Ça l'a complétement fascinée, elle était envahie...

– Elle s'intéressait à la magie ?

Cécile fronça les sourcils, étonnée.

– Vous êtes au courant ? Elle n'en a pas beaucoup parlé. Même à moi, et je suis, enfin j'étais, à l'époque ce qu'elle avait de plus proche comme amie.

– L'homme qui a tout déclenché, c'est un grand Black avec des dreadlocks, il s'appelle Silas ?

Cécile fit non de la tête.

– Non, pas Silas.

– Vous le connaissez ?

– Vous l'avez rencontré ? C'est un phénomène. Il traîne beaucoup aux soirées, on ne l'oublie pas. Il l'a mise dans ces histoires, il était comme un dealer de livres ou de savoirs occultes, son premier shoot si vous préférez.

– Quel genre de soirées ?

– Des performances, piercings live, tatouages, grosse musique, soirées goth, punk, concerts, ce genre-là. Mais Silas ne lui aurait pas fait de mal. Il est un peu illuminé c'est vrai, ça n'en fait pas un type dangereux pour autant.

– Il y a quelqu'un d'autre ? Qui lui a fait du mal ?

Cécile hésita, son regard dansant entre les murs couverts de ses œuvres et Kat. Puis, la réticence céda.

– Lena l'a rencontré à Noël, il l'a tout de suite fascinée. Au début ils ne se voyaient pas beaucoup, et puis petit à petit ça s'est intensifié. En quelques semaines seulement elle a changé. Elle est devenue... flippante.

Un nouveau rugissement de réacteurs les obligea à se taire en grimaçant.

– Vous savez de qui il s'agit ? reprit Kat.

– Non, Lena a toujours été un peu... secrète à son sujet. Elle jouait à la conne avec ça, et m'énervait. Mais ça a tout de suite dégénéré. J'ignore ce qu'il lui a raconté pour en arriver là aussi vite, j'ai juste vu ma copine s'enterrer vivante.

– Vous pensez qu'il aurait pu la pousser à commettre l'irréparable ?

Cécile fixa Kat le temps de chercher ses mots.

– Je ne sais pas. Ce type était toxique, ça c'est certain, mais pas dans ce sens, je ne crois pas.

– Elle vous disait quoi pour que vous ressentiez ça ?

– C'est son attitude qui a changé, cynique, agressive, cruelle même. OK, Lena n'a jamais été une grande déconneuse, pas le genre à rire tout le temps, mais... je sais pas comment vous dire ça... Avant c'était une fille cabossée, un peu désabusée, et pourtant plutôt cool. Après, en moins d'un mois, c'était comme si un truc avait cassé en elle. Complètement déglinguée de l'intérieur. Je ne sais pas ce qui s'est passé, ça a été si vite...

La mémoire de Cécile l'emmenait se perdre dans des regrets et elle se frottait nerveusement les coudes, bras croisés sur le ventre.

– J'ai essayé de la secouer, de la faire parler... Rien à faire. Elle m'a envoyée chier. Elle a tout remis en question, moi, notre amitié, le monde... Très rapidement, on s'est plus parlé.

– Pardonnez-moi de vous poser cette question : vous pensez qu'elle a pu se suicider ?

Cécile prit une longue inspiration.

– Franchement ? Peut-être. C'est pas ce que j'ai ressenti, je la voyais plus... je sais pas bien comment expliquer... disons, dans le délire de faire mal aux autres plus qu'à elle en fait. Elle était haineuse.

Kat tiqua. C'était un fait nouveau. Et ce qu'elle avait découvert dans l'appartement de la jeune fugitive allait dans ce sens quand on y pensait. *Le chat...*

— La personne qui a eu cette influence terrible sur elle, c'est un homme ?

— Elle refusait de m'en parler. Mais je crois bien. Les rares fois où on a pu effleurer le sujet, elle a lâché un « lui ».

— C'était son petit ami ?

— Non, ça non, je crois pas. Il était dans sa tête, vraiment tout au fond, salement accroché, pas dans son cœur ou son cul.

Kat passa sur l'expression et continua à tenter de brosser son portrait.

— Une idée de l'endroit où elle a pu le rencontrer ? Non ? Et où ils se voyaient ?

Cécile fit la moue, navrée de ne pouvoir répondre.

— Par contre, je peux vous garantir qu'elle l'adorait autant qu'il la terrifiait par moments. Je l'ai vu dans ses yeux. Au début c'était un envoûtement. J'ai cru qu'elle avait eu un coup de foudre monstrueux, mais c'était un autre genre de passion. De l'idolâtrie. Vous savez, comme au sens religieux en fait.

— Quoi, comme une sorte de... de dieu ?

Cécile hocha doucement la tête, ses pupilles intenses braquées sur Kat.

— Qui s'est rapidement transformé en diable, si vous voulez mon avis, ajouta-t-elle. Je vous dis : c'était très malsain leur relation. Je l'ai mise en garde, je lui ai dit qu'elle allait dans le mur. Rien à faire. Elle m'a dégagée de sa vie aussi rapidement que j'y étais entrée.

— Vous ne l'avez plus revue depuis ?

— Non. Elle me doit même du fric. Tant pis, je m'en fous.

— Beaucoup ?

Cécile haussa les épaules :

— Quand même un peu. Pour un tatouage que je lui ai fait.

— L'ange sur l'épaule ?

— Bien tenté, mais non. Celui-là c'était une merde qu'elle s'est fait faire à Coney Island, il y a des années. Non, Lena voulait se faire un gros truc, ça faisait un moment que ça traînait dans sa caboche, sans qu'elle parvienne à se décider sur quoi exactement. Fin janvier elle m'a demandé de lui tatouer une phrase sur tout le dos.

— Alors que vous étiez brouillées ?

— Pas encore totalement, disons que ça commençait à puer, on s'engueulait facilement. J'arrêtais pas de lui dire de lâcher son nouveau gars, de revenir avec moi à des concerts, mais elle écoutait pas.

— Et vous lui avez fait ce tatouage ?

— Bien sûr.

— Vous vous souvenez de la phrase ?

Cécile la regarda comme si elle était idiote, puis fila derrière le comptoir pour saisir une pochette cartonnée dans laquelle elle puisa une feuille imprimée.

— Voilà. Ça lui prend tout le dos, juste sous l'ange, jusqu'en bas des reins.

Kat saisit la feuille et lut.

« Puis vient le jour des révélations de l'Apocalypse, où l'on comprend qu'on est maudit, et misérable, et aveugle, et nu, et alors, fantôme funeste et dolent, il ne reste qu'à traverser les cauchemars de cette vie en claquant des dents. »

17.

Mister Y était la clé.

Kat en était à présent convaincue. C'était lui qui avait fait basculer Lena Fowlings. Sa disparition était liée à Y. Sans dériver vers des hypothèses criminelles folles, cet homme avait eu une influence majeure sur la jeune femme, dont la décision de tout plaquer lui avait été inspirée, sinon dictée, par cet individu.

Comment un type peut-il hypnotiser une fille à ce point, en si peu de temps ? Il l'avait même bousillée, selon Cécile. *Elle l'adorait autant qu'elle en avait peur.* Quel genre de personnage peut avoir une influence aussi immédiate et puissante ? *Que lui a-t-il fait ?*

Avec les gestes d'une habituée, elle passa son iPhone en mode anonyme et composa les chiffres associés à Mr Y qui apparaissaient sur les relevés d'appels de Lena. Kat avait assez de billes pour avancer, il était temps d'agir. Il ne faisait aucun doute pour elle que ce portable et l'homme rencontré à Noël ne faisaient qu'un. Le numéro émergeait à la bonne période et demeurait le seul que Lena avait appelé régulièrement à mesure qu'elle décrochait du monde, selon le témoignage de Cécile Kingsley.

Il n'était plus attribué.

– OK, on sort l'artillerie lourde.

Cette fois, tandis qu'elle marchait dans les rues maussades de College Point, Kat joignit un des *brokers* de téléphone qu'elle connaissait et lui transmit le numéro qu'elle recherchait. Les *brokers* de ce type prenaient une grosse commission, mais ils obtenaient en général des résultats. La plupart des gens qui s'inscrivaient sur la liste rouge violaient eux-mêmes leur propre règle d'anonymat en confiant leur numéro à des dizaines d'entreprises, publiques ou privées, type compagnie d'électricité, fournisseur de gaz ou d'Internet, livreur de pizza ou cours de sport, école des enfants... Certaines entreprises publiques tenaient des registres accessibles à tout un chacun, dans lesquels il était parfois possible de piocher des renseignements sur leurs clients. D'autres, privées, revendaient sans vergogne des listings entiers de contacts à des spécialistes de la publicité ou de marketing ciblé. Et enfin, certains établissements guère à cheval sur la sécurité transmettaient presque sans le vouloir leurs renseignements à autrui, essentiellement par maladresse. Les *brokers* de téléphone puisaient dans cette manne pour le compte de professionnels licenciés, comme Kat, et revendaient leurs trouvailles. La privée ne passait par eux qu'en dernier recours, ils étaient chers, et elle n'avait aucune garantie que leurs méthodes restaient dans le cadre de la légalité. Ils exploitaient les failles du système plutôt que de soudoyer un employé de la compagnie de téléphone concernée, et elle ne voulait pas qu'on puisse remonter jusqu'à elle en cas de fraude avérée. Mais parfois, elle n'avait pas le choix. Depuis deux ans elle travaillait avec le même gars, un type d'origine mexicaine, plutôt drôle, et elle se sentait relativement en confiance avec lui.

Le temps qu'elle rentre chez elle, Benitio lui avait déniché une correspondance. Mr Y était en réalité Galvin Hutchinson, avec une adresse renseignée à Greenpoint, au nord de Brooklyn.

Si le numéro n'était plus attribué, il était probable que l'adresse ne soit plus bonne non plus.

Kat avait pris l'habitude de recouper ses données, pour s'épargner des déconvenues. À peine installée à son bureau, elle ouvrit son ordinateur pour entrer le nom complet de Galvin Hutchinson sur tous les sites qui lui servaient de référence. Les archives fédérales civiles, criminelles et de faillites ont toutes leurs bases de données en ligne et consultables publiquement. Pour qui sait où et comment chercher, elles fourmillent d'informations. Kat trouva trois Galvin Hutchinson liés à des mentions légales. Les quatre derniers chiffres du numéro de Sécurité sociale associé à chacun étaient masqués, comme toujours, par prudence. Kat nota soigneusement les cinq qui apparaissaient, et se connecta à la bible des détectives privés : PACER – pour Public Access to Court Electronic Records –, l'accès à la base de données publique des tribunaux, sur laquelle elle avait déjà un compte enregistré. De là, elle lança la même recherche avec le nom de sa proie. Des Galvin Hutchinson apparurent dans plusieurs dossiers, six homonymes différents. Le site ne permettait pas de connaître la nature des affaires, mais mentionnait les divers tribunaux où les dossiers avaient été traités, et où donc, domaine public oblige, ils demeuraient consultables. Mais mieux encore, PACER identifiait les individus par leur nom complet ainsi que par les quatre derniers chiffres de Sécurité sociale. La magie d'un monde administratif aux méthodes hétéroclites.

Kat recopia les six séries tronquées ainsi récupérées. Cela lui donnait donc dix-huit combinaisons possibles qu'elle testa aussitôt sur Internet via plusieurs sites spécialisés, dont son préféré : Masterfiles, le spécialiste des recoupements d'informations. Son abonnement payant lui permit d'aller à l'essentiel, et un Galvin D. Hutchinson né le 21 mai 1969 à Albany, NY, correspondait à un des numéros de Sécurité sociale. De là, elle retourna sur PACER et affina sa recherche pour découvrir que son suspect avait été impliqué dans plusieurs délits et crimes. Elle recopia les noms des tribunaux concernés et vérifia dans la foulée si leurs archives étaient consultables en ligne. Un seul des trois tribunaux proposait ce service. En quelques clics, Kat déterra une affaire d'escroquerie au chèque impliquant Galvin Hutchinson en 2010. Condamné à deux ans de prison. *Pour une affaire de faux chèques ? Tu dois avoir un passé qui ne plaide pas en ta faveur, toi...*

Armée des références collectées, Kat s'empressa de ressortir et fila droit au DMV de Brooklyn, dans le centre-ville, le bureau d'enregistrement des véhicules. De là, avec sa licence de détective privée, elle pourrait obtenir les renseignements enregistrés au nom de son suspect, dont son adresse, en espérant qu'elle serait à jour. Elle jura en trouvant porte close. *Putain de week-end !* Cela lui arrivait souvent lorsqu'elle se plongeait dans un dossier, elle perdait la notion du temps.

Il lui restait le bureau de vote de Greenpoint, ce n'était pas loin. Elle sauta dans le métro et se rendit sur place pour consulter les registres des électeurs. La loi imposait une transparence totale, au point de rendre publique la liste des inscrits pour chaque bureau. Par souci de précision et pour prouver qu'il n'y avait pas fraude, ils poussaient le vice jusqu'à détailler pour chaque électeur son adresse, son éventuel rattachement à un parti politique et si oui, lequel. Aucune note ou photo n'était autorisée sur place, mais un coup d'œil suffisait pour mémoriser une ligne.

Hélas, aucun Galvin Hutchinson n'était répertorié.

Kat ne se démonta pas et prit cette fois la direction de l'adresse enregistrée auprès de l'opérateur téléphonique ; ce n'était qu'à un quart d'heure de marche. Le cœur de Greenpoint n'était pas désagréable, plutôt vivant et résidentiel, avec quelques rues bordées de *brownstones* rénovées. Mais plus Kat s'éloignait en direction d'East River, plus les commerces se faisaient rares, les murs lacérés de graffitis, et des sites industriels venaient se mêler aux immeubles trapus d'habitation. La tristesse et l'isolement émanaient de ce secteur. C'était ce qu'éprouvait Kat en déambulant, le nez en l'air. New York était une ville complexe, se nourrissant de l'énergie de ceux qui la constituaient, mais certains quartiers exerçaient un réel pouvoir sur l'âme. Kat en était convaincue après quatre décennies à en arpenter les artères. Elle l'avait même ressenti jusque dans sa chair. Après les attaques du 11 septembre 2001, la ville s'était figée, un long silence effaré. La cité n'absorbait plus rien, mais ne transmettait plus rien non plus. Cela avait été une étrange période de flottement où New York semblait dériver ailleurs que sur la Terre, détachée malgré les témoignages de soutien qui affluaient de tout le globe. Ses habitants eux-mêmes hagards. Puis la machine s'était remise en marche, avec une fulgurance inégalable. Ses rouages avaient repris leur grondement incessant, des sous-sols aux sommets des buildings, la ville qui ne dort jamais s'était brusquement secouée pour repartir, encore plus active. Et pendant plusieurs mois, peut-être un an ou deux, New York avait donné d'elle-même, encore et encore, l'énergie sourdait de partout, des profondeurs du métro aux panneaux aveuglants de Times Square. La ville avait nourri ses occupants. Pour les remettre d'aplomb, pour les remotiver, pour qu'ils se prennent à croire de nouveau en leurs rêves les plus déments. La Grosse Pomme s'était relevée.

À présent, chacun avait retrouvé son rythme de croisière, et chaque quartier s'était à nouveau renfermé un peu sur soi, aspirant le flux des hommes par endroits, le recrachant à d'autres, en une sorte de gigantesque puzzle des courants énergétiques.

Et Kat réalisait que depuis qu'elle enquêtait sur Lena Fowlings, elle n'avait été entraînée que dans des zones assoiffées d'âmes. Des environnements troubles, qui buvaient leur peuple à l'instar d'une terre se gorgeant du sang de ses morts. Était-ce un hasard ou le fruit d'une quête autodestructrice ? Lena avait-elle cherché volontairement à s'enfermer dans ce type de vie ou le subissait-elle, en reproduisant sans arrêt les mêmes erreurs, les mêmes (mauvaises) fréquentations ?

Lena n'avait pas de fric. Et cela va souvent de pair...

C'était ce que Kat détestait le plus de sa ville. La plupart du temps, l'argent permettait d'acheter son énergie. Les zones les plus cannibalisantes se situaient dans des lieux glauques, pas chers. *Gloire à toi, ô dieu Pognon...*

Pourtant, indépendamment de la condition sociale, il y avait une constante chez Lena : elle l'attirait dans quelque chose de différent. Kat ne parvenait pas à mettre des mots justes sur ce qu'elle éprouvait, elle ressentait un malaise. *Elle vit à la frange du monde. Entre réalité et... magie ? imaginaire ? Entre la vie et la mort...*

Un immeuble moderne, singulier au milieu d'une rue constituée de vieilles constructions et de quelques entrepôts, se dressait devant Kat. Aux dernières nouvelles, Galvin Hutchinson vivait ici.

La privée observa un moment, avant de se faufiler en même temps qu'une maman tractant sa poussette pour sortir du hall. Aucun Hutchinson sur les boîtes aux lettres. Kat interpella une dame âgée qui tirait un Caddie dans le couloir et lui demanda si elle connaissait son homme. Elle n'avait jamais entendu ce nom et l'orienta plutôt vers le quatrième étage où se trouvaient les deux appartements en location, les seuls qui n'étaient pas occupés en permanence par les mêmes personnes. En sortant de l'ascenseur, ayant décidé de vérifier tout l'escalier, Kat se lança dans un porte-à-porte méthodique, dix paliers à traiter. La plupart des habitants ne répondaient pas, deux secouèrent la tête, et il ne restait que trois sonnettes, lorsqu'une femme à l'air jovial ouvrit. Elle était très grande, ronde, l'œil pétillant, vêtue de couleurs vives et elle respirait la bonne humeur. Kat déroula rapidement son petit discours préparé : détective privée chargée de retrouver Galvin Hutchinson pour lui remettre un courrier et...

Le visage s'affaissa, le regard s'affola et les joues de la voisine se mirent à trembler dès qu'elle entendit le nom.

Kat crut que la femme allait s'évanouir, elle la vit se retenir au mur et agiter la main devant elle. Elle ne voulait pas. Elle fit signe, « non », plusieurs fois en secouant le visage, tandis que l'air lui manquait.

– Madame ? Vous connaissez Galvin Hutchinson ?

La porte claqua violemment juste sur le nez de Kat Kordell.

Mais pas suffisamment vite pour que celle-ci manque un détail sordide.

La voisine s'était uriné dessus de terreur.

18.

La minuterie arrivée à terme, le couloir s'éteignit, ne laissant que le rectangle blanc d'une fenêtre tout au bout de la perspective.

Kat réfléchissait à toute vitesse. Elle n'avait jamais vu quelqu'un être aussi effrayé à la simple évocation d'un nom. Elle finit par coller son visage contre la porte et articula près de l'interstice :

– Madame, je cherche Galvin Hutchinson et vous êtes mon unique piste. Il est peut-être lié à la disparition d'une jeune femme. J'ai besoin de vous parler.

La voisine était encore là, juste derrière le battant, Kat pouvait la deviner, elle respirait fort. Alors elle insista :

– La fille en question s'appelle Lena. Elle a à peine la vingtaine, elle a fréquenté ce Galvin Hutchinson et depuis plus personne n'a de nouvelles. Je dois le retrouver. Peut-être que vous pouvez m'aider et même sauver Lena. Je ne vous prendrai que quelques minutes. C'est important. Très important.

Kat attendit un moment, et s'apprêtait à insister en jouant la carte sensible jusqu'au bout, mais la porte s'entrouvrit lentement.

Le visage rond était livide, couvert de larmes, son regard noyé, cils détrempés. La femme laissa l'espace suffisant pour glisser sa tête et rien de plus.

– Il n'habite plus là, dit-elle d'une voix douce et très basse, encore vibrante.

Kat afficha l'expression la plus compatissante possible et veilla à ne faire aucun geste brusque. La femme qui se tenait devant elle était manifestement très sensible.

– Il était dans l'appartement en face, ajouta-t-elle. Il l'a quitté le week-end dernier.

Au moment où Lena disparaissait.

– Vous l'avez vu déménager ?

La voisine acquiesça.

– Quelques cartons, il n'avait presque rien. C'est un meublé.

– C'était quel jour ?

– Je sais qu'il a rendu les clés samedi, mais je l'ai aperçu déménager quelques affaires régulièrement pendant au moins dix jours avant.

Préméditation.

Kat se concentra pour enrober ses mots d'un ton aussi doux que possible.

– Je peux vous demander pourquoi il vous fait si peur ?

Les joues de la voisine tremblèrent. Elle hésita.

– Vous ne l'avez jamais rencontré, n'est-ce pas ? demanda-t-elle. Sinon vous sauriez.

– Il a été violent ?

Les petites billes noires dérivèrent sur le côté, à la recherche de souvenirs, et Kat crut que la femme allait se remettre à pleurer. Au lieu de quoi elle répondit froidement :

– Certains individus n'ont pas besoin d'être violents pour qu'on sache que ce sont des prédateurs. Mr Hutchinson en est un. Calculateur, sans pitié. Je l'ai su dès le premier jour. La façon dont il m'a regardée quand on s'est rencontrés, j'en ai eu la chair de poule. Il m'a... il m'a jaugée. Vous comprenez ? Comme pour savoir si je pouvais l'intéresser. Je l'ai senti, c'était tellement évident ! Pas comme un obsédé qui vous déshabille de haut en bas, non, il n'était pas lubrique, plutôt... sans aucune émotion, glacial. Il m'a étudiée, et j'ai vu qu'il m'épargnait. C'est véritablement ce que j'ai pensé.

– Vous pourriez me le décrire ?

– Grand, maigre, des rides profondes et avec des cheveux tirant sur le blond, bouclés, un peu trop longs, surtout sur la nuque, coiffés en arrière. Mais vous saurez que c'est lui lorsque vous le verrez. Ses yeux. Ils sont uniques. D'un bleu... spectral. C'est comme ça que je dirais, oui, spectral. Ils viennent d'ailleurs ou bien ils voient au-delà de nous. Je vous garantis que s'il vous fixe, vous serez mal à l'aise, au mieux. Et il a des mains énormes, j'ai vu ça aussi, c'est assez effrayant d'imaginer ces doigts interminables qui pourraient se poser sur une gorge fragile et serrer...

Pour une femme terrifiée, elle commençait à se lâcher, et Kat était incapable de savoir si c'était cette voisine qui n'était pas normale, à s'inventer des histoires pour un rien, ou si Galvin Hutchinson incarnait réellement cette figure presque caricaturale du tueur en série.

– Il recevait du monde ?

– Non, je ne crois pas. Il n'était presque jamais chez lui à vrai dire. Il a dû rester six ou huit mois, c'est tout.

– Vous sauriez où il est parti ?

– Aucune idée.

Kat avait du mal à croire qu'on puisse se pisser dessus rien qu'en se souvenant de son ancien voisin. Il y avait forcément autre chose. Elle opta pour une approche détournée.

– Vous pensez que la fille que je recherche est en danger ?

– Si elle est avec lui, sans l'ombre d'un doute.

– Qu'est-ce qui vous le fait croire ? Au-delà de la façon dont il regarde les gens, je veux dire.

La femme la toisa. Elle respirait par la bouche, comme si elle manquait d'air. Elle cherchait à savoir si elle pouvait lui faire confiance, interpréta Kat.

– Je suis engagée pour retrouver Lena, et je pense qu'il y a des chances pour qu'elle soit avec ce Galvin Hutchinson. Tout ce que vous me direz pourrait la sauver. D'une manière ou d'une autre.

La voisine pencha son visage dans le couloir et parla du bout des lèvres après s'être assurée qu'elles étaient seules.

– Galvin Hutchinson n'est pas un homme. C'est un démon.

– Pardon ?

Les yeux de la voisine se resserrèrent comme pour vérifier que Kat ne se moquait pas.

Ne pas la fermer, l'aider à sortir ce qu'elle pense, il y a forcément un truc concret derrière, même si c'est son interprétation.

– Un démon, répéta Kat, vous voulez dire un diable des enfers ?

Hésitation.

– En tout cas une créature s'en approchant, oui.

De mieux en mieux.

– Qu'est-ce qui vous fait dire ça ?

– Vous ne me croyez pas ?

Kat haussa les épaules.

– Un jour, je revenais du boulot et il était chez moi, assis dans ma cuisine. Il m'a dit que je devais me mêler de mes affaires. Et que si je continuais à l'observer, j'en payerais le prix.

– Et c'est vrai ? Vous l'observiez ?

Ce fut au tour de la voisine de hausser les épaules, un peu gênée.

– Je zieute ce qui se passe dans le couloir ou dans la rue, c'est normal, par sécurité. Dans les beaux quartiers ils appellent ça « Le voisinage veille[1] », alors qu'ici on appelle ça du commérage ! Faudra m'expliquer. Avec un type comme lui sur le palier d'en face, je préférais me méfier.

Soudain un voile passa sur ses pupilles, et elle baissa le menton. Sa voix s'étrangla dans sa gorge, on voyait qu'elle retenait ses pleurs. Elle expira longuement, avant de continuer :

---

1. *Neighbourhood Watch* : système de surveillance entre voisins qui rapportent à la police la moindre activité suspecte dans leur quartier, très répandu aux États-Unis.

– Puis, un mois plus tard, je suis rentrée un soir et j'ai trouvé Snoop dans le salon. Mon chien. Il était...

Elle fixa Kat et la porte s'entrouvrit davantage, jusqu'à ce que sa large silhouette apparaisse complètement. Elle fit un pas vers la privée et la domina d'une large tête. Plus aucune expression de bienveillance, rien qu'un masque de désarroi. Presque inquiétant. Kat recula instinctivement une jambe pour se tenir bien en appui, au cas où.

– C'était Snoop, aucun doute, il y avait encore son collier autour de son... Mon chien était un squelette. Un tas d'os recroquevillé dans l'angle derrière le canapé. Il y avait une odeur de viande et de sang dans la pièce et pourtant rien de tout ça, sinon une flaque séchée et les os couverts de fragments de peau parcheminée et de poils. Je vous jure que c'est vrai ! Le matin j'ai laissé Snoop chez moi après sa promenade, et le soir c'était comme s'il s'était transformé en une sorte de momie...

Le ton montait, sa voix résonnait dans le couloir sans qu'elle ne s'en rende compte.

– Je sais que c'est Galvin Hutchinson qui a fait ça. Parce que j'ai continué à le surveiller, il me l'a fait payer ! C'est un monstre. Il est capable de rentrer chez les gens et d'aspirer toute la viande d'une pauvre créature, jusqu'à la transformer en squelette d'os et de peau. Il faut me croire !

– Vous avez prévenu la police ?

La voisine criait presque lorsqu'elle répondit, les traits déformés par la colère et la peur.

– Bien sûr ! Mais que voulez-vous qu'ils fassent ? Ils ont presque failli m'arrêter moi en pensant que je racontais des salades. Pire, ils ont fini par penser que c'était moi qui avais fait ça à mon propre chien ! Cet homme est un démon. Il va sucer l'âme de cette pauvre fille que vous recherchez, et tout ce que vous allez en retrouver, ce sera sa carcasse d'os et de peau. Vous traquez le mal, et j'espère que vous êtes préparée pour affronter ses sbires, car si vous poursuivez, c'est aux portes de l'enfer que vous allez vous rendre.

Ses yeux brillaient à présent d'un feu intérieur intense, et Kat ne sut s'il s'agissait de folie ou d'une lucidité rare dans le monde moderne.

19.

La nuit tombait tôt à Los Angeles, encore plus sur Venice une fois les touristes dispersés avec le crépuscule, ne laissant que les hordes d'excentriques à l'esprit parfois sombre et malade, au milieu des bohèmes qui hantaient ces rues de leurs silhouettes tatouées et singulièrement vêtues. Atticus s'était garé non loin de la plage et remontait Pacific Avenue lorsque son portable sonna.

— Inspecteur, fit une voix assurée, professeur Huxley du musée d'Histoire naturelle. J'ai pu travailler sur vos spécimens.

— Vous les avez tous identifiés ?

— Oui, ça n'a pas été très difficile, la plupart sont des espèces communes et les autres ont des particularités reconnaissables.

— Qu'est-ce que vous pouvez m'apprendre ?

— Rien de concret en soi.

C'était ce que craignait Atticus. Une impasse là encore.

— Sauf que tout ça est une aberration.

— Pardon ?

— Eh bien vos petites pièces à conviction, là, elles sont constituées d'un sacré mélange.

— Pas naturel, oui, j'ai remarqué. Certaines sont des prédateurs, d'autres des proies, et j'en ai conclu...

Huxley, qui ne l'écoutait qu'à peine, l'interrompit pour dérouler sa propre pensée.

– Il y a des espèces locales, certaines endémiques même, ça signifie qu'elles appartiennent spécifiquement à la région de Los Angeles.

– Je sais ce qu'endémique signi...

– Et d'autres beaucoup plus éloignées, qu'on ne trouve pas du tout par chez nous. Prenez l'araignée recluse brune, par exemple, il y a des rumeurs qui affirment qu'elle a débarqué en Californie. Mais c'est de la foutaise, on suit sa prolifération de près avec mes collègues et je peux vous garantir qu'elle ne s'est toujours pas installée si près de l'océan. Pourtant vous en avez ramassé.

Atticus savait tout cela et ne se sentait pas plus avancé.

– Et ça n'est pas fini : j'ai une abeille tueuse, si vous m'autorisez cette vulgarisation. C'est une catégorie particulière, très agressive et potentiellement dangereuse pour l'homme quand elles sont en nombre, parce qu'elles « traquent » leur cible sur de longues distances, contrairement aux autres espèces, plus dociles et qui ne vont pas au-delà de quelques mètres de poursuite. On a déjà relevé des morts avec plus de deux mille piqûres ! À l'origine, elles proviennent du Brésil, mais elles ont pas mal migré, jusqu'à chez nous. Et enfin, c'est le pompon, j'ai de la fourmi légionnaire ! Une espèce qui provient d'Amérique du Sud, extrêmement agressive là aussi ! Vous savez, celles qu'on voit dans les films d'horreur et qui dévorent des campements...

Atticus se souvint de ses cours. Ces fourmis nomades étaient capables d'engloutir un fauve entier si celui-ci ne parvenait pas à s'enfuir.

– Donc je recherche un malin capable de se constituer une sacrée réserve, qui pioche un peu partout dans le pays, et au-delà ?

Huxley fit claquer sa langue contre son palais.

– C'est un peu plus compliqué que ça, inspecteur. Oui, votre bonhomme est un sacré collectionneur, aucun doute, mais il a réussi un exploit que personne n'est jamais parvenu à réaliser :

faire cohabiter plusieurs espèces qui normalement devraient s'entre-dévorer.

— C'est pour ça que je pense que les insectes étaient morts avant d'être dispersés sur la scène de crime, put enfin placer Atticus.

— Je ne crois pas. Les échantillons que vous m'avez apportés étaient vivants il y a très peu de temps. La pulpe, si vous m'autorisez ce mot barbare, n'est pas encore desséchée, certains ont été broyés les uns contre les autres, ensemble je veux dire. Vous devriez demander à votre laboratoire de passer vos autres échantillons au chromatographe pour vérifier s'il y a présence d'insecticides, bien que j'en doute fortement.

— Pourquoi ?

— S'il y en a, cela signifie que votre malin, comme vous l'appelez, a tué sa collection avant de la disperser, mélangée, sur place. Sinon... qu'ils étaient tous vivants et qu'on les a tués en marchant dessus, tout simplement.

— C'est impossible, une telle concentration d'arachnides avec des diptères par exemple, ils ne...

— C'est ce que je vous explique : une aberration. Pourtant, de ce que j'ai sous les yeux, je pense qu'ils étaient bien vivants avant d'être broyés sous des semelles. Faites les vérifications. Et tenez-moi au courant, ça m'intéresse.

Lorsqu'il eut raccroché, Atticus ne savait plus tout à fait où il était et il dut s'arrêter pour se repérer. Tout ça lui tournait la tête. Il se sentait dépassé. Il vérifia l'adresse qu'il cherchait et trouva une porte rouge sur le côté d'une boutique qui vendait des accessoires en cuir. Il entra et sonna à la porte du premier étage où figurait le nom de Trappier.

— Qui c'est ? fit un homme de l'autre côté.

— Police de Los Angeles, inspecteur Gore, j'ai quelques questions à poser à Samuel Trappier.

Silence. Puis :

— À quel sujet ?

— Oscar Riotto. Vous le connaissez, n'est-ce pas ?

— Pourquoi ?

– Mr Trappier, si vous ouvriez cette porte, qu'on puisse discuter normalement !

– Montrez-moi votre badge !

Atticus le décrocha de sa ceinture et l'exhiba devant l'œilleton.

– Qu'est-ce qui me prouve que c'est un vrai ?

– Appelez Hollywood Station, demandez-leur.

– Vous pouvez me raconter n'importe quoi.

Atticus commençait à perdre patience.

– Oscar Riotto est probablement mort et j'enquête sur son assassinat, vous êtes sûr que vous ne voulez pas qu'on en parle ?

Après un moment, deux verrous coulissèrent et un homme aux longs cheveux gris et bouclés, lunettes, chemise hawaïenne sur un débardeur, apparut dans l'ouverture.

– Il est cané ? Pour de vrai ?

Atticus acquiesça.

– Je peux entrer ?

L'homme hésita puis secoua la tête.

– Non, pas chez moi, venez, on va causer dehors.

Les enseignes lumineuses des boutiques en tout genre nimbaient la promenade de Venice Beach d'auras multicolores, au milieu des musiques tonitruantes, tandis qu'à l'ouest l'interminable bande de sable s'étirait dans la nuit, à peine percée par endroits de hauts lampadaires trop rares. Des ombres s'y déplaçaient, spectres des ténèbres à la démarche parfois étrange, pendant que flottaient dans l'air les graisses de la cuisson des hot dogs ou le bouquet entêtant du cannabis consommé directement à la sortie des magasins.

Une faune hirsute déambulait sur le ruban d'asphalte qui servait de chemin, et Atticus esquivait les adeptes du roller ou les cyclistes tout en suivant le pas décidé de Sam Trappier. Ce dernier leva le nez vers l'angle d'un bâtiment, désigna une caméra, puis entraîna Atticus sur la plage, en direction d'une structure tubulaire ressemblant à une cage.

Lorsqu'ils furent au niveau du petit parc pour enfants, désert à cette heure, Trappier se retourna.

— Ici on ne nous voit pas, c'est plus sûr.

— Vous craignez qui ?

Trappier agita la main en direction des lumières de la ville puis vers Atticus.

— Tout le monde ! Même vous, les flics. Personne n'est digne de confiance. Chacun croit qu'il agit pour lui-même, mais en réalité tous sont au service d'une œuvre plus vaste qui leur échappe, celle des grandes entreprises, les consortiums qui dirigent la planète.

OK, grand paranoïaque. Cela jetait brutalement un sacré discrédit sur tout ce qu'Atticus espérait récolter de lui.

— Ils vous font croire que vous êtes libres, s'entêta Trappier, mais c'est faux. Manipulation marketing et communication ciblée permanente, nous ne sommes que des consommateurs qui doivent obéir et produire ce qu'ils veulent. Ils ont façonné le système pour qu'on leur appartienne. Même nos loisirs, rien n'est dû au hasard.

— Parlez-moi d'Oscar Riotto, d'où le connaissez-vous ?

— Oscar ? C'est un ami. Lui il sait, il dénonce tout ça, même s'il est encore beaucoup trop timoré, si vous voulez mon avis. Il le sait, je le lui dis à chaque fois.

— C'est vous ISeekTru4U sur son blog ?

Trappier inclina le visage, méfiant.

— Il est mort alors ? Un meurtre ?

C'est lui. On avance enfin.

— Vous vous rencontrez souvent ?

— Une fois par mois environ, quand c'est possible. Vous savez qui l'a fumé ?

— Pas encore. Qu'est-ce que vous vous racontez ?

— Pauvre vieux.

Atticus lui laissa encaisser la nouvelle avant d'insister. Trappier finit par répondre :

– On échange autour de notre boulot récent. Je lui refile des tuyaux, je lui propose des idées de papiers. J'écris moi aussi, mais je suis obligé de le faire anonymement, pour me protéger. Ça n'a pas la même portée que lorsque Oscar s'approprie un sujet et j'estime davantage la propagation de la vérité que mon succès personnel, donc je partage.

– Dernièrement, vous l'avez branché sur quoi ?

Malgré la pénombre, Atticus perçut le changement dans le regard de son interlocuteur qui plissa les yeux.

– Je sais qu'il était sur un très gros morceau, insista Atticus, et je dois savoir quoi pour m'assurer que ça n'est pas la cause de sa mort.

– Comment a-t-il été tué ?

– Salement.

– C'est-à-dire ?

– Je ne peux vous divulguer ce genre de détail pour l'instant, l'enquête est en cours.

Trappier se soutint à la cage.

– Putain... Oscar.

– Quand l'avez-vous vu pour la dernière fois ?

– Je sais plus trop. Il y a trois ou quatre semaines.

Trappier accusait le coup.

– Il a évoqué une menace, il se sentait en danger ?

Le quinquagénaire secoua la tête mollement.

– Pas plus que ça.

– Il vous a dit sur quoi il travaillait ?

L'éclat brillant des pupilles de Trappier fixa de nouveau Atticus.

– Vos supérieurs vont faire pression pour que vous fassiez traîner l'enquête.

Cette obsession de la conspiration fatiguait Atticus qui soupira.

– Je ne suis pas du genre... malléable, si vous voyez ce que je veux dire.

– Ça reste votre hiérarchie, s'ils commandent, vous obéirez.

– Je peux vous assurer que ça ne se passe pas comme ça.

– Les multinationales ont le pouvoir absolu, elles gèrent des empires financiers supérieurs à ceux du pays, elles financent les partis politiques, font et défont les présidents, les gouverneurs, les maires, pareil avec les procureurs, les chefs de la police et tous les postes importants. Lorsqu'elles veulent quelque chose, elles l'exigent, et tous ces pantins avides d'influence, trop flippés à l'idée de disparaître du circuit, s'exécutent. La plupart du temps les grands patrons n'ont pas grand-chose à faire, une phrase glissée nonchalamment lors d'un dîner de gala à un de leurs politicards, et ça se déverse dans la chaîne de commandement jusqu'à bouger les lignes dans leur sens, par ruissellement, le zèle faisant le reste.

– Sur quoi bossait Oscar ?

Le murmure perpétuel du ressac parvint jusqu'à eux dans la nuit, malgré les basses lointaines de la promenade aux néons.

– À quoi bon vous entêter puisque ça va vous échapper ?

– Les flics ont leur intégrité aussi. Comme les journalistes, il y a ceux qui plient, et ceux qui résistent, quitte à se faire marginaliser, parfois perdre leur job.

Trappier parut peu convaincu. Pourtant il demanda :

– Si Oscar l'a payé de sa vie, êtes-vous certain de vouloir savoir ?

Atticus ne le lâchait pas, plus pénétrant que jamais.

Trappier céda.

– Va falloir mettre les mains dans la fange, inspecteur. Parce que c'est pas quelque chose dont la presse se fait l'écho, pas plus que vos confrères de Downtown.

Une dispute éclata au loin entre plusieurs marginaux perdus quelque part sur la plage interminable. Trappier vérifia qu'il n'y avait personne alentour avant de se pencher vers Atticus. Cinq mots sortirent d'entre ses lèvres craquelées. Six syllabes qui sonnèrent comme la promesse d'une vérité inquiétante :

– Le monstre de Skid Row.

20.

Eli Hackenberg fit passer la dernière bouchée de donut avec une lampée de café tiède. Il se sentait repu. Rempli. Rassuré d'une certaine manière. Avant qu'une autre sensation remonte de son estomac, la gorge huileuse, le sucre caramélisant son sang jusqu'à la nausée. Il avait encore trop bouffé. Incapable de s'arrêter, il avait expédié la boîte entière en dix minutes, salivant à chaque regard, dopant son cerveau au glucose.

C'était toujours la même chose, il mangeait comme si sa vie en dépendait, avant de le regretter. Il y avait un truc de déréglé chez lui, au niveau de la satiété, et plus profond encore : ça venait de l'estime de soi, ou du rapport à l'affect en général, pour qu'il ait autant besoin de combler à la dope alimentaire. Des shoots d'euphorie saturée de toutes les merdes que produisaient les industriels. Qu'est-ce qu'il fabriquait à croire que cela allait le réparer ?

Au lieu de quoi il se sentait un peu plus déglingué à chaque fois…

Atticus entra dans la grande salle des inspecteurs, vide comme un dimanche matin. Toujours cette démarche souple, son apparence faussement négligée qui lui demandait une heure de préparation chaque jour, et un look d'acteur avec son jeans et son T-shirt qui dévoilait la naissance des pectoraux. Sans oublier ses bracelets en cuir.

– C'est le week-end, alors tu te dispenses du costume régle-
mentaire ? lâcha Hack de mauvais poil.

– À chaque jour sa panoplie, répliqua le flic en jetant une
fine pochette cartonnée sur le bureau de son partenaire.

– C'est quoi, ça ?

– Ouvre.

Alourdi par son petit déjeuner excessif, Hack obtempéra lentement. Il tomba sur des pages imprimées, une demi-douzaine
seulement, et après un bref survol constata qu'il s'agissait de
textes récupérés sur Internet.

– Fais-moi un résumé, dit-il.

– À quoi tu penses en premier si je te dis Skid Row ?

– À de la merde.

– Plus concrètement.

– Junkies ? Clodos ?

Atticus fit signe de la main qu'il avait bon.

– Et qui ça intéresse ?

– Je sais pas, les bobos épris de causes désespérées ? Les
églises ? La mairie qui voudrait les foutre sous le tapis ?

– En bref : pas grand monde. Regarde.

Atticus extirpa l'une des pages pour lui présenter un article
dont le titre était « Peur sur les oubliés de Downtown ».

– Il n'y a presque rien sur le sujet, aucun média majeur ne
s'en est encore emparé. Les sans-abri de Skid Row sont flippés,
Hack, il y a des disparitions parmi eux.

– Des clodos qui se barrent du jour au lendemain, sans dec ?
Et ils laissent même pas leur nouvelle adresse à leurs potes ?

– Je suis sérieux. Plusieurs témoignages font état de camarades qui se volatilisent, des visages familiers, des compagnons
de galère qui se couchent dans leur tente et qui ne sont plus
là au matin.

– T'as vu la misère que c'est là-bas ? Tu sais combien ils sont ?

– Plus de deux mille cinq cents, j'ai regardé.

– Putain, Gore, c'est une ville entière ! Une ville entière
de clodos ! Alors déjà qu'ils sont pas stables, mais quand ils

sont aussi nombreux, forcément il y en a qui se tirent sans prévenir...

– C'est ce que doivent penser les journalistes, que ça n'a rien d'étonnant, mais je te dis qu'il y a un truc bizarre. Oscar Riotto voulait en faire son prochain dossier, il est allé les interroger, et tu sais ce qu'ils racontent entre eux ? Qu'il y a un prédateur qui rôde la nuit à Skid Row. Un monstre.

Hack éclata de rire.

– Laisse-moi deviner... Ils l'appellent « le manque » ? Pas assez de came ou d'alcool ?

Atticus tapota les pages de son index.

– Cette fois tu viens avec moi, il faut leur parler. Le meurtre de Riotto est peut-être connecté à cette histoire.

– Oh merde, Gore, je vais pas passer mon dimanche à...

Atticus était déjà en train de repartir. Il lança :

– Et sur le trajet on passe par chez toi pour que tu te changes ! Personne ne voudra te parler si tu débarques sapé comme un mec de la municipalité.

Hack émit un raclement de gorge gras avant d'aboyer à travers toute la salle :

– T'es le pire partenaire que j'aie jamais eu, tu le sais ça ?

Le téléphone d'Atticus, posé sur la console centrale du véhicule banalisé, diffusait les notes furieuses de « War Ensemble » de Slayer. Dès qu'il entra dans l'habitacle, fraîchement vêtu d'un jeans et d'un polo, Hack s'empara de l'appareil pour le mettre en sourdine.

– D'où te vient toute cette rage ? demanda-t-il, très sérieux.

– Comment ça ?

– Eh bien, pour avoir besoin d'écouter une musique aussi violente, il faut que tu sois sacrément en pétard au fond de toi, sinon elle n'aurait aucun écho, tu n'entendrais que ce que c'est réellement : du bruit.

Atticus haussa les sourcils et démarra pour quitter l'allée qui montait au pavillon des Hackenberg.

C'était une question qu'il se posait souvent. Son amour adolescent immodéré pour cette musique puissante, sombre, parfois agressive ou mélancolique, n'avait jamais cessé d'interroger l'adulte qu'il était devenu, car cette passion ne s'était pas ventilée à mesure que sa personnalité s'affirmait. Au contraire, il en savourait désormais les subtilités, la technique, la profondeur. Mais que restait-il chez l'homme de quarante ans de ce qui avait séduit le garçon ? À quelle colère sourde, enfouie, répondait cette musique ? Quelle nostalgie diffuse alimentait-elle ? Atticus était un homme posé, serein, il dégageait une confiance en lui, comme une poigne sur son propre destin, qui ne laissait pas percevoir la béance de ses failles. Celles d'un garçon blessé, différent, exclu. Un mal-aimé en quête de reconnaissance vaine, qui avait entendu dans le rugissement des guitares et les hurlements de ces chants un cri de ralliement qui lui ressemblait.

Et qui perdurait.

– Alors ?

– Rien. Tu sais, pour la plupart des gens le metal c'est AC/DC ou Metallica, alors que non, ils ignorent l'étendue de…

– Ouais c'est ça, baratine-moi. Si tu veux pas en parler, dis-le, mais me prends pas pour un pigeon.

Atticus garda la bouche ouverte un moment avant de se raviser, et de ne pas répondre. Hack avait raison, il lui devait au moins cette honnêteté. Il n'allait certainement pas se confier auprès de lui sur son adolescence d'homosexuel repoussé par les siens.

– Tu es passé à la boutique où a été acheté le téléphone prépayé, hier ? demanda-t-il à la place.

– Oui, et comme prévu : aucun résultat. C'est une de ces cages à lapins sans caméra, tout juste s'ils conservent des comptes de leurs ventes. Payé en cash, et la nana ne se souvient absolument de rien. En même temps, elle doit fumer un hectare d'herbe par jour, si tu veux mon avis.

– Le tueur de Riotto est méthodique, très organisé, il a dû la choisir exprès. Tout a été soigneusement planifié.

– Mouais, tu te prends pour un cador de la RHD[1] maintenant ?

– Je t'emmerde.

Ils roulèrent en direction des buildings de Downtown puis passèrent sous les fenêtres de la mairie. Les files de tentes occupées par des sans-abri dans le parc juste en face des bureaux du maire rappelaient avec beaucoup d'ironie et de désespoir les responsabilités du pouvoir en place. Juste au sud s'étirait le quartier de Skid Row, royaume des camés et des fous, où les trottoirs disparaissaient littéralement sous l'empilement de tentes et de bâches tendues en guise d'auvent. Des fils couverts de vêtements en train de sécher un peu partout, des cartons en guise de meubles, des canettes et bouteilles pour toute décoration. Caddies remplis d'affaires de fortune, détritus dans le caniveau, poussettes et vélos rouillés, un capharnaüm sans fin de tout ce qui pouvait être récupéré dans les poubelles des « autres », ceux qui vivaient entre quatre murs solides. Il était difficile de circuler autrement qu'en marchant directement sur la chaussée, tant ce conglomérat de toiles et de récup colonisait les trottoirs. L'accès aux rares commerces en devenait difficile. Atticus et Hack descendaient East 6th Street, puis San Pedro Street, la 7th, South Central Avenue, Maple Avenue, cela ne s'arrêtait jamais, de part et d'autre de la voiture, et Atticus préféra stationner dès qu'il le put, plutôt que de tourner pendant des heures. Il se sentait presque dans un pays lointain abritant des réfugiés comme on pouvait parfois en voir dans des camps aux infos, sauf qu'ici les tentes n'étaient pas plantées dans des déserts ou des champs, mais au cœur de Los Angeles. Une sous-couche de la cité poussait sauvagement, plus enracinée que du lierre sur les murs, une seconde strate d'urbanisme, incontrôlé celui-ci, ne

_____

1. La Robbery-Homicide Division est la section des vols et meurtres, qui centralise les très grosses affaires criminelles et les cas sensibles à Los Angeles.

répondant plus à l'organisation des hommes, mais proliférant au contraire à la faveur de son indifférence.

– Qu'est-ce qu'on fout là ? regretta, dépité, Hack en sortant de la voiture. C'est quoi l'idée ? On leur montre une photo de Riotto pour savoir s'ils le connaissent ?

– C'est un bon début. Et intéresse-toi aux disparitions, à cette histoire de monstre. Je veux en savoir plus.

– Parce que maintenant tu veux qu'on se sépare ?

– Si tu veux pas y passer la journée, ce sera plus rapide.

– Sérieusement ? Ils ne sont pas fichus de savoir qui ils sont eux-mêmes, tu crois qu'ils tiennent un recensement de leur population ?

– Ils ont des voisins, ils se serrent les coudes, parfois s'engueulent, ils se connaissent, Hack, tu l'as dit toi-même, c'est une ville dans la ville. Je prends par la Cinquième, attaque sur Crocker Street, on s'appelle d'ici deux ou trois heures.

Hack partit en pestant et Atticus se lança dans une longue litanie de questions en battant le pavé. Il avait une photo d'Oscar Riotto, une des rares trouvables sur Internet, et la présentait à tous ceux qu'il interrogeait. L'avaient-ils déjà vu ? Il insistait sur l'importance de bien réfléchir, et concluait en demandant à la personne si elle connaissait quelqu'un ici qui avait disparu. Lorsqu'il le sentait, il plaçait les termes « monstre de Skid Row » dans la phrase, pour jauger la réaction. À midi, Hack le rejoignit, et dans un food truck il lui offrit un sandwich qu'ils mangèrent debout, avant qu'Atticus propose d'y retourner. À sa grande surprise, Hack ne ronchonna pas et partit poursuivre sa mission. Il devait en avoir marre de stagner sur sa chaise au bureau, pour filer comme ça sans se faire prier.

Atticus passa ainsi son dimanche au milieu des sans-abri, à écouter leurs histoires, souvent étranges, parfois démentes, à quelques reprises émouvantes, ou glaçantes de vérité. Mais il fallut de la persévérance pour enfin trouver quelqu'un qui reconnut Oscar Riotto, et dont la parole paraissait fiable. Celui-là semblait sobre, pas dingue, ni drogué. C'était un grand Noir barbu, les cheveux hirsutes, emmailloté dans plusieurs couches de T-shirts.

— Ouais, je l'ai rencontré. Il y a une semaine à peu près. Il traînait là déjà avant, je l'ai vu.

— Qu'est-ce qu'il vous voulait ?

— Savoir si je connaissais Dominik.

— Qui est-ce ?

— Un mec qui crèche un peu plus loin sur Kohler, enfin qui créchait. Il est plus là.

— Vous savez ce qui lui est arrivé ?

— Non. On a joué aux cartes le soir, et ensuite... on l'a plus revu. Depuis trois semaines. C'est pas le seul, vous savez.

— Vous êtes le premier à m'en parler en tout cas.

L'homme désigna les autres tentes.

— Parce que ces enfoirés vont pas se vanter de piller les affaires de ceux qui disparaissent ! Mais je vais vous dire : si vous laissez votre matériel ici sans surveillance pendant deux jours, c'est terminé ! Y aura plus rien. Ou alors faut se mettre bien avec les autres autour, et encore...

— C'est ce qui s'est passé avec Dominik ?

L'homme hocha vivement la tête.

— C'est fini, les vautours, là, ils ont nettoyé son emplacement. Vous ne trouverez plus rien.

— Et lui n'est pas réapparu depuis ?

— Nan.

— Vous savez ce qui a pu lui arriver ?

L'homme guetta Atticus, soupçonneux.

— Je suis là pour vous protéger, ajouta Atticus avec sincérité. Je sais que la plupart des flics par ici s'en foutent, pas moi.

L'homme fit la moue. Alors Atticus tenta le coup.

— Le monstre ?

Lumière dans le regard.

— Qui vous en a parlé ?

— Combien ont disparu ?

– Un paquet. Au moins une dizaine. Moi j'en connais déjà deux, Dominik et Baby Roy.

– Vous avez leur nom complet ?

– Dominik Sheppard je crois. L'autre c'est Baby Roy, c'est tout. Mais je vous le dis : y en a d'autres. Plein.

– Vous pensez que vous pourriez me dresser une liste avec l'identité de chacun ?

Atticus sortit deux billets de vingt de sa poche.

– Possible.

– Vos camarades ne se confient pas trop à moi.

– Bah ouais, on aime pas trop les flics et les officiels. Vous avez vu dans quoi on vit ? Et ici la nuit c'est la jungle, je vous jure. La police, on la voit pas beaucoup !

Atticus lui mit l'argent dans la main avec sa carte de visite.

– Si la liste est fiable, il y en aura plus. Je compte sur vous…

– Mel, appelez-moi Mel. Ouais, je vais vous faire ça.

– Et Oscar Riotto, vous lui avez dit quoi ?

– La même chose qu'à vous.

– Rien de plus ?

– Non, lui il voulait pas la liste des noms, je crois qu'il l'avait déjà. Il voulait savoir s'il pouvait passer quelques nuits avec nous. Il est pas net ce mec !

Riotto avait découvert quelque chose et Atticus marchait dans ses pas. Demeurait la question fondamentale : avait-il été tué à cause de son enquête ou cela n'avait-il rien à voir ? *Il y a potentiellement un tueur en série qui sévit dans Skid Row, ça ne peut pas être une coïncidence. Riotto remontait sa piste, il était sur le point de l'identifier et il s'est fait éliminer.* Celui qui lui avait tendu le piège jeudi soir était très certainement le même que le tueur de sans-abri.

– Il y a des témoins de ces disparitions ? demanda-t-il.

– Non. C'est pour ça que c'est pas un homme, c'est un monstre. Il surgit la nuit, il sort des égouts ou des recoins les plus sombres, et il enlève ses proies sans un bruit.

Les gens d'ici commençaient à construire tout un folklore autour de lui, malgré les liens sociaux distendus, malgré la violence quotidienne : pour que la rumeur se propage de rue en rue jusqu'à lui donner un surnom et bâtir une mythologie, cette présence nocturne devait exister depuis un moment.

– Il y a eu des corps retrouvés dans le quartier ?

– À part les overdoses et les règlements de comptes vous voulez dire ? Non, ceux qui sont pris par le monstre disparaissent pour toujours.

Qu'en faisait-il ? Il abandonnait les cadavres dans la Los Angeles River ? Après tout, celle-ci passait tout près, dans la zone industrielle à moins d'un kilomètre. Dans l'océan ou dans un des canyons paumés des montagnes ? Atticus nota mentalement qu'il devait se renseigner sur les corps retrouvés ces dernières semaines dans un périmètre assez large.

– Faites gaffe à vous, dit alors Mel. Les meurtres de clochards, tout le monde s'en fout, c'est pour ça qu'il vient ici, le monstre, pour être tranquille. S'il vous renifle, s'il sent que vous êtes sur sa piste, il va venir vous prendre. Et juste avant, il fera en sorte de vous extraire de la société, il trouvera un moyen pour vous marginaliser. Comme ça, quand il vous prendra, tout le monde s'en moquera aussi.

Atticus voulut lui répondre qu'il avait déjà gagné ses blasons de marginal, flic, gay et adepte de musiques qui éloignent les voisins. Il y avait du bon sens dans la menace de Mel. Celui qui faisait ça connaissait le secteur, assez pour passer inaperçu, pour frapper au bon endroit, des cibles isolées assurément. Il n'avait pas besoin de chercher bien longtemps, il suffisait de se promener, de surveiller, se fondre dans le décor et jaillir au bon moment. Des disparitions qui ne faisaient pas de vagues, n'intéressaient personne. Une mer de possibilités.

S'il était aussi machiavélique que la scène de crime du zoo le laissait penser, alors il avait pu sévir ici en toute impunité pendant des mois, sinon des années.

Soudain Atticus frissonna.

Il se demanda si la liste des victimes n'était pas colossale.
Démentielle. À la mesure de cet endroit.
Un fragment terrestre de la folie des hommes.
Et de leur brutalité.

21.

Son souffle saccadé marquait les temps longs ou les temps courts, tandis que les battements rapides, mais parfaitement réguliers, de son cœur mesuraient le tempo de la partition. Chaque foulée était une mesure. Chaque kilomètre englouti, un morceau. Et Kat transpirait tout un concerto d'accomplissement majeur en souffrance mineure.

Courir était sa musique à elle. Celle qui lui vidait la tête, qui décrassait ses synapses et gonflait son estime de soi.

Ses baskets effleuraient le plancher du passage piéton au centre du Brooklyn Bridge, des filins d'acier tissant une toile entre elle et le ciel bleu surplombant New York. Des épines de fer et de verre sourdaient des langues de terre tout autour, buvant la lumière ou crachant ses reflets, pendant que des millions d'êtres en gestation s'accomplissaient dans leurs entrailles. Une ville verticale, démesurée, étourdissante.

Kat voyait mais ne s'intéressait pas. Elle écoutait Coltrane, « Chasin' The Trane », et s'efforçait de maintenir son allure, essuyant d'un revers de bras la sueur qui coulait sur ses sourcils.

Elle zigzaguait entre les promeneurs, nombreux en ce dimanche après-midi, et les autres joggeurs qu'elle rattrapait pour la plupart. Une heure de sport, ce serait sa pause du week-end, le moment qu'elle s'était accordé sur un coup de tête alors qu'elle était une fois encore assise derrière son bureau, à traquer Galvin Hutchinson sur Internet. Elle avait soudain été prise d'une brusque et intense envie de jouir. « Bouffée de cul », comme elle appelait ses montées inattendues. Elle éprouvait ce besoin plus souvent qu'à l'accoutumée, bien plus que dans sa jeunesse si sa mémoire ne lui jouait pas des tours, et se demandait si ce n'était pas une sorte de bouquet final hormonal annonçant une ménopause précoce. Cette idée la dérangeait profondément. Pas qu'elle nourrisse le moindre espoir d'avoir des enfants maintenant, mais juste à cause du message que la nature lui envoyait. *Jouis, ma vieille, donne et prends tout ce que tu peux, parce que bientôt tout ça sera vain.* Pour elle qui n'avait jamais fait l'amour avec d'autre ambition que celle de se donner du plaisir, ça n'aurait pas dû lui poser de problème, voire les résoudre du côté de l'intendance intime, mais ça n'était pas le cas. Elle se sentait confrontée à une insupportable obligation naturelle. Un jalon inéluctable. La vie décrétait pour elle que sa fonction biologique première allait s'éteindre. Kathleen Karen Kordell (ses fameuses initiales qu'elle détestait tant) atteignait sa date de péremption.

N'importe quel homme qui lui aurait annoncé cela, en ces termes, elle l'aurait smashé d'un direct du droit en pleine mâchoire. Personne ne pouvait le lui dire. Pas même un médecin. Mais c'était pourtant ce qu'elle éprouvait. Elle avait peur de se sentir obsolète. À une époque où la société tentait tant bien que mal de se féminiser davantage, de se rapprocher d'un équilibre, envisager qu'une femme puisse être inutile une fois ménopausée, comme si sa date de consommation était dépassée, relevait de l'archaïsme misogyne, de l'insulte crasse, Kat en était bien consciente. Malgré tout, elle le ressentait ainsi.

Les rides, la peau qui perd en élasticité et toutes ces contrariétés venant avec l'âge, Kat s'y était faite petit à petit, en luttant à coups de crèmes, quelques retouches cosmétiques mineures, toujours plus de sport, en se plongeant dans son travail... Ce n'était que son apparence, et elle se rassurait en songeant qu'elle était une belle femme, séduisante. Elle compensait un décolleté moins ferme par davantage d'aplomb, un charisme plus affirmé, et savait que sa beauté s'était rééquilibrée autrement au fil des décennies, cela ne la dérangeait pas. Cette fois, c'était au plus profond d'elle que la métamorphose s'opérait, dans l'organe même qui définissait sa nature. Une femme. Porteuse de vie. Et si ces mots l'énervaient aussitôt, parce qu'on ne réduit pas une femme à cette seule fonction à moins d'être soi-même bêtement binaire, le soir, le visage dans l'oreiller, une fois l'obscurité pour seule compagne, Kat ne pouvait s'empêcher d'y penser ainsi.

Tu te fais des nœuds au cerveau avec des conneries, se répétait-elle. Tout ça parce qu'elle avait des montées de désir sexuel plus régulières et intenses qu'autrefois ! C'était idiot. Et pourtant...

Incapable de consulter, terrorisée à l'idée du diagnostic sans appel, elle préférait ne pas savoir et vivre dans le flou, quitte à s'angoisser. Cela demeurait plus supportable qu'une éventuelle et lapidaire confirmation.

Elle en était donc à éprouver une de ces bouffées de cul face à son écran d'ordinateur, lorsqu'elle s'était renversée en arrière dans son fauteuil. Elle n'avait pas le courage d'appeler Mitch, de l'attendre, puis de trouver un prétexte pour s'en débarrasser avant la nuit, encore moins d'aller jusque chez lui à Manhattan juste pour se faire sauter. Le principe ne la choquait pas, loin de là, elle s'estimait bien assez moderne pour le revendiquer même, c'était juste d'y mettre les formes qui l'ennuyait. Elle n'avait pas envie de parler, juste de jouir, une chaleur douce et enivrante qui se propageait depuis son bas-ventre. Se masturber ne l'amusait pas. C'était le corps de l'autre, sa peau, son odeur, ses mouvements qu'elle recherchait, pas une délivrance mécanique sans saveur.

Alors faute de mieux, elle s'était changée en vitesse pour aller courir. Vite et longtemps. C'était la quatrième fois de la semaine, un bon rythme, et après cela, elle pourrait probablement s'autoriser à prendre du chinois à emporter pour le dîner.

Les planches sous ses pieds défilaient. Elle gardait le contrôle de sa respiration, tout allait bien.

La journée avait été décevante. Une succession de déconvenues. Kat était parvenue à identifier le propriétaire de l'appartement loué par Galvin Hutchinson à Greenpoint, et même à s'entretenir avec lui. Mais Hutchinson avait payé six mois d'avance en cash, et la suite avait été réglée de la même manière. En outre il était parti avec une avance de loyer d'un mois, sans la réclamer. Les documents s'étaient faits sur place, pas d'e-mails, pas d'autre adresse connue. Et le téléphone portable était celui que Kat connaissait déjà, qui n'était désormais plus attribué. Kat avait demandé ce que le propriétaire avait pensé de son locataire, physiquement et dans son attitude ; l'homme au bout du fil avait soupiré avant d'avouer que c'était un « drôle d'oiseau ». Pas le genre avec lequel on a envie de sympathiser. Mais il payait sans discuter et en avance, cela suffisait à en faire un locataire idéal. Il avait annoncé son départ pour avril, et à sa grande surprise le propriétaire avait retrouvé les clés du meublé dans sa boîte aux lettres le dernier week-end de mars, sans plus de précisions. Hutchinson s'était envolé, et le propriétaire n'avait plus aucun moyen de le joindre, et encore moins l'envie. À défaut d'être un démon comme le supposait son ancienne voisine, Galvin Hutchinson était un fantôme.

Toutes les autres recherches menées par Kat s'étaient soldées par un échec. Il ne lui restait que le mince espoir de débusquer des miettes d'information dans les archives des tribunaux ou en consultant le permis de conduire d'Hutchinson au DMV, lorsqu'ils ouvriraient, lundi matin.

Il lui fallait encore faire le point avec la mère de Lena.

Lorsqu'elle sentit qu'elle tapait dans ses réserves, Kat prit le chemin de Jumbo, son quartier, et serpenta entre les anciens hangars rénovés en lofts jusqu'à atteindre son immeuble. Elle laissa l'eau chaude couler longuement sur sa peau, noyer ses sens. *Merde pour la planète, c'est mon quart d'heure d'égoïsme. Celui-là même qui nous coulera tous un jour...* Lorsqu'elle ressortit de sa salle de bains, en peignoir, une serviette enroulée autour des cheveux, elle déambula sur les lattes du parquet en admirant

la vue sur la ville. Elle avait oublié d'acheter son dîner. Tant
pis, elle ouvrit la bouteille de Zacapa à la place et se servit une
généreuse portion. Ce n'était pas raisonnable, mais elle balaya
toute tentative de raisonnement d'un revers d'esprit. *Pas l'énergie
pour lutter.* Avant même qu'elle ne réalise ce qu'elle faisait, elle
avait son téléphone à la main et entendait la sonnerie.

Annie Fowlings décrocha presque immédiatement.

– Vous avez du nouveau ?

– Des pistes, mais rien de concret. Il me faut encore du temps.

– J'ai peur pour ma fille.

– Je comprends, et je ne lâche rien, croyez-moi. Les services
dont j'ai besoin à présent n'ouvrent que demain matin. J'ai
passé en revue son entourage et...

– Vous pensez qu'elle est morte ?

La question avait fusé hors des lèvres d'Annie Fowlings,
presque malgré elle, comme si elle la hantait depuis trop longtemps pour la contenir davantage.

Kat hésita, seulement une seconde, mais ce fut déjà trop.
Annie enchaîna la première :

– Vous le craignez.

Elle renifla pour étouffer un sanglot.

– Il y a plusieurs éventualités, Mrs Fowlings, vous le savez.
J'ai lancé mes lignes aussi dans cette direction, et pour l'instant
rien n'est remonté, c'est déjà une bonne nouvelle en soi.

– Mais vous, en votre for intérieur, vous en pensez quoi ?

Kat réalisait qu'elle ne le savait pas elle-même. Elle était incapable de pencher vers une possibilité plus qu'une autre. Plus elle
avançait, plus les scénarios les plus fous devenaient crédibles. Le
suicide en premier lieu, et l'hypothèse s'était renforcée à mesure
qu'elle découvrait qui était vraiment Lena. Puis la fugue, loin de
cette mère étrange, froide. Avant de découvrir Galvin Hutchinson et son aura démoniaque. Ce type avait un profil inquiétant.
Il avait pris soin de ne laisser aucune trace de son passage,
comme s'il avait anticipé son brusque départ avec la volonté
qu'on ne le retrouve pas. D'autres individus, sans intentions

néfastes, en faisaient autant, surtout lorsqu'ils arrivaient dans une ville, par paranoïa, prudence ou juste pour qu'on leur fiche la paix, mais Kat ne le sentait pas, ce Hutchinson. Il n'avait peut-être rien à voir avec la disparition de Lena Fowlings, toutefois un gros néon rouge clignotait, pointé sur lui. Il ne fallait pas le lâcher. *Il a tout quitté le même week-end que Lena, ce n'est pas une coïncidence...*

— Je n'ai encore aucune conviction, mentit-elle. Mrs Fowlings, je peux vous poser une question directe ? Pourquoi n'êtes-vous pas allée chez votre fille alors que vous avez la clé de son appartement ?

Silence. Soupir.

— Une mère *véritablement* angoissée pour sa fille se serait précipitée chez elle, c'est ce que vous vous dites ?

— On peut le penser.

Un autre silence, long, tandis que Kat se posait sur un fauteuil, face à la baie vitrée.

— Lena et moi avons eu des mots par le passé à ce sujet, admit enfin Annie. Elle me trouvait trop intrusive. Trop envahissante. Et je l'étais, je ne peux pas dire le contraire. Cela nous a gâché beaucoup de moments, je le reconnais. Lena et moi nous nous sommes brouillées. Puis cela a été mieux, j'ai juré de changer, de respecter son intimité, et je m'y suis tenue. Je le lui ai promis. Lena en fait une condition essentielle à notre relation. Elle... elle m'a menacée de ne plus jamais me revoir si je dérogeais à la règle encore une fois.

— Pourquoi ne pas me l'avoir dit lorsque nous nous sommes rencontrées ?

— Parce que cela va dans le sens de la fugue, non ? Vous l'auriez pris comme un élément supplémentaire indiquant qu'elle pouvait très bien en avoir marre de cette mère étouffante, incapable de couper le cordon... Je sais au fond de moi qu'elle ne m'a pas fait ça, je sais qu'elle n'est pas partie, et le message que j'ai reçu d'elle, mentionnant sa petite sœur décédée, ce n'est pas logique. Il se passe quelque chose avec ma fille, j'en suis certaine !

– Je vous crois, Annie. Je vous crois.

Les larmes coulaient sur ses joues, Kat pouvait les entendre malgré tous les efforts de son interlocutrice pour les masquer, les ravaler avec la rage de celle qui ne parvient pas à contrôler ce qui l'exaspère.

– J'ai frappé à sa porte, encore et encore, j'ai harcelé son répondeur, je sais qu'elle m'aurait rappelée à la fin. Je n'ai pas besoin d'entrer chez elle pour savoir qu'elle n'y est pas. Et lorsqu'elle reviendra, elle ne pourra pas me reprocher d'avoir transgressé les règles, j'ai respecté sa vie. Je suis inquiète, c'est tout.

Annie Fowlings était dans le déni, Kat ne voyait pas d'autre explication. N'importe quelle mère aurait foncé chez son enfant, ouvert la porte en craignant de la trouver inconsciente, malade ou pire... Pas elle. Ne surtout rien faire qui pourrait contrarier sa fille. Elle devait avoir été très loin dans l'abus, dans la possessivité, pour être aussi à vif sur la question, et Kat la comprenait lorsqu'elle avait préféré taire cet aspect-là de leur relation mère-fille. En effet, cela aurait peut-être encore plus orienté la détective sur l'idée d'un départ volontaire pour échapper à ce monstre de contrôle.

– Est-ce qu'elle parle souvent de Vénus, son chat ?

Kat voulait se faire confirmer la relation de Lena à son animal. Elle avait toujours du mal à l'imaginer commettre un tel acte de barbarie à son encontre.

– Elle... (Long silence gêné.) Je ne savais pas qu'elle avait un chat, non.

Décidément, il y avait vraiment tout un pan de l'existence de Lena que sa mère ignorait. Kat n'osa pas poser la question d'un éventuel séjour en hôpital psychiatrique, ça risquait de faire trop en une seule fois.

– Je peux le récupérer le temps que vous retrouviez ma fille, si vous me rendez ses clés.

– Non, le chat a disparu, coupa Kat.

Elle ne voulait pas qu'Annie débarque sur place et découvre le cadavre pyrogravé. L'affaire prenait un tour de plus en plus sordide. *Et inquiétant. Il va falloir mettre les flics au courant.* Kat n'avait pas envie de tout abandonner maintenant, et elle savait qu'une fois la police impliquée, elle serait écartée, sermonnée, afin qu'elle les laisse opérer sans personne dans les jambes. *Sauf s'ils prennent la dépouille du chat pour une preuve supplémentaire de la démence de Lena.* C'était plus que probable. Ils ne manqueraient d'ailleurs pas de le consigner dans leur rapport. Et d'enterrer le dossier sous la pile, en attendant que son cadavre remonte des eaux où elle se serait jetée dans leur conclusion hâtive. Non, pour remettre la main sur Lena Fowlings, il fallait que Kat poursuive son travail, tranquillement et sans entrave. Et jusqu'à présent, ce qu'elle avait découvert n'imposait pas qu'elle prévienne les autorités, elle n'avait rien d'assez concret.

– Vous pensez que c'est bon signe ?

– Pardon ? fit Kat.

– Que Lena soit partie avec son chat. C'est positif, non ? Ça signifie qu'elle savait qu'elle filait pour un moment, vous ne croyez pas ?

– Je ne sais pas, Mrs Fowlings, inutile de supputer sans aucune preuve.

– Oui, mais si elle aime son chat et qu'il a disparu, c'est qu'elle...

– J'espère avancer dans la journée sur un individu en particulier, je vous rappelle demain soir pour faire le point.

– Un homme ? Il pourrait avoir fait du mal à Lena ?

– Écoutez, c'est certainement sans rapport, mais je dois tout traiter. Ne commencez pas à imaginer le pire, il n'a probablement rien à voir avec tout ça. Quoi qu'il en soit, j'ai plusieurs éléments à explorer, je vous rappelle. Essayez de dormir, Mrs Fowlings.

Kat coupa sans la laisser répondre, elle n'avait pas le courage d'offrir une oreille compatissante, pas maintenant.

Elle demeura assise plusieurs minutes, songeuse, avant d'enfin enfiler un bas de survêtement et un sweat aussi doux que possible, puis de se sécher les cheveux en repensant à toute l'histoire depuis le début. Après quoi elle attrapa son verre et fila au bout du couloir, dans son bureau, avec l'intention de passer en revue tout ce qu'elle savait, notes à l'appui. Le timing de la vie de Lena était peut-être important, son entourage aussi. Revoir le listing téléphonique, également. Bref, les prochaines heures seraient studieuses.

Elle tomba sur le petit tas de courrier, empilé dans un coin. Il lui faudrait aller le remettre en place à l'occasion, elle n'avait aucun droit de le détenir, encore moins de l'ouvrir. Elle le survola rapidement, juste pour s'assurer une nouvelle fois qu'il n'y avait aucune lettre intéressante – auquel cas elle verrait avec la mère pour en prendre connaissance. Rien que des pubs et ce qui ressemblait à des factures. Elle ressortit alors les pages de l'historique téléphonique et vérifia encore qu'elle avait bien repéré les appels récurrents et leur rythme. Quelques gorgées de rhum l'aidèrent à donner un peu de chaleur à tout ça.

Rien de nouveau.

Elle voulait dresser un grand schéma de l'entourage de Lena en utilisant XMind, un logiciel de brainstorming pour l'organisation des idées, permettant de créer de vastes organigrammes fléchés. Une fois qu'il serait imprimé sur plusieurs pages scotchées ensemble, elle disposerait d'une vision générale de Lena et tous ses cercles, avec les rôles de chacun, pourrait y ajouter les quelques numéros de téléphone qui revenaient et probablement travailler à les identifier, au cas où… *Sauf qu'avec cette fille, tout va tenir sur une page. Elle n'a presque personne autour d'elle.*

Mais avant cela, Kat repensa au dossier des photos prises dans l'appartement et le consulta sur son ordinateur, pour évacuer la tâche au plus vite. Elle marchanda avec sa bonne conscience un balayage rapide de celles du chat. Il n'y avait plus rien à en dire.

Elle avait bombardé sous plusieurs angles chaque détail... Examiner cela était soporifique, surtout lorsqu'on avait le sentiment de connaître tout ça par cœur.

Le salon, les livres, la déco douteuse, les flyers entassés, la pass...

Kat fronça les sourcils. Elle revint en arrière, et s'arrêta sur une des publicités conservées par Lena entre des tracts pour des soirées.

Il s'agissait d'un papier couleur crème, impression de bonne qualité. Le titre était assez clair : « Avez-vous l'impression que le monde ne tourne plus rond ? » Kat l'avait pris pour l'un de ces trucs prosélytiques des Témoins de Jéhovah ou d'un groupe de ce genre... Le texte en dessous déroulait une série de faits et de comportements qui ne mettaient pas l'humanité en valeur, comme notre capacité à l'autodestruction, notre propension à piller nos ressources, à faire la guerre pour avoir plus que l'autre, et dénonçait le capitalisme sans limite qui écrasait les êtres humains au profit d'un système, d'un modèle, sans même s'interroger sur celui-ci. Et ainsi de suite.

Kat vérifia : elle n'avait pas photographié le verso et ne pouvait voir où tout cela menait. Mais elle avait déjà vu ce flyer autre part.

Elle pivota sur son fauteuil et saisit la pile du courrier prélevé chez Lena. Elle retrouva le même exemplaire au milieu de publicités pour un sexshop et pour un livreur de pizzas. OK, donc elle en avait gardé un dans sa petite collection et apparemment on continuait à la bombarder. Et alors ?

Kat allait le reposer, pas convaincue, lorsqu'elle jeta tout de même un œil au dos, par acquit de conscience.

En bas, dans un rectangle blanc destiné probablement à recevoir un coup de tampon, était écrit à la main : « Dimanche, 17 heures, même endroit. »

Kat s'enfonça dans son assise. Depuis quand était-il dans la boîte aux lettres lorsqu'elle l'avait récupéré ? Lena l'avait-elle consulté avant de le laisser là ? La privée chercha à se souvenir de la disposition du courrier lorsqu'elle l'avait trouvé, sans succès. Il était possible que Lena l'ait vu, puis reposé, mais rien ne pouvait le certifier.

Était-ce pour le dimanche de sa disparition ?

Cela n'avait peut-être rien à voir du tout, un simple hasard...

Bien sûr. Et on a inscrit au stylo un rendez-vous le jour où elle s'envole, mais ça n'a aucun lien ? Arrête.

Kat lut le texte du verso. C'était un parfait manifeste de récupération à destination de tous les dépressifs, les gens mal dans leur peau, en quête de sens. L'affirmation que si le monde fabriquait autant de désespoir aujourd'hui ce n'était pas fortuit, et la promesse qu'il existait un moyen d'enrayer cette spirale, dévastatrice pour soi et pour la Terre. Tout était plutôt bien tourné, une très belle prouesse de marketing spirituel travaillée par des pros, avec des arguments habiles, des enchaînements malins. Au bout du compte, Kat était incapable de savoir si les auteurs étaient une secte religieuse, des politiciens écolos ou encore autre chose de plus retors. Mais clairement, le message passait, et si on avait un terrain un peu fragile, on pouvait trouver tout cela passionnant. En bas de page, le flyer se concluait par « Venez assister à l'une de nos présentations ! La prochaine près de chez vous aura lieu : ... » et le cadre blanc suivait, pour y apposer adresse et date en fonction des circonstances.

Kat avala une gorgée de rhum qui lui réveilla la gorge, les saveurs explosant sur sa langue.

Après la fugue, le suicide, la rencontre avec un grand pervers, voilà que surgissait l'endoctrinement par une secte... Lena Fowlings était un mystère sans fin.

Mais tandis qu'elle réalisait que la nuit était tombée dans son dos, Kat sut ce qu'elle devait faire sans plus attendre et elle reposa son verre sur le bureau.

22.

L a lampe projetait un cône blanc, fine paupière qui s'ouvrait, tremblante, sur un océan d'obscurité.

Kat Kordell avait refermé la porte derrière elle, et le silence de l'immeuble la surprit. Pas un son, pas une vibration, pas même l'écho distant d'une télévision, rien que la ouate étrange du vide autour d'elle. Dans un immeuble comme celui-ci, aussi vaste, aussi peuplé, cela sonnait presque faux.

Kat vérifia que rien n'avait changé quant à l'électricité en actionnant un interrupteur, sans plus de succès que lors de sa première visite chez Lena Fowlings.

L'odeur du chat éventré avait presque disparu, ne flottait plus dans l'air qu'un relent des pires moments de la décomposition, et Kat, n'étant pas une experte en putréfaction, supposa que le pire était passé. Ce dont elle se félicita.

Elle entra dans le salon, sans faire de bruit, et se dirigea tout droit vers l'endroit où Lena entassait sa collection de brochures pour soirées ou concerts spéciaux. Kat trouva ce qu'elle cherchait au milieu du paquet, exactement le même format que celui trouvé dans sa boîte aux lettres. Elle braqua sa lampe sur le verso. Dans le rectangle blanc était là aussi inscrite une note, même écriture serrée. Cette fois, il s'agissait d'une adresse. « En face du 132, 76ᵉ Rue, Jamaica. »

Le cœur de Kat s'accéléra légèrement, signe d'excitation. Enfin quelque chose de concret.

Elle fourra le flyer dans sa poche et se redressa.

L'univers original de Lena paraissait encore plus sinistre la nuit, dans le calme et l'indifférence de cette tour. Les affiches gothiques, les attrape-rêves qui pendaient du plafond.

Et cette odeur presque diluée dans l'atmosphère et qui pourtant persistait en fond...

Il faisait plutôt bon en ce moment, et si Kat n'était pas une experte en la matière, il lui semblait tout de même que cela accélérait, voire intensifiait le processus de décomposition des cadavres. Elle était passée ici même deux jours auparavant. Bizarre que la puanteur ne se soit pas accentuée au lieu de s'estomper, tout de même...

À contrecœur elle prit la direction de la chambre, prudemment, son cône de lumière en guise de guide. Elle se rapprocha de la porte et, instinctivement, ralentit sur le seuil. Un détail ne collait pas. Elle ignorait quoi, pourtant elle sut tout de suite, avant même d'entrer dans la pièce, qu'il s'était passé quelque chose depuis sa venue.

Elle pencha doucement la tête à l'intérieur, relevant son pinceau blanc devant elle pour gommer les ténèbres.

Le lit.

Le cœur de Kat battait plus vite, et cette fois ce n'était pas à cause de l'excitation.

La commode.

La privée se mit à respirer par la bouche, de moins en moins sûre d'elle.

Elle n'en voyait pas plus. Il lui fallait entrer dans la chambre.

Elle fit un pas en avant.

Cette fois la lampe dévoila le squelette, effondré sur la commode, au milieu d'une auréole sombre asséchée.

Vénus, la chatte, avait été entièrement nettoyée. De sa chair, de ses organes, ne demeurait qu'une peau parcheminée couverte de poils, les os visibles en dessous comme un cintre sur un vêtement trop fin. Ce n'était plus du tout le cadavre que Kat avait découvert le vendredi matin, mais une créature dévorée de l'intérieur, parfaitement vidée de sa substance, de ses fluides et de sa viande. Une marionnette de chat avachie sur elle-même. Qui avait pu commettre une telle atrocité ? La décomposition n'était pas responsable, pas aussi vite, pas ainsi. À moins de trouver un moyen de l'accélérer, et encore... Non, Kat en était convaincue, c'était l'œuvre d'un homme. Un fou.

Fébrile, elle se rapprocha tout de même pour s'accroupir à la hauteur de la carcasse.

Le message pyrogravé sur les côtes n'était plus visible, enseveli sous la masse atrophiée.

À cet instant, Kat réalisa que la machine à pyrograver n'était plus disposée à côté du cadavre.

Elle fit volte-face, orientant sa lampe à droite, puis à gauche, cherchant à s'assurer qu'elle était bien seule. La penderie était grande ouverte. *Elle était fermée lorsque j'ai visité vendredi.* Aucun doute là-dessus.

Plusieurs vêtements renversés au sol, comme si on avait cherché quelque chose. Qui était venu ? Lena ?

Une autre question, plus stressante, s'imposa à Kat.

Était-elle vraiment seule à présent ?

Elle éclaira le lit, à la recherche d'une forme bosselée sous la couette.

Rien.

Elle fouilla du regard autour d'elle, puis s'agenouilla précautionneusement pour examiner sous le sommier. Il y avait des moutons de poussière. Un chausson abandonné. Puis une forme. Large, longue. Elle occupait presque tout l'espace.

Kat se mit à respirer plus fort. Elle ne parvenait pas à bien distinguer ce dont il s'agissait. Une personne ? *Oh non. Pas elle. Pas comme ça.*

Kat leva sa lampe vers cette masse informe. Et si le chat n'avait fait que masquer l'odeur d'un autre corps, plus imposant celui-ci ?

Kat vit une manche de pull. Et soudain elle se glaça à l'idée que ce n'était peut-être pas un cadavre mais un homme, bien vivant, qui l'attendait. Il allait la saisir d'un coup et l'attirer sous le lit avec lui...

Arrête ce genre de conneries !

Il y avait plusieurs vêtements oubliés là-dessous, et Kat ne pourrait pas comprendre qui ou quoi était caché au centre sans se glisser à son tour sous le sommier. Elle rampa sur ses coudes et se rapprocha, lentement. *Pourvu que ce ne soit pas Lena...*

Si sa mère apprenait que sa fille s'était donné la mort chez elle, en se recroquevillant sous son propre lit...

Kat s'empara du pull, juste un oubli. Rien d'anormal pour une fille aussi bordélique que l'était Lena. Mais il y avait autre chose derrière. La détective privée écarta un petit tapis de bain roulé en boule et ses doigts effleurèrent quelque chose de mou. Ce n'était pas froid.

De nouveau, son rythme cardiaque s'emballa. C'était la texture de la peau !

Il y avait quelqu'un avec elle sous ce lit.

Kat redressa son faisceau autant qu'elle le put et aperçut un bras, puis un visage, qui l'observait, le regard glacial.

Un homme.

Ainsi coincée, vulnérable, Kat fut prise de panique face à cet inconnu qui la fixait, un vague rictus figé aux lèvres, comme fier de lui et de son petit stratagème pour l'attirer. Kat ne cria pas, mais elle voulut le repousser d'un coup de sa main libre et ce faisant, se cogna l'arrière du crâne sur le cadre en bois. L'homme ne broncha pas, il ne chercha même pas à l'attraper, et avant qu'elle ne puisse reculer et sortir, Kat réalisa qu'il ne bougeait toujours pas.

Elle se trouva aussitôt ridicule. Pathétique.

Ce n'était qu'un mannequin. Une moitié d'homme, la partie supérieure, car il manquait les jambes. Cette fois, plus calme, Kat put le détailler et remarqua qu'il était couvert d'arabesques et de dessins géométriques. Un buste d'entraînement au tatouage.

Lena avait dû récupérer ça lors de l'une de ses virées gothiques ou à une manifestation artistique...

Kat ressortit de là et soupira profondément. Elle s'était fait une sacrée trouille avec pas grand-chose. Pourquoi Lena conservait-elle un truc pareil ? Souvenir d'une bonne soirée ? Kat se mit à l'imaginer se coucher le soir avec son mannequin dans le lit pour simuler une présence... Était-elle seule à ce point ? Et si c'était tout simplement pour s'entraîner à la pyrogravure ? Probablement...

Tout à coup, Kat réalisa qu'elle n'avait pas sécurisé le reste de l'appartement et la peur revint. La personne qui était venue pour Vénus était peut-être encore ici.

Aussi discrète que possible, Kat s'aventura vers la cuisine. Rapide coup d'œil, ouverture des placards les plus hauts, vérification des toilettes, de la salle de bains...

Il ou elle était reparti(e) depuis.

Qu'avait-on fait au chat ? Pourquoi l'avoir ainsi... vidé ?

Soudain, l'image de Vénus ramassée sur elle-même, la peau étrangement sèche plaquée contre son squelette, lui renvoya une autre image.

Comment s'appelait ce chien, déjà ?

Snoop. Le chien de la voisine de Galvin Hutchinson. C'était exactement la description qu'elle en avait faite.

Kat ressortit la brochure froissée de sa poche. Où était-ce ? Jamaica, probablement Jamaica Bay, dans le Queens. La torche coincée sous le bras, Kat tapa l'adresse sur son téléphone portable.

C'était au cœur du quartier surnommé The Hole – Le Trou. Un endroit que Kat connaissait de réputation. Il n'avait pas cette appellation pour rien. Un coin éloigné de tout, considéré comme le Far West de New York. On quittait presque la planète Terre. Pas la porte à côté, mais c'était faisable, même à cette heure.

Kat n'essaya pas de lutter contre sa nature.

Elle fila droit vers la sortie.

23.

Le Trou était une aberration dans une ville moderne. À cheval entre les confins de Brooklyn et l'entrée du Queens, s'en approcher en pleine nuit depuis Manhattan était déjà en soi un périple. Kat dénicha un taxi qui la déposa à l'entrée, sur Linden Boulevard, en quarante minutes.

Elle nota immédiatement que Le Trou était une poche d'obscurité dans la ville, aucun éclairage public. Elle y entra par Emerald Street. Là le secteur commençait presque normalement, avec des maisons de plain-pied ou d'un étage, des cours fermées par des grillages, quelques bouts de verdure, mais une chaussée déjà passablement cabossée qui n'avait pas été rénovée depuis longtemps, bordée de longues mares croupies. Le Trou était un des rares endroits à New York sous le niveau de la mer, sans service d'égouts. Ici, les eaux stagnaient jusqu'à leur évaporation.

Une première voiture rouillée apparut après plusieurs dizaines de mètres, montée sur parpaings. Puis une deuxième, éventrée au milieu d'une bande d'herbe entre deux bâtisses douteuses. Les habitations s'espaçaient, les terrains remplis de déchets industriels en tout genre s'agrandissaient et une minuscule colline se profila, jusqu'à ce que Kat comprenne qu'il s'agissait du plus grand tas de pneus usés qu'elle ait jamais vu. Tout n'était plus qu'un théâtre d'ombres chinoises où il fallait deviner la nature de chaque chose.

L'asphalte gibbeux et craquelé s'en allait à certains endroits par fragments entiers, laissant à la place des nids-de-poule comme des cratères de météorites gorgés de limon.

Kat prit alors conscience du calme étrange qui l'entourait. Il y avait certes la rumeur du trafic environnant, mais Le Trou lui-même abritait un silence de mort.

À cet instant, la mâchoire féroce d'un molosse jaillit sur le côté et claqua à quelques centimètres du bras de la privée qui bondit en arrière, le cœur figé dans sa poitrine. Le chien se mit à aboyer avec rage, retenu par la chaîne qui l'empêchait de franchir les limites de son territoire. Kat haletait de peur et mit plusieurs minutes à redescendre en pression.

Elle s'enfonçait dans ce domaine oublié, dépassant un terrain vague, découvrant plusieurs constructions abandonnées au milieu d'autres, occupées, comme en témoignaient les cordes à linge couvertes de vêtements en train de sécher. La route disparaissait progressivement, remplacée par une terre boueuse sur laquelle les racines des arbustes gagnaient un peu plus d'espace année après année.

Un étang impromptu se dressa droit devant elle. Une inondation avait envahi la rue et Kat se fraya un passage en se faufilant par le jardin-dépotoir d'un habitant du quartier. Puis elle dépassa un carrefour avec plusieurs caravanes et mobil-homes regroupés les uns contre les autres alors même qu'en face une friche de très hautes herbes demeurait inoccupée. Des bennes taguées gisaient sur le bas-côté, pleines de gravats, et plus loin encore, un camion-poubelle prenait la poussière, pneus à plat, fenêtres brisées.

Où suis-je ? C'est véritablement un voyage dans le temps et le glauque...

Kat ne se sentait pas très rassurée. Elle qui avait pourtant l'habitude de traîner dans des lieux peu recommandables n'aimait pas le sentiment d'isolement qui émanait de celui-ci. L'impression que le téléphone ne capterait pas, que jamais les secours ne viendraient jusqu'ici...

Et elle n'était pas au bout de ses surprises. Une succession de bosses hirsutes jalonnaient le chemin, et il fallut que Kat ait le nez dessus pour réaliser qu'il s'agissait de poules qui dormaient. En liberté, en pleine ville.

Plus elle s'enfonçait dans Le Trou, plus Kat remarquait que les maisons se faisaient rares, protégées par des grilles surmontées de barbelés. Des terrains mal entretenus servaient de dépôt pour camions, bus et même véhicules de chantier, ou encore de décharge sauvage où il fallait naviguer habilement entre les flaques nombreuses et les arbres tordus.

Des grillons grésillaient dans les fourrés du bas-côté. Un cheval hennit au-delà, vers l'est. *Hallucinant...*

Kat y était presque. Elle laissa derrière elle d'autres épaves automobiles, dont une calcinée, ainsi que des containers couverts d'inscriptions, et s'enfonça dans ce qui semblait être une impasse. Une unique maison délabrée occupait l'angle, juste avant que le mélange d'asphalte et de terre n'achève sa course en butant sur un mur de lierre. Des sacs-poubelle s'entassaient là.

En face du 132, se souvint-elle, c'était ce qui était écrit sur la brochure. *J'y suis.* Le 132 correspondait à la bicoque qui menaçait ruine. Elle s'approcha d'un grillage flambant neuf qui délimitait un bosquet étendu, au sous-bois dense. Des écriteaux « PROPRIÉTÉ PRIVÉE – DÉFENSE D'ENTRER » bégayaient leur avertissement tous les dix mètres.

Ça ne peut qu'être là. Mais un rendez-vous dans un bordel pareil ? Cela semblait improbable, il devait y avoir un point de ralliement à l'intérieur.

Kat nota une porte aménagée dans la clôture avant de constater la présence d'un gros cadenas pour la verrouiller. Elle tira dessus, sans résultat.

Si je continue c'est un coup à me faire retirer ma licence. Je suis venue jusqu'ici pour rien ? L'unique piste qui remonte à Lena passe par ici, si je capitule maintenant, c'est à tout le dossier que je renonce.

Elle avait déjà fait quelques entorses aux règles, le principe même ne la dérangeait pas, c'était le risque de perdre son job qui la perturbait. Mais d'habitude elle ne faisait que jouer avec les limites de la légalité, là, clairement, c'était l'enfreindre.

– Tant pis ! siffla-t-elle entre ses dents tout en s'élançant pour franchir la barrière.

Une fois de l'autre côté, elle s'aventura sur la mousse ocre, écartant les fougères devant elle et zigzaguant entre les troncs noueux. En l'absence d'éclairage dans la rue, il faisait particulièrement noir, et elle n'eut d'autre choix que d'allumer la lampe de son smartphone, après avoir attendu d'être le plus loin possible de l'impasse. Des tonneaux en décomposition se mêlaient à des jouets d'enfant déformés par le temps que les tiges et lianes tentaient de s'approprier. Et sous les obstacles naturels omniprésents, elle devina la carcasse d'un véhicule enseveli par les ronces.

Il y avait un passage. Étroit, presque indiscernable, à peine une bande sinueuse au sein de la végétation. Kat s'y risqua, lentement, guettant sans cesse autour d'elle, sursautant au moindre bruissement dans les fourrés. Il devait y avoir bon nombre de bestioles détestables, songeait-elle.

L'arête blanchâtre d'une structure se profila à travers le paysage et Kat accéléra jusqu'à découvrir un vieil édifice rectangulaire qui avait dû être un hangar en béton. Les huisseries s'étaient désagrégées et elle put y pénétrer prudemment, vérifiant où elle posait les pieds dans ces décombres poussiéreux. Sa timide lampe lui dévoilait petit à petit la profondeur du lieu ainsi que sa décoration urbaine de graffitis en tout genre. Il était évident que même ces multiples couches de dessins remontaient à un certain temps. Plus aucun squatteur n'avait apposé sa marque depuis que la clôture avait été posée. *C'est récent, quelques mois tout au plus.* Un promoteur s'apprêtait-il à tout détruire ? *Pour fabriquer quoi dans un trou paumé comme celui-ci* ? C'était le secteur entier qu'il fallait raser.

Qu'est-ce que Lena était venue faire ici ? Le flyer qui mentionnait l'adresse était une sorte d'attrape-crédules, et les conférences qu'il proposait devaient servir à les enrôler dans ce groupe dont Kat ne parvenait pas à définir la nature. Mais pouvaient-ils effectuer leur show ici ? Elle ne parvenait pas à y croire. Il s'agissait d'autre chose.

Un rendez-vous privé, rien que pour Lena.

La jeune fille s'y était rendue au moins deux fois, puisque le dernier flyer stipulait « même endroit que la dernière fois ». Elle connaissait donc.

Il était écrit « dimanche 17 heures ». Jour et heure de sa disparition. C'est ici que ça s'est produit.

Kat regretta pour la première fois de ne pas être armée autrement que d'un Taser dans sa poche. Et si le corps de Lena gisait là, quelque part ?

Kat se reconcentra sur le concret. Observer, sonder, analyser. C'était le meilleur moyen de ne pas laisser son esprit vagabonder vers le pire.

Il y avait eu de l'activité récemment, plusieurs grosses bougies fondues le prouvaient, elles n'étaient pas anciennes, quelques semaines tout au plus. Kat déambula parmi les poutres d'acier corrodé qui traînaient, prisonnières sous des sacs de ciment antédiluviens et percés, dont le contenu répandu constituait une gangue épaisse. *S'il y a un cadavre là-dedans, impossible de le sortir...*

Non, tout cet aspect de l'entrepôt datait de bien avant le passage de Lena.

Kat vit un rectangle obscur se profiler, des marches descendaient dans un sous-sol entièrement noyé, l'eau affleurant presque au niveau du rez-de-chaussée. Bien lestée, une personne jetée ici n'aurait aucune chance d'être retrouvée.

Cesse d'envisager qu'elle soit morte.

Pourtant le lieu s'y prêtait. Reculé, sinistre.

Une pièce occupait la dernière portion du hangar. Kat entra, son téléphone devant elle, et gravit la dizaine de marches qui conduisaient à la partie supérieure. Le contraste fut saisissant. Une centaine de mètres carrés nettoyés, sans débris ni saletés autres que les inévitables toiles d'araignée. Des visages noirs avaient été peints sur les quatre murs, difformes, les traits allongés sur toute la hauteur. La bouche distendue dans un hurlement silencieux, effrayant, ils se succédaient à l'instar d'un tribunal de géants monstrueux prêts à la dévorer.

Je déteste cet artiste. Ce mec est taré.

Mais son œuvre était efficace, elle avait la chair de poule.

Là aussi, des monticules de cire avachis indiquaient qu'on y avait passé du temps, Kat en compta au moins une vingtaine. Elle imagina toutes les bougies allumées en même temps, les jeux de clair-obscur avec les chaînes qui pendaient du plafond. *Ne manquent que les crocs de boucher pour compléter la panoplie du film d'horreur.*

Au fond de la salle, le sol s'effaçait pour former un bassin d'environ deux mètres de profondeur, semblable à une petite piscine de métal marron. Aucun escalier, rien qu'un trou abrupt. Des paquets de cire l'entouraient, comme s'il avait été le cœur du rassemblement. La cuve était sèche et l'hypothèse d'un bain de minuit improvisé ne tenait pas la route. *Une orgie ?*

Kat s'accroupit. Il y avait beaucoup de traces de pas devant le bassin. On était venu ici pour attendre. À plusieurs.

Pour regarder.

Kat braqua sa lampe vers le fond de la cuve ouverte.

Il y avait ce qu'elle prit de prime abord pour des flaques, avant de mieux distinguer les taches informes... *De la boue ?*

Kat soupira et s'allongea de tout son long afin de pouvoir se pencher un peu mieux dans le bassin, son téléphone allumé tendu à bout de bras.

Ce n'était pas de la terre mais des insectes. Écrasés. Par grappes. *Quelqu'un a marché dessus.* Il devait y en avoir beaucoup.

Beaucoup trop.

Kat frissonna. Elle commença à sentir les corps velus s'immiscer sous son pantalon et lui courir sur les jambes, passer sous le col de son T-shirt et se répandre dans son dos, sur sa poitrine, et elle agita nerveusement les membres. Ce n'était que dans sa tête.

Qu'est-ce qui s'est passé ici ?

Son regard fut attiré par des stries sur la paroi métallique, juste sous son buste. Parallèles, irrégulières, assez profondes.

– Oh mon Dieu…, ne put-elle s'empêcher de murmurer.

Des griffures. Celles d'une personne cherchant désespérément à remonter, au point d'en rayer l'acier. Il y en avait partout. Parfaitement visibles. Ni poussière ni salissures dans les sillons, elles se démarquaient par leur éclat. *Fraîches !*

Cela ne remontait pas à plus d'une poignée de jours.

La lumière attrapa un éclat plus opaque, planté juste en dessous de Kat, à la verticale.

Un ongle.

Arraché. On pouvait encore distinguer les fragments de peau et de chair noircie à son extrémité.

Kat secoua la tête, elle s'efforça de contrôler sa respiration pour ne pas paniquer.

Des gens avaient été jetés là-dedans et s'étaient débattus pour essayer d'en ressortir. La terreur. Au point de se tordre les doigts, de se mutiler pour avoir une chance de s'enfuir.

Au milieu d'insectes…

Kat revit les bougies tout autour. On les avait regardés. Un spectacle cruel, pervers.

Elle ne parvenait pas à y croire et pourtant tout concordait.

La privée se remit sur les genoux, à quatre pattes, sans remarquer l'ombre qui se déployait dans son dos, lentement, sans un bruit.

Et qui se rapprochait. De plus en plus.

Jusqu'à la dominer.

24.

Kat en tremblait presque, rien que de s'imaginer coincée au fond de la cuve pleine de bêtes. Pourtant cela n'expliquait pas qu'on puisse perdre la raison au point de s'en arracher les ongles. Il y avait eu autre chose.

Qu'est-ce qu'on a fait à ces gens pour qu'ils soient à ce point affolés et...

Le mot juste était « épouvantés ». Ils n'étaient pas affolés, non, ils étaient pires que des animaux luttant pour la survie.

C'est ça, de la survie. La conscience que tout va s'arrêter là si on ne sort pas de ce bain immonde immédiatement.

Ce fut l'odeur qui alerta Kat. Forte transpiration. Qui l'enveloppa d'un coup et elle sut qu'elle n'était plus seule. Que l'individu était tout près, peut-être à seulement quelques centimètres.

Elle roula sur elle-même au moment où la barre à mine s'abattait sur le béton, manquant de peu de lui ouvrir le crâne.

La silhouette, massive, préparait déjà son attaque pour frapper de nouveau. Kat, allongée sur le dos, lança son pied aussi fort que possible dans le genou devant elle et l'homme poussa un cri tandis qu'il basculait. Elle en profita pour se hisser sur ses coudes et voulut se relever, mais l'autre fit mouliner sa barre à mine et le métal siffla dans l'air en fonçant droit sur le visage de Kat, qui ne réagit que par pur réflexe.

Sans réfléchir.

Uniquement pour éviter le coup.

Elle bascula en arrière pour l'esquiver.

Le sol se déroba, et elle chuta au fond du bassin. Le choc la sonna. Kat gémissait, la vue brouillée, dans le noir, son téléphone encore là-haut.

Elle pivota douloureusement sur le flanc et s'appuya sur une main pour tenter de se redresser. Sa paume s'enfonça dans la chitine d'insectes broyés. Elle devina leurs carcasses, leurs pattes, leurs ailes et leurs mandibules et en eut un haut-le-cœur, mais continua. Elle devait reprendre ses esprits, se positionner pour parer la prochaine attaque, sa vie en dépendait.

Un raclement provenant du dessus lui indiqua que son agresseur bougeait. Elle parvint à se mettre sur une jambe, se tenant à la paroi, juste sous les griffures.

Son cœur s'emballait.

Diminuée par la chute, elle luttait pour ne pas s'effondrer, il fallait retrouver sa lucidité, se préparer. Chaque seconde pouvait faire la différence.

L'autre n'était toujours pas visible en surplomb.

Respire.

Comment allait-elle faire pour remonter ? S'il l'attendait avec son pied-de-biche, il serait à même de lui lacérer le crâne à l'instant où elle se hisserait à la surface.

Nouveau raclement, accompagné d'un gémissement.

Il se tire.

Kat comprit qu'elle l'avait blessé au genou et qu'il bataillait lui aussi pour se bouger, pour fuir.

Un élan de colère l'envahit, remplaçant en partie la peur, et l'adrénaline inonda son système sanguin.

Kat évalua son état général. Elle reprenait ses esprits à chaque seconde. Douleurs sur le côté gauche, mais rien de cassé, estimat-elle.

Encore un court répit, les mains sur les cuisses, afin de remobiliser son organisme, puis elle recula pour prendre son élan et sauta de toutes ses forces pour attraper le rebord du bassin. S'aidant du bout des semelles, son corps de sportive galvanisé par la situation, elle parvint à se tracter dans un rugissement jusqu'à étaler son buste sur le sol de la pièce.

Son téléphone éclairait chichement l'ombre, qui disparut à cet instant de la salle en boitant.

Pendant une seconde, elle en fut rassurée, prête à attendre que l'autre se soit éloigné pour appeler les flics de son portable. Avant qu'une part d'elle plus véhémente, plus bestiale, ne se révolte. Allait-elle laisser celui qui avait tenté de la tuer s'en sortir ainsi ? Un besoin belliqueux la traversa aussitôt. Au réflexe de survie succéda la pulsion de la vengeance.

Kat n'eut même pas le temps d'y réfléchir, trop d'émotions fortes contaminaient son système sanguin en diffusant un cocktail d'hormones qui lui faisait perdre la raison. Elle n'était plus que réactions.

Et le désir de vengeance était à la mesure de la peur qui l'avait précédé.

Un dernier effort et elle fut sur pied.

Non, ne fais pas ça.

Et si son agresseur était le même que celui qui s'en était pris à Lena Fowlings ? Rien n'indiquait qu'elle avait été...

Et merde !

Kat bondit en avant. Elle grimaça de douleur, mais se mit à courir, sauta dans l'escalier et vit l'homme devant elle qui claudiquait trop lentement pour lui échapper.

Elle lui rentra dedans comme un plaqueur de football américain. Ils roulèrent ensemble dans la poussière et, écumante de rage, Kat lui attrapa le col qu'elle tira de toutes ses forces pour l'étrangler. Dévorée par la fureur, habitée par les réminiscences des cours de boxe qu'elle prenait autrefois, elle serra son autre poing et frappa au menton, une fois, deux fois, trois fois, aussi fort qu'elle avait eu peur.

Deux bêtes sauvages mues par des instincts primaires.

L'homme gémissait, suppliait.

Un enfant. Il pleurait comme un enfant. Alors Kat s'interrompit, le souffle court, à califourchon sur cet être hagard qui la fixait.

La peur avait changé de camp.

Kat s'attendait à une gueule de tueur, un regard glacial, une musculature de professionnel. Bien que dans l'obscurité, elle distinguait l'individu sous elle. Il sentait la transpiration, gras, vêtu de loques, grimaçant et soumis, agité de spasmes ridicules. *Un vagabond.*

– Je m'excuse, bafouilla-t-il la bouche pleine d'écume et de larmes. Je m'excuse !

Cette ordure avait essayé de la tuer et implorait son pardon ? Kat sentit la colère remonter d'un cran et s'apprêtait à cogner encore, lorsque sa raison lui bloqua le bras. Au-delà même de l'aspect de l'homme, sa façon de trembler témoignait d'une certaine démence. Il n'était pas dans son état normal. Il ressemblait à une épave, physique et mentale.

Réfléchir calma Kat. Son cœur battait encore à tout rompre, mais son cerveau reprenait le dessus.

– Pourquoi tu m'as attaquée ? dit-elle froidement.

Le mendiant avait la bouche tordue de sanglots. À travers sa barbe, ses lèvres formaient des mots qui ne sortaient pas et il fit signe qu'il ne savait pas lui-même.

– Tu vis ici ?

Elle avait conscience qu'elle aurait dû se montrer plus conciliante, plus ronde et rassurante pour apaiser la situation, mais elle n'en était pas capable, son ton demeurait impératif.

– Nnn... non. Plus maintenant.

– Qu'est-ce que tu faisais ?

Il avait du mal à reprendre sa respiration et, presque contrainte, Kat se recula pour s'asseoir en face de lui sur un bloc de pierre. Son flanc l'élançait, mais elle prit sur elle pour ne rien montrer.

L'homme, qui devait avoir pas loin de la cinquantaine, mit du temps avant de se redresser sur les fesses à son tour, sans la quitter du regard. Un strabisme très marqué de l'œil gauche lui donnait un air encore plus étrange. Il la craignait, elle pouvait le lire dans toute son attitude.

– Qu'est-ce que tu faisais là alors ? insista la privée.

– Je... Je cherchais un... un ami.

D'un revers de manche, il essuya la bave et le sang qui maculaient ses poils de barbe. Il pleurait encore et sa poitrine vibrait.

– Pourquoi tu t'en es pris à moi ?

Il secoua la tête.

– Je... j'ai eu peur.

Kat cracha entre eux la poussière et les débris qui lui restaient dans la bouche après s'être battue.

– Je pourrais être morte.

– Pardon.

– Ça ne va pas suffire, je vais porter plainte et prévenir les flics.

– Non ! aboya-t-il brusquement en retrouvant de l'assurance.

Kat se raidit, prête à bondir.

– Ne bouge pas !

Elle se souvint alors de son Taser et le sortit de sa poche de veste en pressant sur le bouton pour déclencher un arc de cercle électrique qui les nimba tous deux d'une lueur bleutée.

– Sinon je te cloue au sol avec ça ! menaça-t-elle. Tu t'es jeté sur moi avec une arme ! Je ne vais pas passer l'éponge, c'est les flics, point.

L'homme agitait les mains devant lui.

– Non, non, non, implora-t-il, il ne faut prévenir personne, personne ne doit venir ici ! S'ils nous trouvent...

Kat lut alors en lui une incroyable détresse et la pitié nuança un peu de sa colère. Puis une idée lui vint.

– Comment tu t'appelles ?

– Dave.

– OK, Dave. C'est qui « ils » ?

– Les extraterrestres ! avoua-t-il d'un coup.

Kat poussa un soupir déçu. Il ne manquait plus que ça.

– Ils sont déguisés en hommes et en femmes comme vous, mais ils enlèvent des gens dans la rue !

Une étincelle se ralluma dans l'esprit de Kat.

– C'est pour ça que tu les appelles les extraterrestres ?

– Oui, ils ont pris mon copain, Jarvis !

– Tu sais ce qu'ils ont fait de lui ?

Dave dévoila des dents pourries.

– Ils l'ont enlevé. J'espère qu'il va revenir un jour, c'est... c'est mon seul ami.

– Tu ne vis pas là, alors ?

Méfiant, il hésita à répondre. Aiguillonnée par la curiosité, Kat proposa :

– Tu réponds à toutes mes questions et peut-être que je n'appelle pas les flics.

Seule la faible clarté de la lune filtrait jusqu'ici, mais Kat pouvait deviner ses yeux. Ils dansaient dans leurs orbites. *Ce type est dingue, ce qu'il raconte est à prendre avec des pincettes.*

– J'habite dans les caves de Linden Plaza, pas très loin, se décida-t-il à confier. C'est Jarvis qui avait installé son camp ici.

– Et ça fait longtemps qu'il a disparu ?

– Euh... je ne sais pas trop. J'ai du mal à compter les jours. Je ne sais plus trop quand on est.

– Des jours, des semaines, des mois ?

– Peut-être des semaines. Pas un mois, je ne crois pas.

– Tu viens souvent ?

– De temps en temps, pour vérifier s'il n'est pas revenu.

– C'est comme ça que tu as vu les... les extraterrestres ?

Il acquiesça vivement. Kat pointa son doigt vers la pièce avec la cuve.

– Tu as vu ce qu'ils fabriquent là-dedans ?

– Non.

– Alors comment tu sais qu'ils enlèvent des gens ?

– Je le sais. C'est Jarvis qui me l'a dit.

– Il a vu quelque chose, lui ?

– Oui, et il a peur. Très peur.

– Qu'est-ce qu'il t'a raconté ?

Dave s'humecta les lèvres avec sa langue râpeuse.

– Ils font des expérimentations.

– De quel genre ? Médicales ? Là-dedans ?

Kat trouvait cela difficile à avaler, au milieu de toute cette saleté.

– Sur des êtres vivants, ils leur font des choses.

– Quoi comme choses ?

– Je sais pas, Jarvis avait trop peur pour me le dire.

Bien sûr, ça aurait été trop simple... Kat serra le poing, agacée.

– Donc toi, tu n'as rien vu ?

Dave hésita.

– Si, leur chef, lui je l'ai vu, plusieurs fois, quand j'étais caché dans le bois.

Kat se pencha vers le vagabond.

– Tu pourrais me le décrire ?

– C'est un blond je crois, il a des yeux incroyables.

– Bleus ?

Dave approuva vivement.

Galvin Hutchinson.

Son intérêt ravivé, Kat demanda :

– Tu l'as souvent aperçu ?

– À deux ou trois reprises... il me semble.

– Et dimanche dernier, tu étais là ?

– Euh... je ne sais pas quand c'était dimanche.

Kat accélérait son débit, prise par l'excitation et l'espoir.

– Ce chef, il était avec une fille aux cheveux sombres, une jeune ?

– Celle aux lèvres noires ?

Cette fois, le cœur de Kat ne tressauta pas pour les mêmes raisons.

– Tu les as vus ? Tous les deux, ici ?

– Oui, elle s'appelle Dorothy.

Toute l'euphorie de Kat s'envola à ce seul nom.

Dave déplia son bras vers l'entrée de l'entrepôt.

– Ils étaient là. Il lui a dit : « Rentrons au Kansas, Dorothy », avant de l'emmener vers la rue dans une voiture. Je n'ai plus revu personne depuis.

25.

L'autopsie d'Oscar Riotto eut lieu le lundi matin de bonne heure, au bureau du coroner de Los Angeles, un manoir de briques rouges et beiges digne d'un film d'Hitchcock.

Obtenir un examen complet du corps si rapidement relevait du miracle, Atticus en était conscient. Trois ans plus tôt, le département de médecine légale de la ville avait été secoué par la démission brutale de son nouveau directeur qui estimait ne pas pouvoir effectuer son métier correctement faute de moyens et de personnel qualifié. Les cadavres s'empilaient à la chaîne avant autopsie, jusqu'à cinquante dans la liste d'attente, et certains résultats toxicologiques mettaient parfois six mois pour être délivrés aux enquêteurs. Les choses allaient mieux depuis, mais c'était souvent la loterie, il fallait bien tomber pour être servi rapidement. Si la justice cherchait l'efficacité, elle prenait toutefois son temps.

L'autopsie de Riotto fut plutôt brève, compte tenu de la nature de ses restes. Pas de dissection en Y, d'organes à étudier sous toutes leurs coutures, de sang à vider à la louche dans le fond de la cage thoracique… Seulement un squelette habillé et une bouillie infâme dans sa poitrine. Au grand regret d'Atticus, elle ne fut pas conduite par Malkovian qui n'était pas présent ce jour-là, mais par un confrère que le flic ne connaissait pas, un Blanc d'une rougeur suspecte.

Atticus s'intéressa particulièrement aux semelles du mort. De minuscules fragments d'insectes y étaient collés et validaient sa théorie. Oscar Riotto avait couru, paniqué, écrasant des insectes répandus tout autour de lui, avant de fuir dans l'enclos des fauves.

Restait la conviction du professeur Huxley, du musée d'Histoire naturelle : les insectes étaient vivants. Partout sur l'esplanade, des myriades noires grouillantes... C'était le point le plus incompréhensible de cette affaire. Et si la plupart des tueurs en série cultivaient un goût certain pour le loufoque et les modes opératoires pervers, celui-ci relevait de l'absurde.

Lorsque le légiste eut terminé de déshabiller le squelette et d'étudier l'amas suintant en lieu et place des organes, il examina les os les uns après les autres, puis demeura longuement circonspect face à son dictaphone suspendu au plafond par un fil, dans l'attente d'une conclusion qui ne venait pas.

– Un problème ? fit Hack en retrait.

Le légiste baissa son masque jetable.

– Je ne sais quoi vous dire.

– La cause de la mort, ce serait déjà bien.

Le médecin eut un geste de sa main gantée de latex vers les restes.

– Impossible à déterminer. Il y a des éléments très... troublants.

– C'est-à-dire ? demanda Atticus en se rapprochant.

La voix du légiste résonnait contre le carrelage – ocre au sol et vert pâle aux murs.

– D'abord les cartilages et l'assemblage général des os. Nous ne sommes pas face à un homme qu'on aurait débarrassé de ses chairs, disons avec de l'acide par exemple, avant de remettre son squelette dans ses vêtements. Les cartilages sont globalement intacts, tout est parfaitement emboîté, ce qui est impossible à reproduire. Il a forcément été écorché *dans* ses habits. Le sang qui les poisse corrobore ce point.

Puis il souleva l'un des flacons de prélèvement où stagnait un peu du liquide d'un rouge tirant sur le brun qu'il avait récolté dans le corps.

– La toxico nous en dira plus, cependant je peux déjà vous affirmer qu'on a dissous ses organes tout en les découpant en infimes morceaux. Autre chose, regardez.

Le légiste tira sur un bras mécanique pour approcher une loupe lumineuse qu'il ajusta au niveau du fémur.

– Vous voyez toutes ces petites stries, là ?

Atticus remarqua d'imperceptibles encoches, presque invisibles mais si nombreuses qu'une fois révélées elles expliquaient l'aspect presque granuleux de l'os.

– Qu'est-ce que c'est ? On dirait... des scarifications microscopiques.

– Il en est totalement recouvert, impossible qu'il se soit mutilé le squelette lui-même de son vivant, ou alors vous contemplez le plus grand malade de tous les temps. Non, je penche plutôt pour des milliers de microblessures.

Une sueur froide coula le long de l'échine d'Atticus.

– Comme provoqués par les mandibules d'une colonie d'insectes ?

Le légiste approuva, aussi désemparé que le détective qui lui faisait face.

– Là, vous m'avez perdu, intervint Hack. C'est sûr, ça ?

Le légiste montra à nouveau le corps sur la table en inox.

– Moi je fais des constatations, à vous de mener l'enquête, les gars. Mais oui, si vous me demandez mon avis, je ne vois que cette hypothèse.

– C'est possible un truc pareil ?

Atticus fit signe que non.

– Jamais des insectes ne pourraient dévorer un homme, pas en plein Los Angeles, et encore moins en quelques heures. Sans compter qu'ils ne se coordonnent pas. C'est autre chose.

Hack ouvrait grands les yeux, incrédule, ce qui lui donnait un air presque comique malgré lui.

– Quoi alors ?

– La signature du tueur...

– Comment il a fait ça ?

– Je l'ignore, Hack. Je l'ignore.

Atticus dérivait en pleine confusion, incapable de cerner la vérité.

Le légiste poussa un long soupir.

– D'habitude je me fous du suivi, avoua-t-il, j'ai pas le temps pour ça, mais là, je veux bien que vous me teniez au courant, parce que j'avais jamais vu de machin pareil dans ma carrière. Et pourtant à LA, on en voit des bizarreries. Vous avez un suspect ?

– Dix milliards de milliards, annonça Atticus en observant les os luisants sur la table d'autopsie.

Sans compter les arachnides et tout le reste...

Lorsque les deux inspecteurs rejoignirent leur bureau, ils tombèrent sur leurs collègues de la travée d'en face, Irzik et D'Angelo, presque des jumeaux, pas encore la cinquantaine, crânes rasés, joues creusées par le sport et sourcils épais.

– Et dire que je croyais la corruption enrayée ! siffla le premier au passage d'Atticus. Y a qu'un flic qui palpe pour s'offrir un costard pareil.

Atticus détestait s'habiller en costume mais le protocole le lui imposait en semaine, alors il faisait les choses bien. Aujourd'hui il affichait un John Varvatos ajusté, une seconde peau rutilante à plus de deux mille cinq cents dollars.

– Tu vois, Irzik, répliqua-t-il, y a des flics comme toi qui ont des fins de mois difficiles à force d'assurer le train de vie de leur femme et de leurs maîtresses, et puis y en a des comme moi qui économisent plusieurs mois pour se faire plaisir.

Sur quoi Hack afficha son immense majeur à l'adresse des deux clones, toutes dents dehors. Il avait bien des défauts, mais la solidarité avec son partenaire en compensait une bonne partie.

Tandis que les deux hommes s'installaient et commençaient par trier leur paperasse du début de semaine, un officier en uniforme toqua sur le bord de la cloison de séparation.

– Gore, le lieutenant veut vous voir.

D'un signe clair, Hack indiqua à Atticus que c'était son problème et celui-ci retraversa seul la longue salle jusqu'à la pièce vitrée à l'entrée. Ronald Petrozza mesurait près de deux mètres et tout son corps semblait ainsi disproportionné, jusqu'à faire paraître ses lunettes en écaille minuscules sur son nez gigantesque.

– Fermez la porte et posez vos miches, Gore. Alors, ce week-end ?

– Intéressant.

– Qu'est-ce que vous avez ? Dites-moi que cette affaire vous allez la boucler, Gore, qu'on dope un peu vos statistiques personnelles.

Atticus détestait qu'on lui rappelle ses échecs, il avait trop de fierté pour cela, mais il ne releva pas.

– C'est un assassinat, je suis convaincu de la préméditation.

– Bien, et vous avez un suspect ?

Cette question qui revenait en boucle l'énerva encore un peu plus.

– Pas encore.

– Bon, soyez franc : ça pue ou vous avez des biscuits à me donner ? Sinon je vous colle D'Angelo et Irzik, à quatre vous devriez y arriver, et si vous vous plantez, ce sera un échec collectif. Pas juste un de plus dans votre dossier, si vous voyez ce que je veux dire.

– On va se marcher sur les pieds. Nous avons des vérifications à effectuer avec Hack mais ça va payer, lieutenant, mentit-il.

Il n'avait aucune intention de travailler avec les deux abrutis.

Le géant fit une grimace dubitative avec sa bouche avant d'acquiescer.

– OK. Alors mettez le paquet, heures supplémentaires dans la limite du raisonnable, et si besoin de plus, vous les faites à votre compte, je veux pas le savoir, mais je veux des résultats, entendu ?

Atticus approuva et quitta la pièce au plus vite.

– Il t'a demandé en mariage ? voulut savoir Hack à son retour.

Gore l'ignora et vit la pile d'affaires que le logiciel DCTS, la base de données des inspecteurs du LAPD, lui avait sorties quand il avait recherché des crimes reliés à des insectes, et il s'en saisit pour la compulser.

Lorsque Eli Hackenberg se déplia péniblement pour aller se chercher à déjeuner, Atticus le laissa filer sans lui. Il voulait en traiter le maximum avant le soir. La lecture était rapide, il survolait les commentaires, l'œil à l'affût d'une mention particulière : insectes. Il en avait déjà fait défiler plus de la moitié lorsqu'il s'arrêta sur un cas étrange. Le corps d'un comptable découvert chez lui, sans aucune trace d'effraction. La cause de la mort n'était pas évidente sur la scène, même si la victime saignait abondamment par tous les orifices, et l'autopsie avait révélé qu'il était devenu comme poreux de l'intérieur. Un nombre incalculable de minuscules hémorragies.

C'était la RHD qui avait traité l'affaire, la division d'élite des enquêteurs, et rien dans ce qu'Atticus avait lu ne permettait de comprendre pourquoi. Il releva le nom de l'enquêteur principal et l'appela immédiatement en expliquant qu'il était sur un cas pourri et qu'il cherchait toutes les pistes possibles. Il ne voulait pas trop attirer l'attention de la RHD sur son enquête, mais n'avait pas le choix.

— Je me souviens très bien, affirma Connor Hogan, c'était à l'automne dernier, le type s'était vidé de son sang par tous les trous. En quoi ça vous concerne ?

— Probablement en rien, mais je préfère taper large. Pardon de vous faire perdre votre temps avec ça, je sais que vous êtes très occupés à la RHD, en même temps je patauge et je me suis dit que peut-être...

Toujours les lustrer dans le sens du poil, se répéta Atticus. Les flics de la RHD faisaient partie de la crème et aimaient bien qu'on le leur répète.

— Qu'est-ce que vous voulez savoir ?

— Vous n'avez appréhendé personne, n'est-ce pas ?

– En effet. Aucune trace sur place, c'était fermé de l'intérieur, l'alarme périphérique était même mise, elle n'a sonné que lorsqu'on est entrés. Un vrai mystère.

– La cause de la mort, vous l'avez identifiée ?

– Non plus. Le toubib a dit que c'était comme si une armée d'infimes soldats de plomb avaient largué leurs toutes petites grenades dans la victime.

– Rien dans l'entourage du mort ?

– Non. Un comptable tout ce qu'il y a de plus chiant, avec une vie bien rangée, pas de failles, pas d'abus, celui-là il y est passé sans raison, à croire que c'était une erreur.

– L'hypothèse de l'homicide n'est toujours pas exclue, si je comprends bien ?

– Il n'y a aucune hypothèse. Plus de six mois après on ne sait toujours pas dire comment ou de quoi il est mort, sinon d'une hémorragie massive et quasi totale !

– Et si je peux me permettre cette question, pourquoi est-ce que c'est la RHD qui a pris le dossier ?

– Le type était comptable pour une très grosse boîte.

– Genre sensible ?

– Non, genre l'une des plus grosses entreprises du monde, EneK. À la mairie, ils veulent que ce genre de client soit traité avec discrétion et efficacité. Pour cette dernière, on repassera.

Atticus connaissait EneK. Un monstre qui rivalisait avec les géants, au point qu'on commençait à non plus parler des GAFA, pour Google, Apple, Facebook et Amazon – les entreprises les plus puissantes de la planète –, mais des GAFAK. EneK était une de ces boîtes qui avaient flairé un filon juste avant toutes les autres, en l'occurrence le stockage de données numériques, et elle avait ouvert d'immenses hangars loin au nord, là où le refroidissement naturel permettait de faire des économies formidables pour éviter aux tours informatiques de surchauffer. Les vents polaires glacés faisaient une large partie du boulot tandis que des villes entières d'entrepôts poussaient à la place des conifères. Au point qu'EneK était désormais accusé de directement contribuer au réchauffement climatique, à cause de tout l'air brûlant rejeté dans l'atmosphère. Dans ces millions de disques durs étaient stockées toutes les données du monde virtuel. On n'y comptait plus en gigabit, même plus en térabit, mais en pétabit afin d'enregistrer les milliards de données de chacune de nos boîtes e-mails, celles des sites professionnels et amateurs, et globalement une large partie d'Internet. Les GAFA eux-mêmes sous-traitaient une portion importante de leurs besoins de stockage chez EneK. Au point que la plupart des militants accusant EneK de détruire la planète utilisaient en réalité ses services à chaque fois qu'ils envoyaient ou recevaient un e-mail ou consultaient un site Web, contribuant eux-mêmes à cette occasion aux maux dénoncés.

Tout le monde connaissait son fondateur et patron, Edwin Kowalski, parmi les plus jeunes milliardaires américains qui, à peine installé dans son juteux business, avait investi dans un nouveau secteur, les biotechnologies, pour en faire là encore un triomphe retentissant et agaçant de génie. Atticus avait un peu perdu le fil de la *success story* dernièrement mais il lui semblait néanmoins que le nouveau défi du garçon s'orientait vers l'espace. Il faisait partie de ceux qui se lançaient dans la course pour le contrôle du Système solaire. Après tout, lorsqu'on a déjà la mainmise sur sa propre planète, pourquoi ne pas voir plus loin...

La mort d'un comptable de chez EneK était assurément un sujet de news qui ferait le tour du monde, quitte à faire chuter de quelques points son action en Bourse. Atticus comprenait mieux l'intervention de la RHD et sa capacité à gérer sans faire de vagues un cas pareil. Personne n'en avait entendu parler jusqu'à présent.

– Une dernière question, fit Atticus. Sur la scène de crime, vous n'avez rien relevé en lien avec des insectes ?

Silence. Souffle dans le combiné.

– Comment vous savez ?

Le cœur d'Atticus s'accéléra et il bondit de sa chaise.

– Vous avez trouvé des insectes morts sur place ?

Hésitation. Puis :

– C'est pas dans le rapport du DCTS ça, c'est quoi votre affaire à vous ?

– Pourquoi vous ne l'avez pas mentionné ?

– Parce qu'on a estimé que ce n'était pas lié. Juste des insectes écrasés, rien de plus. Enfin, c'est ce que je pensais. Va falloir qu'on discute vous et moi.

Le cerveau d'Atticus bouillonnait, envisageant toutes les suites possibles, dont la plus logique serait que la RHD flaire le gros coup et s'accapare son enquête. Face à eux, il ne ferait pas le poids et serait éjecté en deux coups de téléphone. Il répliqua de son air le plus enthousiaste possible, presque d'une candeur idiote :

– Eh bien c'est assez complexe pour tout vous dire, car je n'ai rien de concret, mais des interrogations. Je bosse sur des séries de disparitions dans Skid Row, des clodos, rien de confirmé, cependant il se pourrait qu'au milieu des overdoses et des règlements de comptes se cache un homicide, il faut encore avancer, des centaines de SDF à questionner…

Atticus voulait lui faire peur, que Connor Hogan s'imagine devoir passer ses journées sur le terrain au milieu d'une faune odorante qui allait salir son beau costume de la RHD, tout ça pour des suppositions.

– Comment vous savez pour les insectes ? insista Hogan d'un ton bien moins fraternel.

– C'est le technicien de la SID qui a fait les prélèvements pour vous ce jour-là qui m'en a parlé, du coup j'ai été jeter un œil dans les notes que vous avez inscrites dans le DCTS, et ne voyant rien, je vous ai appelé.

– Mais pourquoi ça vous intéresse ? Vous avez quoi sur ça ?

– Un des SDF, retrouvé mort dans sa tente, a été bouffé par les bestioles, on a retrouvé des asticots plein le duvet, une horreur, alors par acquit de conscience, je cherche s'il n'y aurait pas d'autres affaires semblables…

Plus c'était gros au jeu du flic débile plus ça pouvait passer, surtout avec un enquêteur de la RHD qui avait une légère tendance au mépris à l'égard des autres inspecteurs de district.

– Et c'est tout ? Juste parce que vous aviez des asticots sur un macchabée ? Mais vous sortez d'où ?

– Euh... je suis désolé, mais je...

L'autre l'envoya paître et ne tarda pas à raccrocher.

Atticus respirait à toute vitesse. Le bobard était passé.

Mais plus important encore, il avait désormais la preuve qu'Oscar Riotto n'était pas un cas unique.

Ils étaient sur une série.

26.

Le comptable s'appelait Ronald Kopelson et il était au service d'EneK depuis cinq ans lorsqu'il avait été retrouvé mort, l'intérieur en charpie, plus de la moitié de son sang écoulé hors de lui par tous les orifices possibles.

Sa femme, angoissée de n'avoir plus aucune nouvelle alors qu'il devait les rejoindre, elle et leurs enfants, pour quelques jours de repos dans leur chalet de Big Bear Lake, avait prévenu la police en désespoir de cause.

Hack avait écouté Atticus lui faire le topo complet.

– Et on n'a rien de plus sur lui ? Ses relevés téléphoniques ?

– La RHD a tout mais je ne peux pas accéder aux infos sans leur expliquer pourquoi.

– Et ils nous éjecteront pour prendre notre mort. Y a pas assez de billes dans le DCTS pour qu'on avance de notre côté ?

Pour la première fois, Atticus décela un intérêt pour l'affaire dans l'œil de son partenaire. Il avait une occasion en or de s'en débarrasser mais commençait déjà à réfléchir pour contourner le problème.

– Non, la RHD a rédigé le minimum.

– Connards… On est baisés.

Atticus poussa un soupir qui ressemblait davantage à une digue qui cède plutôt qu'à de l'agacement.

– Je connais un mec à la RHD, avoua-t-il, il pourrait me rendre un service si j'insiste.

La vie reprit dans le regard de Hack.

– Eh bien voilà ! Appelle-le.

– C'est que... j'aurais préféré éviter.

– Tu vois une autre solution ?

Atticus grimaça.

– Pas sûr qu'il accepte, ajouta-t-il.

Hack le fixa avant de grogner.

– Un truc sexuel entre vous ?

Atticus dodelina, embarrassé, avant d'acquiescer.

– Pas tout à fait une histoire claire, précisa-t-il.

– Quoi ? Le vieux truc du mec marié qui s'est toujours demandé s'il n'était pas en fait pédé et qui... Oh, tu sais quoi ? Je veux pas le savoir. Appelle-le !

Atticus hocha la tête et commença à fouiller dans son répertoire.

Hack revint à la charge après s'être replongé dans ses propres papiers.

– Y a vraiment des inspecteurs qui viennent te voir pour... Je veux dire des hétéros ?

– Hack, laisse tomber, tu veux ?

Le grand blond afficha un air dégoûté avant de retourner à ses affaires. Atticus sortit sur le parking du commissariat pour passer son coup de fil qui dura plusieurs minutes, et il revint s'asseoir, pivotant vers son collègue.

– Il va m'envoyer ce qu'il peut.

Hack le gratifia d'un regard graveleux.

– Bien joué. Tu vois, c'était pas difficile. Et ça t'a coûté quoi ? Une pipe ?

Atticus fut brusquement envahi par une colère froide. Prendre sur lui pour appeler Stuart avait ravivé des émotions pénibles, et une culpabilité dérangeante. Stuart et lui s'étaient tourné autour pendant plusieurs mois, mais Stuart était un homme installé, avec femme et enfants, jusqu'à ce qu'ils tombent dans les bras l'un de l'autre avec la fougue de ceux qui ont attendu bien trop longtemps. Stuart avait tout plaqué pour Atticus, avant que ce dernier ne se lasse, ne tombant pas amoureux. Pour lui, ce n'était qu'une passion momentanée, un coup de cul furieux, probablement un peu aussi, il se l'était avoué depuis, cette excitation presque perverse du détournement d'hétéro, mais il n'aimait pas Stuart. Ce dernier en avait été effondré. Il avait assumé sa nouvelle vie, notamment auprès de sa famille, même s'il vivait son homosexualité cachée vis-à-vis de ses collègues du LAPD. Il en était presque traumatisé et Atticus se sentait coupable. L'appeler pour lui demander un service était déplacé. Pourtant il venait de le faire et Stuart l'avait écouté, puis avait accepté de voir ce qu'il pourrait obtenir. Il avait raccroché sans un mot personnel, percevant la gêne d'Atticus à n'en pas douter, et celui-ci se sentait moche à l'intérieur.

– Hack, parfois t'es vraiment un con. Tu sais, même les homos ressentent ce machin que tu éprouvais il y a longtemps, rappelle-toi lorsque t'étais encore un jeune type sympa et ouvert sur le monde, ce qu'on appelle des sentiments.

La Ford Taurus escalada la route qui serpentait en direction du sommet de la colline, au milieu d'un paysage sec de buissons et d'arbres épineux. En contrebas, l'autoroute 405 de San Diego creusait un sillon au milieu des montagnes au nord de Los Angeles.

EneK avait installé son siège à Brentwood, sur le toit d'un mont qui dominait la cité des Anges, avec pour voisin le plus proche le Getty et ses célèbres formes blanches. Pour le reste, personne sinon une faune discrète de coyotes. Le complexe de bâtiments modernes ne souffrait aucune nuisance.

Le topo effectué par Stuart à propos de l'enquête sur le meurtre de Ronald Kopelson était chiche et à peine plus complet que ce que contenait déjà le DCTS consulté par Atticus. Kopelson avait quarante-six ans au moment de son décès, un

profil lisse, sans casier ni double vie et encore moins d'ennemis connus dans la mesure où l'homme avait suivi une carrière
plutôt classique, même s'il appartenait à l'élite de sa profession.
Grand cabinet de comptables avant d'être recruté par EneK, où
il n'occupait pas un poste stratégique bien qu'étant un mail-
lon important du système. EneK avait déclaré que Kopelson ne
travaillait sur aucun dossier sensible pour l'entreprise, ni n'avait
d'accès direct à des sommes d'argent importantes. Par conséquent sa mort ne devait pas être liée à son activité professionnelle. Juste un comptable parmi d'autres. L'analyse de l'activité
téléphonique de la victime n'avait débouché sur rien de concret,
aucun appel ou message suspect le jour de sa mort, pas plus
que son emploi du temps retracé ne relevait d'anomalie. Les
flics de la RHD avaient largement creusé la piste familiale pour
conclure qu'il n'y avait absolument rien de ce côté-là non plus.
Femme et enfants tout ce qu'il y a de plus normaux, relations
stables confirmées de tous côtés et par plusieurs recoupements,
ainsi que la situation financière de la famille au beau fixe. Une
vie « chiante à mourir de banalité parfaite », comme l'avait fait
remarquer Hack avec son sens de la poésie.

Il n'y avait tellement pas l'ombre d'un mobile pour quiconque
et encore moins de pistes, que l'hypothèse d'un meurtre n'était
même pas certaine, compte tenu de la nature étrange de sa mort.
En interne, certains inspecteurs de la RHD se demandaient s'il
ne s'agissait pas d'une maladie exotique et en avaient fait part
à leur supérieur pour bénéficier d'un examen médical individuel
afin de ne pas risquer de contaminer leur propre famille.

La Ford longea un immense parking qui ressemblait à une
terrasse panoramique avec une vue à couper le souffle sur Los
Angeles au sud, et se gara au plus près du vaste bloc rectangulaire qui servait d'entrée principale. Le campus EneK se
divisait en une demi-douzaine d'immeubles immaculés en stuc
et en verre poli, ancrés dans un écrin de verdure chatoyante
qui contrastait avec l'aridité des montagnes environnantes. Ici,
chaque brin d'herbe semblait bénéficier de soins personnalisés

pour son propre bien-être. Des antennes et paraboles plus vastes qu'une maison rappelaient la technophilie de la maison mère. Et toute cette blancheur aveuglante rendait nerveux Atticus qui détestait les hôpitaux.

– J'ai l'impression d'entrer au paradis, plaisanta Hack en gravissant les marches assez larges pour que deux équipes de football les montent de front.

Le hall était à la démesure du reste, avec ses murs végétaux émaillés de fontaines coulant à même la paroi, ses banquettes molletonnées et partout des écrans géants diffusant des spots à la gloire de l'empire EneK et présentant la diversité de ses activités.

Badge du LAPD en guise de présentations, Hack et Atticus demandèrent à parler à Ruben Wyner, le directeur du département où travaillait Ronald Kopelson. Le garçon à l'accueil ne cacha pas sa surprise lorsqu'ils admirent ne pas avoir de rendez-vous et il insista pour qu'ils patientent sur l'un des confortables sofas du hall. Lorsqu'il revint vers eux, ce fut pour leur proposer de prendre rendez-vous avec Mr Wyner, ce dernier n'étant pas disponible aujourd'hui.

Atticus se leva mais Hack le devança avec son air pas aimable.

– Donc la police de la ville demande à parler à l'un de vos employés pour une affaire de meurtre et vous n'avez pas le temps ? C'est ça ce qui doit ressortir dans la presse ?

Le garçon baissa le menton, confus, et marmonna des excuses, mais Hack insista :

– C'est toujours la même chose ! aboya-t-il à travers toute l'entrée. On se pointe gentiment, sans injonction, rien que pour discuter à l'amiable, et vous nous claquez la porte au bec ! Par contre quand on va revenir avec l'appui d'un juge et le district attorney au cul, là vous nous reprocherez de ne pas avoir fait les choses plus en douceur !

Il explosait de colère avec tant d'ardeur qu'Atticus se demanda s'il n'était pas sincère, finalement.

– Faudra pas vous plaindre ! continuait-il. Ce sera trop tard pour les courbettes et les arrangements pour s'épargner la pression des médias.

Une femme au visage fermé, dans un tailleur impeccable, s'approcha à toute vitesse et soudain ses traits s'épanouirent dans un large sourire de politesse.

– Messieurs, je suis Lisa Oshi, je travaille aux relations extérieures, puis-je vous être utile ?

Hack ressortit son texte de présentation et insista pour rencontrer Ruben Wyner dans le cadre du meurtre d'un de leurs employés.

Oshi n'afficha aucune émotion et, les ayant encore fait patienter, les conduisit dans un dédale de couloirs, de passerelles, d'ascenseurs, à travers des open spaces, des salles de repos aménagées avec profusion d'accessoires, pour enfin les faire pénétrer dans un salon neutre qui servait assurément à ce genre de discussion.

On nous balade à l'écart, songea Atticus pour qui la moitié du trajet n'était qu'un détour servant à gagner du temps ou à les impressionner.

Wyner entra après les avoir encore fait attendre là plus de vingt minutes. Il arborait une cinquantaine en pleine forme, crâne aussi lisse que ses joues, port tonique du sportif, poigne ferme. Atticus nota la présence d'un bracelet en silicone bleu sous la manche de sa chemise sur mesure et reconnut le signe d'un club de surf sur une plage privée de Malibu.

– Messieurs les détectives, je suis navré mais je suis en pleine réunion, par conséquent, il va falloir être brefs.

– Nous sommes là pour Ronald Kopelson, commença Hack, et...

– Oui, je sais, il y a donc du nouveau ?

Pris de court, Hack eut une brève hésitation et Atticus prit la relève.

– Comme vous pouvez le constater, nous sommes une nouvelle équipe, chargée d'apporter un regard neuf. Et nous avons besoin de refaire le tour complet de la personnalité de Ronald Kopelson, y compris ici, dans son métier.

– Vous avez appréhendé quelqu'un ?

– Si ça ne vous dérange pas, dit Hack, *nous* allons poser les questions. Est-ce que nous pourrions avoir accès au dossier interne de Mr Kopelson ?

Wyner se renfrogna.

– Je crains qu'il ne faille faire une demande officielle, par écrit, et motivée légalement. Notre entreprise a le plus grand respect pour ses employés et leurs données personnelles, nous ne les communiquons pas sans y être obligés.

– Vous le connaissiez ? s'enquit Atticus.

– Oui, bien sûr. Un homme formidable. Une grande perte, c'est tragique.

Arrête ton baratin de surface.

– Il s'occupait de quoi exactement au sein de votre entreprise ? J'imagine qu'il doit y avoir des centaines de comptables et que chacun a une mission précise...

– Il effectuait des opérations simples, je veux dire : conventionnelles pour son poste.

– Mais précisément, il était sur quoi ? Au service du personnel, pour les salaires, à l'intendance pour les achats, sur la comptabilité générale du groupe, sur des filiales...

– Je ne peux entrer dans le détail, c'est du domaine privé de l'entreprise.

Hack commença à monter le ton d'un cran.

– Ne vous foutez pas de nous, Mr Wyner, on ne vous demande pas des secrets stratégiques, juste sur quoi bossait Kopelson !

Wyner basculait d'Atticus à Hack avec la même froideur calculée.

– Je pense que nous allons devoir poursuivre cette conversation avec le service juridique.

À ces mots, une autre femme entra d'un pas rapide et glissa

quelques mots à l'oreille du chef de département, qui salua aussitôt les deux flics d'un geste de la main.

– Je dois vous laisser. Au revoir, messieurs.

Lisa Oshi leur indiqua l'autre sortie et les reconduisit jusque sur l'immense parvis.

Une fois qu'ils furent seuls, Hack désigna une des nombreuses caméras.

– Tout ça pour ça. Ces salauds sont certainement en train de nous enregistrer. Viens, ne traînons pas, je veux pas qu'ils nous envoient la sécurité.

– C'est nous la police, je te rappelle. Et cette fille qui est entrée mettre fin à l'entrevue, je te parie qu'elle lui a murmuré qui nous étions. Ils nous ont promenés, prenant tout leur temps pour se renseigner. Maintenant Wyner sait que nous ne sommes pas de la RHD.

– De toute manière, tu comptais revenir un jour ? Terminé, on est grillés, on n'obtiendra rien par ce biais.

– Reste la veuve. Tu as le temps ?

Le ciel commençait à décliner ses dégradés d'orange et de rouge sur un fond mordoré au-dessus de l'océan. Hack consulta sa montre.

– De toute façon, ma femme me fait déjà la gueule pour le week-end à bosser, alors autant aller jusqu'au bout.

La maison du comptable mort n'était pas très loin, près du centre commercial de Century City, dans un complexe privé de petites villas. À l'entrée, le responsable de la sécurité fit attendre les deux inspecteurs dans leur voiture, face à la grille, tandis qu'il retournait dans sa guérite téléphoner chez les Kopelson. Après un bref entretien, il revint vers eux.

– Je suis désolé, Mrs Kopelson ne souhaite pas vous recevoir.

– Elle vous a dit pourquoi ? fit Atticus en posant la main sur le bras de son partenaire pour taire sa colère.

– Seulement que si vous aviez quelque chose d'important à lui dire, il fallait passer par son avocat. Bonne soirée.

Hack remonta sa vitre et entama une marche arrière.

– Sympa la veuve, railla-t-il. Tout de suite, ça me la rend plus suspecte !

– Elle a été briefée. Tu as vu la vitesse à laquelle elle lui a transmis les instructions ? À peine il lui disait qu'on était là qu'il raccrochait déjà. C'est EneK, ils l'ont mise au parfum, ils ont anticipé notre prochain mouvement.

– Tu crois qu'une grosse boîte comme ça prendrait le risque de couvrir un meurtre ?

– Non, juste qu'ils contrôlent totalement leur communication et tout ce qui gravite autour d'eux. Hack, c'est pas qu'une entreprise, c'est un empire, avec un budget supérieur à celui de la moitié des pays de la planète. Et le mec qui dirige EneK a plus de pouvoir que la plupart des présidents. Pas le genre à laisser une affaire de mort qui n'est pas claire peser sur le cours de ses actions. Une rumeur disgracieuse, et c'est le cours qui tombe en Bourse. J'imagine que ça se compte en dizaines de millions de dollars de pertes.

Hack grogna.

– À ce prix-là, moi aussi je verrouillerais les écoutilles. Bon, on rentre.

Le téléphone d'Atticus sonna sur le chemin.

– Inspecteur Gore ? Je suis Paul Kash, du Central Bureau, ce serait bien qu'on se parle.

– À quel sujet ?

– Vous êtes dans quel coin ?

– J'arrive sur Hollywood.

– Vous pouvez me rejoindre au bureau central ?

– Qu'est-ce que vous me voulez ?

– Vous êtes l'une des dernières personnes à avoir parlé avec un mort sur lequel je travaille.

– Qui est-ce ?

– Est-ce que le nom de Malcolm Huxley vous dit quelque chose ?

Le sang d'Atticus se glaça.

Le responsable du département d'entomologie du musée d'Histoire naturelle de Los Angeles. Il ne faisait aucun doute que ça n'était pas un accident.

Le tueur venait de frapper tout près.

Et la première pensée d'Atticus fut égoïstement pour lui.

Il se rapproche.

27.

Trois appels en absence.

Et le double de SMS.

Kat reposa sa tête sur l'oreiller, déjà fatiguée avant même que la journée ne commence. Mitch était inquiet. Pas de nouvelles depuis jeudi soir, il lui réclamait juste un message pour le rassurer, lui dire que tout allait bien et, s'il avait fait ou dit quelque chose d'offensant, il lui présentait ses excuses et souhaitait en parler.

Tellement du Mitch tout craché...

Ça ne faisait que trois jours, il abusait un peu, il connaissait les règles de leur relation, chacun chez soi et pas de pression.

Je suis partie comme une voleuse l'autre soir.

À cause d'Annie Fowlings et de sa fille.

Kat se redressa et la douleur sur son flanc gauche lui tira une grimace. Elle était rentrée tard, meurtrie, bousculée, et avait avalé plusieurs Tylenol pour atténuer ses maux.

Elle se traîna jusqu'à la salle de bains du loft et s'étudia dans le miroir. Elle n'avait même pas eu le courage d'enfiler une chemise de nuit ou un pyjama. Une rougeur bleutée s'épanouissait de son épaule jusqu'à sa cuisse, n'attendant que d'éclore.

Je vais avoir un sacré hématome.

Elle regrettait presque d'avoir laissé filer Dave le vagabond. Même si elle savait où le trouver, elle s'en était assurée avant de partir.

Je n'avais pas le droit d'être sur cette propriété privée, les flics auraient pu me faire perdre ma licence.

Il n'y avait pas que ça. Une sensation plus diffuse, difficile à expliquer, de la méfiance ou un excès de prudence. *Pas tant que je n'en sais pas plus. Ensuite, ce sera à la police de tout boucler.*

Elle avala deux Tylenol de plus, consciente qu'elle en prenait sûrement trop en si peu de temps, et passa sous la douche avant de s'habiller péniblement. Son poing droit la lançait, elle n'était plus une habituée de la boxe. Elle commençait à se dérouiller, mais certains gestes étaient laborieux et elle s'en voulut d'être aussi fragile.

Elle vit son téléphone sur le bar et s'interrogea. Fallait-il prévenir Annie Fowlings ?

Sa fille était partie avec Galvin Hutchinson, un homme qui, s'il fallait croire son ancienne voisine, n'avait rien de recommandable. Un petit truand, selon son casier.

« Rentrons au Kansas, Dorothy. »

Kat n'avait aucun doute, c'était Lena que le vagabond avait aperçue en compagnie d'Hutchinson. Le prénom n'était pas le bon, mais c'était une référence au *Magicien d'Oz*. C'était évident. Juste une façon de parler, de dire qu'il était temps de partir.

De retourner au bercail ?

Là-dessus, Kat n'était pas plus avancée, et elle devait en apprendre davantage sur Hutchinson. Elle avait certes eu un coup de chance que le SDF ait vu quelque chose, mais dans le fond cela ne lui était pas très utile, sinon pour confirmer ce qu'elle suspectait déjà.

Qui était ce Galvin Hutchinson, derrière les apparences ? Un escroc ou un manipulateur pervers ? Quelle combine avait-il mise au point ?

Les images de la cuve griffée, de l'ongle et des insectes écrasés avaient peuplé la courte nuit de Kat. Elle ne parvenait pas à leur donner un sens. Elle refusait ce que la zone la plus sombre de son cerveau voulait lui suggérer, ce n'était pas possible, pas dans la réalité. Pourtant, Jarvis, l'ami de Dave le vagabond, avait assisté à... quoi au juste ? *Un clodo ! Alcoolisé ou dément, quel crédit lui accorder ?* Et si c'était lui, les traces horribles dans ce bassin ?

Kat avait fait un cauchemar. Un groupe d'individus cagoulés qui la poussaient dans la cuve, menottée et nue, tout au fond le sol grouillait et elle hurlait tandis qu'ils l'aspergeaient d'acide pour la faire fondre. Et la foule riait. D'une gorge unique, féroce et folle.

Ce n'est pas possible.

Et il valait mieux qu'elle s'en persuade, sinon elle ne pouvait poursuivre sans impliquer la police. *Pas encore. Pas de cette manière. Trop compromettant et pas assez de preuves. Aucune, même, sinon des rayures sur de l'acier et le témoignage indirect d'un alcoolique paranoïaque.*

Elle était parvenue à sortir par ses propres moyens du trou. Si d'autres avant elle s'en étaient arraché le bout des doigts, c'était qu'ils étaient diminués physiquement, entravés, ou qu'on les empêchait de remonter. *Abominable.*

Kat se fit un café et avala un laitage qui traînait dans son frigidaire. Son pragmatisme professionnel lui dictait de sortir, poursuivre son investigation autour de celui dont le rôle central se confirmait, Galvin Hutchinson.

Annie Fowlings allait attendre. Ce qui se dessinait ne lui plairait pas si Kat parvenait à le prouver. Sa fille s'était fait la malle avec un homme et rien ne l'obligeait à donner signe de vie.

N'oublie pas le chat pyrogravé. La phrase apocalyptique tatouée sur tout le dos. Et le SMS à sa mère mentionnant sa sœur morte.

Ce n'était pas si évident.

Un appel de détresse masqué ? Lena était peut-être partie volontairement avant de le regretter et de devoir rester sous la contrainte.

Kat s'empara de sa besace et fonça au DMV de Brooklyn pour y être à l'ouverture. Sa licence lui permettait de consulter les dossiers du permis de conduire. Il fallait parfois convaincre l'employé au comptoir s'il n'avait pas l'habitude, lui montrer un extrait du Driver's Privacy Protection Act et en particulier l'exception #8 qui concernait sa profession, mais Kat était rodée et ne sortait jamais sans une copie du texte.

Galvin Hutchinson était enregistré : un permis issu de l'État de New York et renouvelé cinq ans auparavant[1]. Il mesurait un mètre quatre-vingt-cinq et la photo montrait un homme émacié, blond, qui ne faisait pas ses cinquante ans. Comme l'avait affirmé la voisine de palier, son regard était intense, troublant.

Magnétique. Ce mec aurait pu être pasteur et captiver des foules. N'était-ce pas, d'une certaine manière, ce qu'il était devenu ?

La dernière adresse renseignée se situait à Syracuse, dans le même État. Kat espérait qu'elle était encore valide. Dernière contravention, un an plus tôt pour excès de vitesse, à Carson Mills, dans le Kansas.

Kat relut deux fois le nom de la ville.

Carson Mills. Kansas.

Elle ne savait qu'en penser. Le rapprochement évident avec les mots prononcés par Galvin Hutchinson faisait résonner une alarme dans son esprit, mais ça pouvait tout aussi bien être le fruit du hasard. *Juste une expression... et moi je fonce. Tout doux. Prends du recul, analyse.*

En ressortant du bâtiment austère de l'administration, Kat chaussa ses lunettes de soleil et traversa le boulevard pour s'acheter un autre café. Les douleurs sur le côté la gênaient mais c'était largement supportable et elle n'avait pas le temps pour des examens. Elle était convaincue de n'avoir rien de brisé.

Syracuse était bien à cinq heures de voiture si elle ne traînait pas. Elle en aurait pour la journée, sans compter le temps des vérifications sur place. Ce n'était pas rentable. Elle appela un de ses confrères, privé à Manhattan, un vieux de la vieille qui avait bien connu Big Tony et qui disposait d'un réseau important

---

1. Le permis de conduire aux États-Unis a une durée de validité et doit être reconduit à période fixe, tous les huit ans dans l'État de New York.

sur la côte Est. Elle lui demanda le contact d'une personne de confiance à Syracuse, qu'elle missionna dans la foulée pour aller vérifier l'adresse de Galvin Hutchinson sur place. Cela allait lui coûter quelques billets mais c'était préférable à un aller-retour interminable, sur un terrain qui n'était pas le sien de surcroît.

Son café à la main, Kat retourna dans la rue pour consulter son carnet de notes. Lorsqu'elle avait parcouru la base de données PACER pendant le week-end, cette dernière lui avait craché plusieurs affaires dans lesquelles Galvin Hutchinson était impliqué. Sur les trois tribunaux concernés, un seul publiait ses archives sur Internet. Celui-là, Kat l'avait déjà détaillé, ce qui signifiait que les deux autres restaient consultables sur place maintenant qu'ils étaient ouverts. Kat sauta dans le métro et se rendit au premier, sur Manhattan. Elle y passa le reste de la matinée, le nez dans les dossiers, avec l'aide de l'employé des archives, pour finalement peu de résultats probants. Des plaintes pour intimidation déposées contre Hutchinson par la victime d'un accident de la route qu'il avait causé, avec suspicion d'ivresse. Il avait été condamné pour la totale. Kat essaya d'en tirer un maximum d'informations réutilisables mais ne déboucha sur rien.

Elle avala des sashimis dans un boui-boui en face, et pendant qu'elle terminait son repas, une autre idée lui vint en voyant une pub pour de l'immobilier à la télé du restaurant.

Il s'était passé quelque chose dans cet entrepôt du Trou. Plusieurs personnes. Peut-être une horreur. Et s'ils avaient pu commettre leurs actes en toute tranquillité, c'était parce qu'ils savaient qu'on ne viendrait pas les déranger. La clôture était neuve, du moins de l'année. Ceux qui venaient là se sentaient en sécurité, les bougies, la fosse où au moins une personne s'était arraché les ongles en voulant remonter... *Parce qu'ils étaient chez eux.*

Kat devait s'assurer du nom du propriétaire.

Assez ironiquement, les bureaux du fisc du Queens se trouvaient être assez proches du quartier du Trou. Kat y arriva en début d'après-midi et, avec un peu de malice, récupéra rapidement dans les fichiers ouverts à la consultation publique le numéro de parcelle de l'entrepôt. Les services administratifs aimant entretenir une certaine proximité consanguine qui les rassurait, comme aimait à le répéter oncle Tony, Kat n'eut pas bien loin à aller, jusqu'à la cour du Queens où étaient enregistrées toutes les transactions immobilières, deux blocs plus à l'est.

La privée avait le nez dans les tiroirs des armoires numérotées, à la recherche des documents liés à la parcelle, lorsque son portable sonna. Songeant que c'était peut-être son contact de Syracuse qui rappelait, elle décrocha sans regarder.

— Au moins, tu es vivante, dit une voix masculine.

Oh non, pas maintenant.

— C'est pas le moment, Mitch.

— Ce n'est jamais le moment, sauf lorsque *toi* tu le décides.

— Tu vas vraiment me faire une scène, là, tout de suite ?

— J'aimerais juste un peu plus de considération. On va fêter nos six ans cet été, tu sais, et je n'ai même pas de brosse à dents chez toi.

Kat sentit l'énervement poindre. Mitch ne lui laissa pas l'occasion de répliquer, trop heureux d'enfin pouvoir cracher ce qu'il avait sur le cœur.

— Tu pars en pleine nuit, tu ne donnes plus signe de vie pendant trois jours ensuite. Je me demande seulement où tout cela nous mène, Kat, tu comprends ?

— Nulle part, Mitch, et c'était justement le deal de départ. Pas de complications, d'attentes qui ne peuvent être satisfaites, de fausses illusions.

— Eh bien je crois que moi j'en ai des attentes et des illusions. Et tant pis si elles doivent être déçues en cours de route.

— Écoute, je ne peux pas, là. Est-ce qu'on peut dîner ensemble demain soir ?

— Et aborder les vrais sujets comme deux adultes ? Tu ne vas pas te défiler encore en ouvrant ton trench sur de la lingerie coquine ? Pas cette fois, tu m'entends ? Je veux qu'on échange. Pas juste une partie de baise, un peu de compagnie et terminé.

Kat jura qu'elle serait à lui pour ce qu'il voulait, tout plutôt que de poursuivre cette conversation dans une salle d'archives, et elle raccrocha, irritée. Elle se plongea dans son jeu de piste pour ne plus y penser.

Dix minutes plus tard, elle parvint à extraire une copie du dernier acte de vente de la parcelle.

Il datait de quinze mois plus tôt et le nouveau propriétaire était une société privée.

Kat ralentit dans le hall du bâtiment en lisant la suite du document.

Le siège était basé à Carson Mills, dans le Kansas.

28.

Kat avait du mal à fermer sa main droite, dont les phalanges bleuissaient à vue d'œil.

Elle posa une poche de glace dessus et s'enfonça dans le canapé de la cafétéria où elle venait de se réfugier.

L'entrepôt appartenait à TGHC, une société du Kansas qui faisait de la spéculation en achetant des terrains en friche pour les revendre plus tard, lorsqu'ils prenaient de la valeur. Kat avait fait ses devoirs depuis son smartphone. Magie de l'Internet disponible partout, à toute heure.

Sauf que TGHC avait fait faillite. Après vérification, la dernière adresse renseignée correspondait à une boîte postale prépayée et dont le terme approchait. Perspicace, Kat avait récupéré le nom du gérant et ses coordonnées. Elle ne pouvait l'appeler, l'interroger frontalement c'était prendre le risque de tout ruiner s'il était de mèche avec Galvin Hutchinson. À présent, elle tournait en rond sur la suite à donner à cette découverte. La probabilité qu'une entreprise soit mêlée à une affaire sordide lui semblait infime. Il était davantage envisageable qu'elle ait été utilisée. Hutchinson était un fourbe, ingénieux dans les combines. S'il avait surveillé les transactions immobilières du coin, il devait savoir que TGHC n'avait d'autre but que d'attendre des mois ou des années pour que le prix du terrain s'envole.

Ils ne viendraient jamais sur place et il disposait d'un sanctuaire pour ses opérations, quelles qu'elles fussent.

Mais TGHC est une boîte de Carson Mills, Kansas, là où Galvin Hutchinson a pris une prune pour excès de vitesse il y a un an. Il y était.

Son portable sonna. C'était le détective privé de Syracuse qui venait au rapport. L'adresse d'Hutchinson sur place n'était plus bonne et il n'avait rien trouvé de plus.

Fin de l'histoire.

Kat estima ses chances de retrouver Lena Fowlings si elle débarquait à Carson Mills avec, en tout et pour tout, le nom du gérant d'une entreprise disloquée et les mots entendus par un clochard à la mémoire confuse. Faibles. Très faibles. Elle pouvait toujours faire passer l'idée à Annie Fowlings qui lui payerait le billet sans rechigner, mais ce n'était pas très professionnel. Il lui fallait plus de billes si elle ne voulait pas tourner en rond une fois sur place.

Elle repoussa son énième café du jour et abandonna la poche de glace sur la table. Ne pas laisser en suspens des pistes ouvertes. Le dernier tribunal où Galvin Hutchinson avait été condamné était tout près. Si elle se dépêchait, elle pouvait y passer deux heures avant la fermeture.

Cette fois le dossier était plus intéressant, bien que dramatique. Une ex-compagne sur laquelle il avait cogné. Une ordonnance restrictive avait été établie pour empêcher Galvin Hutchinson de l'approcher. Une liste de toutes les interventions des services de police pendant près de deux ans témoignait de la récurrence des coups avant qu'elle ne dépose réellement plainte. La fille s'appelait Marcia J. Romero et était domiciliée à moins d'un quart d'heure de taxi. L'affaire datait de plus de quatre ans, mais Kat estima qu'elle n'avait rien à perdre en faisant un crochet par l'adresse indiquée.

Il était 17 heures passées lorsqu'elle se présenta au domicile de Marcia Romero et que celle-ci lui ouvrit, une femme marquée par un demi-siècle pénible à traîner sa maigre carcasse sur terre. Elle avait dû être jolie autrefois, nota Kat avec un brin d'amertume, renvoyée à ses propres tourments.

— Oh oui, je le connais bien ce salopard, répondit-elle après s'être fait expliquer les raisons de la présence de Kat. Qu'est-ce qu'il a encore fait ?

Elle sortit sur la terrasse du perron et s'alluma une cigarette.

— Si je vous dis qu'il est peut-être mêlé à la disparition d'une jeune fille, ça vous surprend ?

— De Galvin ? Rien ne m'étonne plus. Il l'a violée ?

— Vous pensez qu'il pourrait ?

— Il déteste qu'on s'oppose à ce qu'il exige.

— J'ai cru comprendre qu'il est violent.

— Ça oui. Vous l'avez déjà rencontré ?

— Pas encore.

— Soyez sur vos gardes. Il peut vous séduire autant que vous glacer d'un seul regard. C'est un dur, à l'intérieur, il est impitoyable. Il n'y a que lui qui compte. J'ai lu des machins dans les journaux et j'ai longtemps pensé que c'était un pervers narcissique, comme ils disent.

— Je comprends.

— Mais c'est de la connerie. Galvin ce n'est pas ça. C'est pas un pervers narcissique, c'est bien plus. C'est un psychopathe. Il ne ressent rien pour les autres. C'est pour ça que je vous demande s'il l'a violée, la fille. À mon avis ce n'est qu'une question de temps avant qu'il fasse encore plus de mal qu'il n'en a déjà fait si vous voyez où je veux en venir.

Après cette confidence, Marcia Romero tira une interminable taffe sur sa cigarette.

— Il est religieux ? demanda Kat.

— Lui ? Non, ça non, et même le diable n'en voudrait pas !

— Il fréquentait des clubs ou des rassemblements, lorsque vous étiez ensemble ? Un endroit où il aurait pu tisser des amitiés, créer une... une bande ou un réseau, vous voyez ?

– Des bars, régulièrement, pour picoler mais surtout à l'affût d'une bonne combine. C'est un malin, ne lui faites jamais confiance si vous le croisez !

– Il ne vous aurait pas laissé une adresse ou un numéro ?

– Je les aurais brûlés s'il avait osé.

– Vous n'avez plus eu de nouvelles après l'ordonnance de restriction ?

– Tu parles ! C'était pas un juge qui allait lui dicter quoi faire, il a continué à venir me voir, surtout pour me taxer du fric.

– C'était quand la dernière fois ?

– Il y a un an et demi. Je pensais qu'il était mort. S'il est vivant et n'est pas revenu quémander à ma porte, c'est qu'il s'est trouvé une nouvelle poule, ou qu'il est en taule.

Lena Fowlings ne roulait pas sur l'or, loin de là, et sa mère n'avait jamais reçu la moindre demande de rançon ou d'aide financière de sa fille depuis sa disparition. L'argent n'était pas le mobile dans son cas.

– Il a des liens avec le Kansas ?

Marcia Romero expulsa sa fumée par les narines.

– C'est trop loin pour lui. À part pour deux ou trois arnaques, je ne pense pas qu'il se soit jamais éloigné de New York. Il a la bougeotte, mais c'est pas un grand voyageur non plus.

Kat poursuivit avec des questions plus générales, avant de s'avouer vaincue. Elle n'avait pas avancé lorsqu'elle rentra chez elle, au sommet de son immeuble de Brooklyn.

Si Galvin Hutchinson était allé jusqu'à Carson Mills, c'était qu'il était particulièrement motivé. Ou qu'il avait besoin de mettre la plus grande distance possible entre ici et lui, dans un coin tranquille. Il avait prémédité ses actes. Jusqu'à chercher sa base de repli à travers le pays. Son voyage sur place l'année dernière ? Tout avait été planifié. Comme un tueur en série, songea Kat avec un frisson.

Elle se prit à regretter de ne pouvoir lancer une recherche d'ADN sur les flyers déposés chez Lena, pour passer Galvin

Hutchinson au crible des fichiers criminels. Vérifier si son ADN n'était pas impliqué dans d'autres affaires sordides, ou au moins ses empreintes.

Cela gambergeait sous son crâne de privée, et brusquement, une association d'idées en entraînant une autre, elle fut prise d'un doute et se leva. Elle retrouva le flyer de l'autre côté du couloir, sur son bureau, et l'étudia dans le détail. Ce qu'elle cherchait se trouvait écrit en minuscules, à la verticale, sur le bord. Une liste de numéros et le nom de l'imprimeur. Un passage sur Internet plus tard, elle identifiait un imprimeur du Wisconsin.

Équipée de son arme préférée, Kat l'appela et fut surprise qu'on décroche à presque 19 heures. Avec son baratin et son charme, elle récupéra le nom du commanditaire : Joker Diffusion, pour dix mille exemplaires. *Dix mille !* Hutchinson voyait large. Là encore par le biais de son ordinateur, elle en apprit un peu plus sur cette petite entreprise spécialisée dans l'événementiel. Celle-ci était bien active, et lorsque Kat lut son adresse, elle n'en fut presque pas surprise. Carson Mills, Kansas.

Kat attrapa la bouteille de rhum qui traînait devant elle et interrompit son geste avant de se servir. Elle devait rester vigilante sur ce genre de réflexe. Des alcoolismes démarraient aussi aisément. Surtout pour une fille solitaire dans son genre. À se croire plus fort que ça, on avait vite fait de sombrer.

À la place, elle engloutit un grand verre d'eau qu'elle accompagna de deux Tylenol, fière de sa lucidité.

La suite était une évidence.

Une heure plus tard, son sac était prêt. Annie Fowlings venait de lui confirmer par écrit qu'elle validait la piste et les frais que cela allait entraîner, et Kat sauta dans un taxi.

Mitch essaya de la joindre à trois reprises.

Kat avait oublié ce fichu dîner. Tant pis. Elle se ferait pardonner à son retour. Il comprendrait.

Son vol décollait à 22 heures, elle ne devait pas traîner. Elle était épuisée, la journée avait été interminable, et ça n'était pas fini. Elle se reposerait dans l'avion.

Rentrons au Kansas, Dorothy !

29.

Paul Kash avait la moustache qui grisonnait, comme ses cheveux coupés court, et un regard bienveillant et souriant qui donnait aussitôt envie de tout lui confesser.

Un tacos à la main, il attendait Atticus sur le parking – mal éclairé par des lampadaires fatigués – de Corner Kafe, un restaurant près du Central Bureau. Hack avait insisté pour ne pas laisser son partenaire seul et il descendit de voiture avec lui. L'air de ce tout début de soirée était doux.

Kash remballa le reste de son dîner et salua ses collègues. Il dégageait une telle affabilité qu'il était difficile de l'imaginer flic, encore plus faire preuve d'autorité.

Ça le rend encore plus dangereux, ne put s'empêcher de penser Atticus.

– J'aurais préféré ne pas vous embêter, hélas votre numéro apparaît parmi les derniers appels du professeur Huxley, expliqua Kash.

– Comment est-il mort ?

Kash jaugea ses deux interlocuteurs avant de partager ses infos.

– C'est difficile à expliquer, son corps a été retrouvé hier matin dans Elysian Park où il était parti faire son jogging. Pas de blessures apparentes mais il a pissé le sang par le nez et les oreilles.

– Meurtre ou accident ?

– J'attends l'autopsie pour en savoir plus. Maintenant est-ce que vous pourriez m'expliquer pourquoi vous vous êtes vus samedi, est-ce que ça pourrait le lier à l'une de vos enquêtes, voire le mettre dans une situation dangereuse ?

Atticus s'empressa de répondre pour devancer Hack.

– Je l'ai consulté pour déterminer la nature d'insectes retrouvés sur une scène de crime sur laquelle nous travaillons, c'est tout.

À ces mots, les sourcils de Kash se froissèrent et il perdit dans le regard un peu de sa joie de vivre remplacée par de la curiosité.

– Des insectes ?

Et voilà. Toi aussi tu en as trouvé sur Malcolm Huxley, pas la peine de me faire un dessin.

– Oui, vous savez, comme on en découvre souvent sur les macchabées. On peut dater la mort avec ça. En étudiant les pupes de mouches par exemple. C'est assez fascinant. Bref, les techniciens de la SID ne pouvaient pas me répondre avant plusieurs semaines, et vous savez comment c'est, nous on a besoin d'avancer vite. Alors j'ai devancé leurs recherches et je suis allé poser mes questions directement à un spécialiste. Ça n'a pas été très concluant.

Atticus espérait juste que le professeur Huxley ne tenait pas un journal détaillé ou ce genre de choses compromettantes sinon son petit résumé très arrangé ne tiendrait pas longtemps.

Kash fit signe qu'il comprenait et peigna sa moustache avec l'intérieur du pouce et de l'index.

– Il faisait son jogging, vous dites ? reprit Atticus. L'absence de blessures exclut le choc avec un véhicule qui s'est enfui dans la foulée ?

– À ce stade, vous savez comment c'est, je n'ai aucune certitude. De mon point de vue, une attaque cérébrale massive est tout aussi plausible, répondit Kash songeur.

– Je peux vous demander pourquoi vous me convoquez, si vous songez que c'est peut-être un accident ?

– J'ai commencé à reconstituer l'emploi du temps d'Huxley et vous apparaissez dans son agenda, ainsi que dans son journal d'appels. Vous êtes la dernière personne qu'il a eue en ligne, mis à part sa femme, samedi soir.

– Il voulait m'informer de ses conclusions. Pas très utiles, je dois l'avouer.

Hack, qui avait toujours du mal à tenir en place sans rien dire, intervint :

– Vous voulez qu'on file un coup de main ? On peut étudier les listings d'appels pour s'assurer qu'il n'y a pas un numéro qu'on connaît, qui serait connecté à notre enquête.

Kash lui offrit un de ses plus beaux sourires.

– Je ne pense pas que ce sera nécessaire. Je vais avancer de mon côté, et si ça se précise, je vous ferai signe. Merci pour votre temps.

Atticus observa sa voiture repartir et disparaître dans Maple Avenue.

– Il sait que tu le baratines, lâcha Hack.

– Oui.

– Pourquoi tu joues pas franc-jeu avec lui ?

Atticus pivota vers son partenaire.

– Parce que c'est gros, Hack, c'est énorme, et qu'à l'instant où ça va se savoir, on nous balancera de côté pour refiler le bébé à la RHD.

– Tu t'imagines vraiment que deux trouducs dans notre genre vont élucider cette affaire ?

– Il le faut.

– Ouais, moi aussi j'aimerais bien faire la une du *Times*, mais soyons lucides, on a quoi comme moyens à notre disposition ? Trois morts, dont deux pour lesquels nous ne sommes même pas censés fouiner.

Atticus secoua la tête sous la lumière jaunâtre du parking.

– Hack, c'est une question de temps, et tout s'accélère. Riotto a été buté parce qu'il avait trouvé quelque chose, et maintenant

Huxley, juste après mon passage ! On est sur la bonne piste, on est en train de cerner cet enfoiré, tu piges ?

Son regard attrapa au loin les files de tentes qui occupaient Downtown et les silhouettes fantomatiques qui erraient autour. Parmi eux rôdait un monstre. De la pire espèce. Et Atticus pouvait presque flairer son odeur âcre toute proche. Celle du sang.

Hack déposa la Ford Taurus de fonction sur le parking d'Hollywood Station et rendit les clés en signant le registre sur le comptoir du responsable de l'équipement. Pendant ce temps, Atticus eut à peine le temps de passer dans la salle des inspecteurs vérifier s'il avait des messages, que le lieutenant Petrozza apparut à l'autre bout.

– Gore ! Dans mon bureau !

La présence du lieutenant à 21 heures passées et le ton n'indiquaient rien de bon.

Le géant l'attendait, une fesse posée sur l'angle de son secrétaire.

– C'est quoi ce bordel ? demanda-t-il sans autre préambule. J'ai le saint patron en personne qui m'appelle il y a pas une heure pour me dire que vous êtes un emmerdeur et que je dois vous mettre en laisse, vous m'expliquez ?

– Sa Majesté en personne ?

– Et sans passer par le capitaine. Si ce dernier l'apprend, il va être furieux.

Le dossier était en train de lui échapper. Pour que le chef de la police prenne son combiné lui-même, Atticus avait tapé fort. *EneK.* Ça ne pouvait venir que de là pour aller si vite avec une telle influence. *Ils n'ont pas perdu de temps...*

Atticus se mordilla la lèvre puis ferma doucement la porte pour obtenir le maximum de silence et d'intimité.

– C'est notre mort du zoo, lieutenant, dit-il. Ce n'est pas le premier, la RHD a enquêté sur une autre affaire il y a six mois environ, et il y a certainement un nouveau corps depuis hier.

Petrozza ôta ses lunettes et se frotta les yeux.

— Attendez, vous me parlez d'un tueur en série, là ?

— Oui.

Le lieutenant prit une profonde inspiration, comme pour encaisser la nouvelle.

— Et pourquoi le patron m'appelle pour me dire que vous faites chier ?

— Parce que les gens chez qui j'ai été fourrer mon nez aujourd'hui dînent à la même table que lui, voire bien plus haut encore.

Petrozza secoua la tête.

— Dans quel merdier vous vous êtes traînés ? Vous êtes couverts ?

— J'ai de quoi établir un lien entre les trois meurtres. C'est ténu mais si la RHD coopère, c'est jouable.

— La RHD ? Ils vont vous bouffer tout cru, Gore.

— C'est pour ça que je navigue en eaux profondes.

Petrozza fixa son inspecteur sans un mot de plus. Après une longue réflexion, il demanda :

— Vous avez un suspect ?

— Je me rapproche.

— Qu'est-ce qu'il en dit Hackenberg ?

— Il est cent pour cent avec moi.

Petrozza nettoya ses lunettes avec le bord du drapeau américain qui trônait là.

— Je vous laisse quarante-huit heures, annonça-t-il. Après ça, vous me rédigez un beau rapport et on transmet à la RHD pour qu'ils jaugent la situation.

En d'autres termes : il avait deux jours avant d'être viré de l'affaire.

Atticus posa la main sur la poignée de la porte, puis avant de sortir, demanda :

— Il vous a dit quoi le patron ?

— Que si vous remettez les pieds chez EneK sans une excellente raison, adoubé par le district attorney en personne, je devais vous crucifier et vous brûler vif. Sinon, ce qu'il vous réserve sera pire.

Sunset Boulevard défilait derrière les vitres de la MINI Cooper, plein de néons, de publicités, d'enseignes de restaurant, sous les coups frénétiques du médiator de Dave Mustaine qui chantait « Hangar 18 ». Atticus hésita à s'arrêter à un drive pour emporter de quoi dîner, mais il était déjà tard, ce n'était pas raisonnable de manger au-delà d'une certaine heure, selon sa charte de la vie saine. Il coupa le morceau de Megadeth, il n'était pas d'humeur. Il sélectionna Craddle of Filth, mais zappa presque aussitôt. Il avait besoin de réfléchir.

« Sail Into The Black », par Machine Head. La voix gutturale de Robb Flynn, presque un chant tibétain infernal, emplit l'habitacle. C'était mieux.

Atticus se sentait frustré et en même temps porté par un courant excitant. Rien dans ses conclusions ne pointait vers un suspect potentiel. Et pourtant il était là, tout proche, au point de devoir tuer pour se protéger. Le temps leur était compté. À tous.

Je dois sélectionner mes prochains mouvements avec le plus grand soin, désormais. C'est une partie d'échecs. Son petit tour chez EneK avait été une erreur. Il n'était qu'un moucheron qui se frottait à un char d'assaut, et il venait de rebondir contre le blindage. *Encore une chance qu'il n'ait pas fait feu, sinon Hack et moi serions carbonisés pour le reste de nos carrières.* Il le reconnaissait, ça n'avait pas été très malin de sa part. Qu'avait-il espéré ? L'entreprise se protégeait, rien de plus, il ne fallait pas commencer à sombrer dans la paranoïa, ni y voir un aveu de culpabilité.

Il aperçut un clochard sur le trottoir, qui poussait péniblement son chariot, le visage presque effacé par ses cheveux longs, sa barbe et la crasse. Les mots de Trappier lui revinrent en mémoire.

Il n'avait pas tout à fait tort dans son délire. Indirectement, le monstre de Skid Row avait failli le marginaliser, et s'il continuait ainsi, il se ferait éjecter en un rien de temps, indésirable partout. EneK avait un pouvoir absolu et si ses dirigeants le désiraient, ils pouvaient littéralement le gommer, faire de lui un moins-que-rien.

Oscar Riotto était passé sous les radars de tout le monde, il avait fait sa propre enquête sans alerter quiconque. *Lui n'a pas de hiérarchie, pas de comptes à rendre.* Et il avait pu y passer du temps puisque apparemment il avait établi la liste des victimes potentielles du monstre. *Jusqu'à ce qu'il fasse un faux pas.*

Par quoi avait-il commencé ? Quel était le point d'origine ?

Trappier ?

Après deux blocs supplémentaires à conduire machinalement, Atticus fit demi-tour.

Il savait qu'il serait incapable de dormir en rentrant. Après une courte réflexion pendant laquelle il pesa le pour et le contre d'une intensive séance de sport, hésita à appeler un des garçons qu'il « fréquentait » de temps en temps – moyennant quelques billets de cinquante, le prix de la tranquillité –, il se décida. Il pouvait utiliser cette énergie de manière bien plus utile.

Il lança un grand classique dans les haut-parleurs, « For Whom The Bell Tolls[1] » de Metallica, et poussa le son très fort en même temps qu'il accélérait.

Il pouvait entendre les cloches au loin.

Mais pour qui sonnaient-elles ?

---

1. Pour qui sonne le glas.

30.

Cette fois, Samuel Trappier conduisit Atticus à travers Venice jusqu'aux canaux. La soirée était agréable, ils ne croisaient que quelques couples déambulant amoureusement, un promeneur et son chien ou une grappe de jeunes en marche rapide, pressés de rallier leur destination. Les deux hommes franchirent le premier pont et entrèrent dans ce quartier à la douceur de vivre quasi palpable, des maisons mitoyennes alignées dans tous les styles architecturaux possibles sur de longs rectangles de terre au milieu des canaux.

À cette heure, il n'y avait plus grand monde, et Trappier parla tout bas, sans cesser d'avancer, mais sur un rythme nettement plus calme.

— C'est la dernière fois que je vous vois, prévint-il. Si vous êtes pisté, ils vont remonter jusqu'à moi.

— À part le système dans son ensemble, vous craignez quelqu'un précisément ?

Trappier souffla pour dégager une mèche grise de son visage et toisa Atticus.

— Ne prenez pas mes avertissements à la légère. Lorsque vous êtes totalement indépendant, affranchi des règles du monde comme je le suis, vous êtes une cible, en permanence. Parce qu'ils ne veulent pas que la contagion se propage. Vous imaginez un peu si demain des milliers puis des millions d'individus refusaient la dictature de la consommation ? Plus de télé, plus d'Internet, plus de boulot lobotomisant, terminé les smartphones, la malbouffe, l'addiction à la mode, adieu les réseaux sociaux créateurs d'identités façonnées... Éventration du modèle capitaliste par ses propres utilisateurs. Bien sûr que je suis en danger. Tous veulent ma peau, ou au moins me faire taire. Pourquoi croyez-vous que personne ne lit mes articles ?

Atticus eut envie de lui répondre que c'était justement parce qu'il s'excluait du système de masse, et que son isolement le faisait donc crier seul dans le désert dont il s'était lui-même entouré.

— En parlant de multinationales, vous connaissez EneK ?

— Vous savez qui est le président des États-Unis ? Bien sûr que je connais EneK ! Voilà exactement ce dont je vous parle. C'est devenu tellement gros que ce n'est plus une entreprise, c'est un courant porteur, créateur de réalité, une entité enveloppante qui nous possède tous et qui dirige nos vies. Son P-DG est désormais un leader, il a le pouvoir de façonner le monde selon sa pensée. Comme tous les autres GAFA !

— Est-ce qu'EneK a des liens avec des musées ou des spécialistes dans le domaine de l'entomologie ?

— Qu'est-ce que vous cherchez ?

— À vrai dire je n'en sais rien, juste à comprendre pourquoi Oscar Riotto a été tué par la même personne qu'un des comptables d'EneK. Une histoire d'insectes. Et comme je sais qu'Edwin Kowalski, le patron, a massivement investi dans les biotechnologies, je m'interrogeais...

— Dites-vous qu'EneK a les moyens de tout faire. Néanmoins, c'est impossible de vous confronter à ce genre de colosse. Surtout, demandez-vous pourquoi EneK ferait ça ? En quoi ça peut leur servir ?

— Probablement en rien. Je ne soupçonne pas l'entreprise, mais quelqu'un en son sein.

— C'est plus pertinent. S'il existe une connexion entre vos deux morts, fouillez du côté des hommes, pas de l'entité au-dessus, ses portes resteront scellées pour vous.

— J'avais remarqué.

— N'oubliez jamais que vous êtes une fourmi face à la puissance d'un cyclone. Courbez l'échine, et restez au ras de la terre pour mener votre enquête, sinon elle va vous emporter.

Trappier montra les belles bâtisses autour d'eux.

— Tous ces gens se croient libres parce que dans une démocratie. Tu parles ! Les consortiums sont aux commandes, les connivences dégueulent de partout, de la politique à l'information, jusque dans les divertissements. Les citoyens, bien dressés, font ce qu'on leur demande : travailler, obéir, acheter. L'utopie des élections, des syndicats, des contestations faciles est parfaitement encadrée pour vider le surplus de pression. Et pour donner l'illusion du choix, on abrutit les individus en leur en offrant un paquet dans tous les domaines, au point qu'ils ne se rendent même plus compte que c'est pourtant à chaque fois la même merde, avec le même but : les asservir. Notre quotidien est truffé d'outils pour nous analyser et nous industrialiser. Nos recherches sur Internet sont décortiquées, et même nos téléphones nous écoutent en permanence pour envoyer les données à des logiciels qui enregistrent, décryptent et nous répertorient selon nos personnalités. Ils savent tout de nous, tout, même l'heure à laquelle on va chier, puisque la plupart des gens en profitent pour sortir leur portable ! Pubs ciblées, marketing adapté et le marché transforme l'emballage pour contribuer à la grande illusion du choix. Tu parles ! Le contenu est toujours aussi vide.

Trappier secouait la tête, dépité et énervé. Il reprit son souffle avant d'enchaîner :

— On maquille tout ça de profils virtuels, avec lesquels on laisse les gens s'inventer le masque d'une originalité vaine, et l'enrobage est parfait. Tous ces moutons filent du berceau à l'abattoir sans même réaliser qu'ils n'ont été que les outils d'un système contrôlé par une minuscule poignée d'individus, les seuls qui sont libres, qui font des vrais choix. Pour tous les autres, leur précieuse vie n'a pas plus compté en réalité qu'un pet de rat.

Trappier saisit Atticus par le bras et serra.

– Mais bon sang, c'est précieux une existence, c'est tout ce qu'on a ! Juste une courte enfilade de décennies, et tout ce qu'on a pensé se disperse dans le néant.

– Vous n'êtes pas croyant, Trappier ?

– La religion ? Vous êtes sérieux ? C'est encore une de ces manipulations des puissants, ouvrez les yeux ! Vous avez lu sur l'histoire des croyances ? Sur leur naissance et le développement de chacune ? Pourquoi est-ce que chaque religion apparaît exactement au moment où les hommes ont besoin d'être contrôlés ? Pourquoi chaque religion se moule sur la culture locale ou s'impose aux autres par la violence des plus forts ? Parce qu'elles sont les premiers outils d'asservissement de masse ! Avant l'apparition de la révolution industrielle et du commerce mondial, avant qu'on trouve un moyen de faire croire au progrès social. Ah parlons-en de celui-ci ! C'est rien qu'un leurre pour donner au plus grand nombre un moyen de consommer et donc fabriquer des proies faciles à maîtriser par leur dépendance au besoin de posséder.

Atticus sentait qu'ils allaient dériver de plus en plus et qu'il lui serait ensuite difficile de ramener Trappier sur le sujet qui l'intéressait.

– Je n'arrête pas de m'interroger sur Oscar Riotto. Comment a-t-il découvert le monstre de Skid Row ? Ça vient de vous ?

Trappier s'immobilisa lorsqu'une lumière s'alluma brusquement devant eux, avant qu'un homme ne sorte avec sa poubelle à la main.

– Non. Oscar est venu me demander mon avis sur le sujet mais je n'en avais jamais entendu parler avant lui. Il était surexcité.

– Il vous a dit d'où ça provenait ?

– Comme d'hab, une source.

– Oui mais laquelle ?

– Vous croyez qu'on se partage ce genre d'information ? Oscar et moi on discute, on s'entend bien, après faut pas déconner, pas au point de se refiler nos sources.

– Il pourrait avoir gardé une trace de la sienne ?

Cette fois, Trappier s'arrêta pour observer Atticus.

– Vous êtes naïf pour un flic.

– Vous seriez surpris de ce que certaines personnes peuvent garder au chaud dans un coin, par sécurité, par prudence en cas d'accident ou juste pour se rafraîchir la mémoire.

– Je sais bien, je vous dis seulement que le monstre, s'il a tué Oscar, il a forcément nettoyé toute trace de son existence chez lui aussi.

L'appartement de Riotto avait été retourné en effet, preuve supplémentaire que l'assassin prenait sa victime très au sérieux. *Bon point pour toi, ducon.* Atticus n'aimait pas qu'on lui mette le nez dans ses torts.

– Je vais vous dire, insista Trappier, si Oscar avait constitué une sauvegarde dans le cas où il lui arriverait malheur, j'en aurais été le destinataire. Et je n'ai rien reçu, sinon je ne serais pas là à vous causer. C'est mort. Quoi qu'il ait trouvé, ça a disparu avec lui.

C'était ce que craignait Atticus. Il ne restait donc plus qu'une option : remonter la trace d'Oscar Riotto. Faire comme lui dans l'espoir d'obtenir les mêmes résultats.

– Trappier, je n'ai pas de conseil à vous donner en matière de prudence, vous fuyez les hommes mieux que personne. Cependant, si vous voyez des insectes, je veux dire un gros paquet d'insectes, même si ça vous semble tordu, barrez-vous le plus loin et le plus vite possible.

Ce fut au tour du marginal de le regarder en se demandant s'il n'avait pas perdu la raison.

Atticus le salua.

Il devait se confronter au terrain.

Arpenter le territoire du monstre à son heure de chasse.

31.

Le filtre rassurant du jour évanoui, Skid Row ne ressemblait plus à un camp de réfugiés, mais à une zone de guerre. Dans le vague silence de la nuit, des ombres fugitives se déplaçaient en toute hâte, voûtées, sans un son, traversant les rues d'une allure inquiète ou longeant les processions de tentes à pas feutrés. Exister, c'était se montrer, donc se mettre en danger. Devenir la proie des junkies au bout du manque, des illuminés insomniaques, des pervers cherchant à nuire, ou du premier opportuniste trouvant un moyen de survivre en volant son prochain, même pour une paire de vieilles chaussures à peine sèches.

L'éclairage public était chiche et, dans certaines rues, un lampadaire sur deux avait l'ampoule brisée. L'obscurité étendait son voile sur les trottoirs saturés, seulement percée de rares lueurs électriques à l'intérieur des tentes, parfois de flammes dans une boîte de conserve. Et partout se diffusaient des murmures, un léger bruissement social. Certains se parlaient à eux-mêmes, parfois des cris ou des disputes, un éclair de violence, des ronflements, des pleurs et même des gémissements d'enfant.

Atticus avait pris le temps d'enfiler sa tenue de rechange planquée au fond de son coffre, histoire de ne pas débarquer ici dans son costume luxueux, et il marchait lentement au milieu de ce dédale de misère, les sens aux aguets. Il évitait les groupes les plus remuants qu'il repérait facilement, et s'arrêtait de temps en temps dans un renfoncement pour partager un instant avec des silhouettes taiseuses autour d'un fût rempli de déchets consumés par les flammes. La lueur des brasiers creusait encore plus les rides de tous ces visages usés.

La pieuvre de tentes s'étirait bien au-delà de Skid Row. Jusqu'à la mairie au nord et aux frontières du Fashion District au sud. Certaines installations relevaient davantage de la cabane : des planches en guise de murs, des toiles pour l'isolation, et des monticules de cartons déchirés tout autour, comme pour former une haie protectrice. Depuis combien de temps habitaient-ils ici, ceux-là ? Atticus se mit à douter du chiffre officiel de deux mille cinq cents personnes occupant un fragment de caniveau ; il avait le sentiment d'une marée infinie. Et la course à la productivité, la concurrence féroce pour se maintenir dans les rouages du système, laissait présager que l'endroit allait toujours plus se remplir dans les années à venir. Même si son discours était extrémiste, Trappier n'avait pas tout faux dans ce qu'il racontait. La société ne pouvait effacer ceux qui ne suivaient plus, alors elle les parquait loin des quartiers résidentiels et regardait ailleurs. Elle laissait s'autodétruire ses plus faibles éléments dans l'indifférence. *Personne n'a à se salir les mains, le temps fait le job...*

Atticus s'asseyait sur un muret lorsqu'il en avait marre d'errer et restait à l'affût. À une heure du matin, la rumeur bruissante s'était tue, ne demeuraient que les voix des plus dérangés qui ne trouvaient pas le sommeil, généralement des insultes plein la bouche. Par moments, Atticus repérait un individu qui se faufilait contre les façades des entrepôts ou les grillages des parkings et terrains vagues, et le prenait en filature. La plupart sondaient les poubelles qui traînaient, récupéraient en douce un morceau du fief voisin, ou allaient faire leurs besoins dans un recoin. Tous finissaient par rejoindre leur propre igloo de fortune.

À plusieurs reprises, un homme ou une femme surgirent pour lui proposer une pipe en échange d'argent, de nourriture ou de

came, et chaque fois Atticus ne pouvait s'empêcher de penser
que, s'ils le lui proposaient, c'était qu'il existait un marché pour
ces reliquats d'êtres humains qui tenaient à peine debout, les
lèvres tuméfiées, des croûtes sur le visage et le regard absent,
déjà mort.

Combien de personnes venaient ici profiter de leur misère ?
Dans une économie de marché cynique à outrance où chaque
niche se constituait selon l'offre et la demande, où la déchéance
des uns faisait la bonne fortune des autres, qui pouvait dire
si la détresse n'était pas recyclée en une forme d'industrie du
désespoir où chacun pouvait, à loisir et pour presque rien, se
livrer à tous les abus et satisfaire ses perversités ?

Le monstre de Skid Row n'avait même pas à se cacher, juste
à rôder, ombre parmi les oubliés, à guetter pour sélectionner
sa proie la plus vulnérable et frapper au moment opportun. Ce
n'était pas compliqué d'être discret au royaume de l'indifférence.

Comment les choisissait-il ? Quels étaient ses critères ? Pour
répondre à ça, Atticus devait étudier les victimes précédentes.
Mais dans un lieu comme celui-ci, où personne ne savait grand-
chose de l'autre, où le mensonge, destiné à se protéger pour des
raisons de survie ou purement pathologiques, était le dogme,
que pouvait-il espérer ? Il était impossible d'obtenir des informations fiables.

À cette pensée, il orienta ses pas vers le coin où vivait celui
qui avait accepté de lui parler la veille et se posta non loin. Il
avait bien conscience que cela ne servait à rien, personne n'allait
jaillir par les égouts pour venir attaquer son contact devant lui,
mais faute de mieux, il s'assit sur le palier d'un bâtiment en
béton et attendit.

Des râles de mal-être perçaient la nuit de temps à autre,
mais l'essentiel du fond sonore était à cette heure constitué de
ronflements.

Atticus était étrangement éveillé. Son cerveau tournait à plein
régime, incapable de se poser, moulinant en tous sens.

Plutôt que de fixer mon plafond, autant être là...

C'était d'une candeur risible d'imaginer qu'il puisse tomber
nez à nez avec le tueur, encore plus de croire qu'il saurait
l'identifier rien qu'en le voyant. Pourtant il aimait assez l'idée
de rester. Tant qu'il ne s'endormirait pas, il traînerait ici pour
s'imprégner. *T'imprégner de quoi ? Tu te prends pour Heming-*
way ? T'es un flic, et les flics ça analyse, ça questionne, ça perqui-
sitionne, mais ça ne flaire pas l'atmosphère...

Il le faisait aussi sur les scènes de crime. *Si ça t'avait porté*
chance ou servi à quelque chose, ça se saurait...

Une lumière s'alluma sous la tente de son contact et Atticus
se redressa. Il patienta un moment, vit la lumière faiblir, bruit de
manivelles qu'on tourne, et la lampe dynamo se remit à briller.

Atticus se releva et s'approcha de la tente. Il fit crisser ses
ongles sur le nylon.

– Mel ? Mel, c'est Atticus Gore, l'inspecteur d'hier, vous vous
souvenez ?

La fermeture Éclair descendit et Mel apparut, interloqué.

– Qu'est-ce que vous foutez là à cette heure ?

– Apparemment la même chose que vous : je n'arrive pas à
dormir.

Mel enfila un T-shirt sur celui qu'il portait déjà et sortit de
sa tente. Ses yeux rougis trahissaient des insomnies chroniques.

Atticus s'attendit à ce qu'il lui réclame de l'argent tout de
suite, au lieu de quoi l'homme proposa :

– Vous voulez de la tisane ? J'ai réussi à en dégoter et elle
est dans un thermos. C'est bien pour s'endormir, ça aide.

Les deux hommes s'assirent sur le rebord du trottoir.

– Pourquoi vous n'y arrivez pas, vous ?

Mel haussa les épaules.

– Difficile de se détendre avec... tout ça autour.

– Vous êtes ici depuis combien de temps ?

Mel le scruta, surpris qu'on puisse s'intéresser à lui.

– On est quand ? Début avril ? Bientôt un an et demi.

– Comment c'est arrivé ?

Mel se frotta les joues, le regard lointain à présent.

– Je vais pas vous mentir comme tous les autres ici qui se donnent le bon rôle ; à les écouter, c'est jamais leur faute. Moi je picolais. Trop. Ma nana s'est barrée, mon job aussi, et puis ensuite ça va très vite, on ne se rend pas compte combien ça va vite. Au début, les premiers jours, on se répète que c'est provisoire, juste le temps de retrouver un boulot, que c'est pas la peine d'appeler à l'aide. Et puis lentement, on s'enlise. Quand on comprend que c'est fini, qu'on est vraiment devenu un fantôme de la rue comme ceux qu'on ne voyait même pas avant, c'est trop tard. Maintenant c'est plié, avec ma gueule, je vais pas retrouver un métier normal. Faut être réaliste, un patron, avec tout le chômage qu'il y a dans le pays, il a le choix entre un gars propre sur lui, bien inséré, et moi sans adresse fixe, qu'il va s'imaginer à la moralité aussi douteuse que l'hygiène : le choix sera rapide.

– Vous n'avez pas l'espoir de reprendre une vie normale un jour ?

– J'aimerais. Mais je vois pas comment.

– Qu'est-ce qui vous fait tenir ?

– Déjà, en premier lieu, comme tous les détritus que vous voyez là, la lâcheté. La plupart, on a pas le courage de se foutre en l'air. Même à gémir l'été, par quarante-cinq à l'ombre, dans nos tentes étouffantes, on préfère ça à la mort. On s'accroche à nos petits bouts de vie comme des mouches sur une vieille merde.

– Je ne voulais pas dire ça, Mel, pardon.

– Non, non, c'est la vérité.

– Vous donnez l'impression d'un homme solide.

– Je vais vous dire ce qui me fait tenir : un infime espoir. C'est pour ça que moi je ne suis pas passé encore complètement de l'autre côté comme ceux qui ne se lavent plus, qui se pissent parfois dessus la nuit plutôt que de prendre le risque de se faire agresser pour trouver un chiotte. Je m'accroche à un rêve.

– Lequel ?

Mel vérifia qu'il n'y avait personne alentour et se pencha vers Atticus.

– J'attends la grande chute. Lorsque tout va s'effondrer.

– Tout quoi ? Le monde ?

– Oui. Quand les Bourses vont s'emballer et se crasher une dernière fois, que le système entier va se faire aspirer, l'effondrement des banques, plus personne n'aura de pognon, l'État sera dépassé, même la garde nationale ne pourra rien y faire, les mecs préféreront rester chez eux à protéger leur famille plutôt que d'obéir à des ordres dictés par la panique. Les militaires ne seront plus payés non plus, ni les flics, et au début ils feront de leur mieux avant de capituler comme n'importe qui... Les gens ne penseront plus qu'à une chose : stocker un maximum de bouffe et d'eau le temps que ça passe, sauf que ça va être le chaos, et donc plus personne n'ira bosser, à quoi bon si ça ne sert à rien ? Plus d'électricité, plus de chauffage ou de clim, terminé. Et ils se barricaderont pour garder le peu qu'ils ont. Avec toutes les armes qui traînent dans notre belle nation, je peux vous dire que ça va cartonner du matin jusqu'au soir, les pères et les mères de famille vont se transformer en loups et en hyènes pour mettre à l'abri les leurs, et ce sera le début de l'apocalypse.

– C'est ça que vous attendez ? Une guerre civile ?

– Pourquoi pas ? Au début va falloir la jouer serré, profil bas, mais je sais faire. Une fois que ça se tassera, alors on sera tous revenus au même niveau. Terminé les différences, les privilèges, les démunis et les nantis, rien que des hommes et des femmes qui luttent au quotidien pour survivre. Alors, un mec comme moi pourra s'en tirer. Peut-être même faire des adeptes. Bien m'entourer, les guider, et je serai une sorte de roi.

Atticus l'avait pris pour un esprit lucide et découvrait avec amertume qu'il nourrissait des rêves de domination par la destruction.

– Vous faisiez quoi dans votre tente ? interrogea-t-il.

– Je lisais. Manuel de survie. Comment trouver de l'eau, reconnaître les bons champignons, etc.

Atticus se sentait accablé. Il avait finalement eu sa dose et désirait rentrer.

— Vous êtes venu pour la liste ? demanda Mel.

— Vous avez trouvé les noms des autres disparus ?

— C'est pas comme si je croulais sous le boulot..., ironisa-t-il en se penchant dans sa tente pour s'emparer d'un bout de papier. J'en ai deux autres, des confirmés, j'ai pas mis ceux qui m'ont été indiqués par des tocards en qui j'ai pas confiance. Voilà.

Atticus décrypta l'écriture énervée : Dominik Sheppard, Baby Roy, Lorette, Ravnik Chessernicof.

— Bon, l'orthographe des noms, je suis pas sûr. Et j'ai pas trouvé la vraie identité de Baby Roy. Lorette, c'est comme ça qu'on l'appelait, personne n'a su me dire son nom de famille. Je vais continuer, il y en a d'autres, plein d'autres, c'est sûr. Revenez dans la semaine.

Atticus était déçu. Il s'était projeté un peu vite dans cette liste, espérant pouvoir en tirer un mode opératoire, mieux comprendre le tueur, et réalisait qu'il ne pourrait rien en faire. Les noms n'étaient pas complets, ou approximatifs, et on parlait de personnes ayant disparu des bases de données de l'administration depuis un moment. Qu'avait-il espéré ?

Pourquoi Oscar Riotto est parvenu à quelque chose avec cette liste de victimes, lui ? Qu'est-ce qu'il avait que je n'ai pas trouvé ?

Atticus reprit son portable et sélectionna la photo du journaliste mort. Peut-être que Mel pourrait l'aider à retracer son itinéraire dans ces rues.

— Vous vous rappelez cet homme ?

— Oui, vous me l'avez montré hier, j'en ai causé avec des gars d'ici.

— J'ai essayé moi aussi.

— Je vous l'ai déjà dit : à vous ils ne confieront rien, vous n'êtes pas l'un d'entre nous, vous êtes un des « autres ». Mais à moi, Pedro et Lana m'ont raconté qu'ils se souviennent de votre bonhomme.

L'intérêt d'Atticus fut réveillé et il se redressa.

– Ils l'ont vu ? Ils se souviennent où et à qui il s'est adressé ?

– Pas trop, non, juste qu'ils l'ont vu. Il a pas mal fureté.

– Et à lui, ils acceptaient de lui parler ? s'étonna Atticus.

– Oui, mais c'est pas pareil. Parce qu'il s'est fait introduire par la bonne personne.

– Quelqu'un comme vous ? Vous pourriez faire ça pour moi ?

Mel renifla et secoua la tête.

– Non, vous n'y êtes pas, il avait un guide qui connaît bien le secteur et ses habitants et qui a leur confiance. C'est une fille qui bosse pour une fondation, elle a passé beaucoup de temps dans la rue à s'occuper de nous.

– Membre d'une Église ?

– Non, je crois pas, c'était juste une fondation pour... enfin, vous savez, un truc pour donner bonne conscience à tous les rupins, ils allongent le blé dans leur machin et en échange ils n'ont pas besoin de penser à nous.

– Et cette fondation, vous avez le nom ?

– Non. On s'en fout, pour être honnête, du moment qu'ils offraient de la bouffe et des couvertures. Tout ce qu'on avait à faire, c'était répondre aux questions de la fille et on repartait avec notre sac plein.

Atticus devait identifier la fondation.

– Quel genre de questions ? voulut-il savoir.

– Des conneries, prénom, âge, emplacement, prénoms des voisins, et toute une tonne dans le même style sur le pourquoi on est dans la rue, nos liens avec notre famille, avec ceux d'ici, et voilà... Elle appelait ça une étude sociologique.

Travail d'étudiants ou œuvre caritative avec publication à la clé ?

– Vous ne vous souvenez même pas d'un nom ou d'un logo ? insista Atticus.

– Non. La fille qui guidait votre bonhomme, là, était mexicaine ou ce genre, minuscule mais plutôt jolie. Ça a bien duré plusieurs mois, c'était plutôt cool.

Atticus fut alors pris d'un doute. C'était improbable, mais il préféra l'évacuer.

— La fille, elle était très fine, avec un tatouage de dauphin sur le poignet ?

Mel réfléchit un court instant et approuva.

— Ouais, c'est elle.

Atticus eut les jambes coupées sous l'effet de la surprise. Il s'était attendu à tout sauf à ça.

Ximena Torrebiarte.

La voisine d'Oscar Riotto.

32.

Carson Mills nichait au sein de plaines couvertes de champs et de bois, au bout d'interminables routes ennuyeuses, sans autre paysage que les silos des fermes ayant survécu à la fusion des terres agricoles.

Kat y parvint pour l'heure du déjeuner après avoir raté sa correspondance la veille au soir, tard, et avoir été contrainte de dormir à l'aéroport de Chicago. Elle avait sauté dans le tout premier vol pour Kansas City d'où elle avait loué une voiture. Elle consommait plus de café pour tenir le choc que sa Nissan d'essence. L'engueulade téléphonique avec Mitch, à une heure du matin dans le couloir de l'hôtel parce qu'il l'accusait d'avoir volontairement planté leur dîner, l'avait achevée et son moral était au plus bas.

Elle avait besoin de se venger sur quelqu'un ou quelque chose et comptait sur Carson Mills pour lui fournir de la matière.

Galvin Hutchinson, t'as intérêt à bien te planquer…

Elle s'arrêta à l'entrée nord de la ville sur le parking d'un bar-restaurant, le Loup solitaire, pour engloutir un steak-frites – au point où elle en était, le suicide alimentaire semblait une solution – et se renseigner sur les motels fréquentables du coin. La serveuse se montrant plutôt bavarde, Kat en profita pour la questionner sur tous les points de chute envisageables pour quelqu'un qui souhaiterait rester un moment. Après lui avoir dressé l'inventaire, restreint, de toutes les chambres disponibles à Carson Mills, la serveuse ajouta :

— Ah, et si c'est vraiment du pas cher que vous cherchez, pas loin d'ici dans la forêt il y a un camp de mobil-homes, les Bicoques qu'on appelle ça, la collègue là-bas elle y crèche.

Galvin Hutchinson n'était pas du genre plein aux as, et une caravane un peu planquée pouvait très bien convenir. Kat interpella l'autre fille et lui demanda si elle avait aperçu des nouveaux récemment aux « Bicoques ». Elle insista en lui montrant la photo du permis de conduire de Hutchinson que Kat était parvenue à capter avec son portable, et celle de Lena.

— Jamais vus, ni l'un ni l'autre. Ils sont pas chez nous. Je peux vous le garantir, je suis plutôt physionomiste et la petite, là, elle a pas loin de l'âge de ma fille, je l'aurais remarquée.

Au moins cela lui épargnerait une visite sur place. Restait tous les motels. Kat commença par se prendre une chambre dans le plus propre, non loin du centre-ville, avant d'entamer son tour des établissements, photos à l'appui.

Carson Mills était une bourgade modeste, et en deux heures elle en eut terminé, sans résultat. Ce genre de méthode avait ses limites, les tenanciers n'étaient pas tous compétents ou honnêtes, mais pour un premier coup de sonde, cela avait le mérite de donner le ton.

Kat prit alors la direction du siège social de Joker Diffusion, dans les faubourgs est de la ville, et se gara devant un bâtiment de plain-pied, moderne. Une jeune femme tenait l'accueil, dans un silence surprenant, un fin micro-casque devant la bouche. Kat ne pouvait se permettre de tourner autour du pot éternellement, elle demanda à parler à un responsable, sans autre précision. Elle gardait sa licence de détective privée au chaud, au cas où, préférant ne pas trop la dégainer. Légalement elle avait le droit de poursuivre son enquête pendant trente jours sur place, cependant la mention État de New York et non Kansas pouvait susciter des réticences.

— De quelle entreprise ?

– Eh bien, Joker Diffusion, pourquoi, il y en a d'autres ?

La fille montra un panneau dans le hall avec cinq noms.

– Vous êtes dans un centre d'affaires, madame, nous héber-geons des PME. Joker Diffusion, c'est l'espace A3 au fond du couloir sur votre gauche, mais il n'y a personne aujourd'hui.

– Vous savez quand ils reviendront ?

– Il n'y a presque jamais personne à vrai dire. Vous êtes journaliste vous aussi ?

– Non, détective privée. C'est vous qui recevez leurs appels ?

– Oui. Et je transmets.

– Joker Diffusion en reçoit beaucoup ?

La fille sourit, dévoilant une horrible dentition de travers.

– Si les autres pouvaient être comme eux, je glanderais sur Instagram toute la journée.

En clair, Joker Diffusion n'était qu'une coquille vide. Après TGHC qui avait fermé, cela faisait beaucoup. Kat fit défiler les photos de Lena et de Hutchinson en lui demandant si elle les avait vus. La réponse fut négative là aussi. La fille commençait à s'enthousiasmer sur le métier de détective privé, surtout exercé par une femme, et multipliait les questions. Il était temps de partir.

Sur le seuil, Kat fit demi-tour.

– Vous avez parlé d'un journaliste, il s'intéressait à Joker Dif-fusion ?

– Oui, comme vous, pour savoir quand ils venaient, ce genre.

– Il vous a laissé une carte au cas où ?

– En effet, pour que je la transmette au gérant de Joker.

– Vous voudriez bien me la montrer ? Juste un coup d'œil.

Kelvin Snell officiait pour le *Wichita Eagle* et il avait une voix agréable, presque chantante lorsqu'il répondit à l'appel de Kat. Son ton se modifia aussitôt qu'elle mentionna Joker Diffusion.

– Vous êtes une privée, c'est ça ? fit-il, plus suspicieux. En quoi cette entreprise vous intéresse ?

– Je recherche une jeune femme qui a disparu, décida d'avouer Kat qui savait qu'un peu de franchise pouvait parfois s'avérer la meilleure option, surtout avec un journaliste.

– C'est quoi votre lien avec Joker ?

– Je peux vous proposer un deal. Vous m'expliquez pourquoi vous enquêtez sur eux et je vous balance mon histoire. Vous serez le seul à savoir, et si je vais au bout, il y aura de quoi faire la une de votre canard.

– La fille, elle a été enlevée ou elle est partie de son plein gré ?

– Je dirais un peu des deux.

Snell souffla dans le combiné.

– Joker ça n'est qu'un écran. Vous avez entendu parler des Enfants de Jean ?

– Non.

– Elle a confiance en vous ? Si vous remettez la main sur elle, vous pensez qu'elle me parlera ?

– Possible.

– Rejoignez-moi à Wichita. Il faut qu'on discute.

– Je suis là dans une heure.

Snell l'interpella, presque en criant :

– Hey ! Je suis sérieux. Vous ne mentionnez mon nom à personne, c'est compris ? La fille que vous recherchez, je pense que je sais où elle est.

33.

La pièce était étroite, sans fenêtre, un revêtement gris clair isolant en guise de parois donnait la sensation d'être dans une boîte, en plus de lui conférer une acoustique singulière : crier ici ne servait à rien. Il n'y avait qu'une table et trois chaises, et rien d'autre sinon une atmosphère glaciale.

Hack et Atticus surveillait Ximena Torrebiarte sur l'écran de contrôle de la caméra qui filmait tout. Elle serrait les bras contre elle, frigorifiée.

– Tu y as été un peu fort sur la clim, reprocha le blond.

– Je veux qu'elle se sente mal, répliqua Atticus. Allez, c'est bon, elle est mûre.

Ils l'avaient cueillie devant chez sa mère tandis qu'elle sortait pour aller travailler, le matin même, et l'avaient ramenée à Hollywood Station.

Ils s'installèrent face à elle après avoir refermé la porte dont l'écriteau stipulait que la salle était occupée. Personne ne les dérangerait.

– Miss Torrebiarte, commença Atticus, vous savez pourquoi vous êtes ici ?

La jeune femme entremêla ses doigts sur son ventre et fit signe que non.

– Vous voulez vraiment jouer à ce jeu avec nous ? intervint Hack avec lourdeur.

Elle baissa les yeux.

– Oscar Riotto, dit Atticus. Vous vous êtes bien foutue de moi lorsque je suis venu vous voir. Vous saviez très bien sur quoi il travaillait.

Atticus était en colère, contre lui-même avant tout, de s'être fait manipuler avec autant de facilité par une gamine à la caisse de son supermarché. Ce qu'il avait pris pour un malaise, la culpabilité presque risible d'une séductrice, n'était rien de plus que les symptômes du mensonge, et lui n'avait rien vu.

Elle se contenta d'avaler sa salive, le regard fuyant. Atticus savait que sous ses airs de petite brune fragile rôdait un sacré caractère, ça au moins il l'avait entraperçu, et il ne gobait pas son cirque cette fois. Néanmoins, il ne voulait pas la brusquer, la dernière chose qu'il désirait c'était qu'elle se referme et les vire en exigeant un avocat.

– Ximena, reprit-il sur un ton plus doux, c'est le moment de prendre la bonne décision, dans votre intérêt. Pour Oscar, c'est terminé, il n'y a plus rien à faire, on a retrouvé son corps.

Il avait espéré un électrochoc en lui annonçant la mort de son voisin mais elle ne cilla pas. Atticus en fut surpris. *Soit tu es encore plus solide que ce que je pensais, soit tu encaisses, mais ça va exploser d'un coup.* Il en avait vu des comme elles, tout prendre, ne rien montrer, avant que le vernis ne se fissure brusquement. Ceux-là devenaient ensuite les plus bavards.

– Pourquoi m'avoir caché que vous aviez guidé Oscar dans Skid Row, auprès des SDF ?

– Et c'est quoi cette fondation ? L'église de votre quartier ? demanda Hack.

À ces mots, elle le fixa puis se tourna vers la caméra dans l'angle.

– C'est possible de l'éteindre ? dit-elle enfin.

– Non, répondit le grand blond, et c'est dans votre intérêt qu'elle enregistre tout.

– Alors je ne dis rien.

Hack insista mais Atticus se leva et se plaça devant la caméra pour faire signe de tout couper. Il savait qu'Hamilton était l'officier de surveillance et qu'il ne regardait certainement pas son moniteur, perdu au milieu de tous les écrans d'information du LAPD qu'il devait contrôler, tout en bavardant avec le flot continu d'officiers qui entraient et sortaient devant son bureau.

– Voilà, c'est fait.

– Vous êtes sûr qu'on ne peut plus nous entendre ?

– La pièce est insonorisée.

Ximena se frotta nerveusement les mains.

– J'ai froid.

– J'ai coupé la clim en entrant, mentit Atticus, ça va se réchauffer.

– Si je vous parle, je dois prendre un avocat ensuite ?

Atticus sentit la situation se tendre. Ils marchaient sur des œufs.

– La loi vous y autorise, répondit-il sans entrer dans les détails.

Il lui avait déjà lu ses droits, il n'était pas obligé de le refaire maintenant.

– Mais si je n'en veux pas ?

– Alors vous faites de grosses économies, répliqua Hack, pragmatique.

– Tout ce qu'on se raconte là ne doit pas sortir d'ici, annonça-t-elle comme si c'était elle qui menait la danse. S'ils l'apprennent, je suis morte.

– Qui ça « ils » ? s'étonna Hack.

– La fondation. C'est Long Life Harmony.

– Jamais entendu parler, avoua le grand flic. C'était quoi votre rôle chez eux ?

– Je devais soumettre les SDF de Skid Row à un questionnaire.

– Dans quel but ? interrogea Atticus.

– Tout un arsenal de questions pour mieux les comprendre, et surtout réussir à mieux cerner le point de décrochage, les circonstances où ils ont basculé de la vie intégrée à la rue. C'était une étude bien préparée et à Long Life Harmony ils nous ont expliqué que c'était pour améliorer l'assistance aux personnes démunies, avant qu'elles ne sombrent.

– Vous dites « nous », vous étiez plusieurs ?

– Le jour de la formation, on était au moins huit ou neuf. Moi j'étais affectée à Skid Row avec une autre fille, mais les SDF sont un peu partout, à South Figueroa Corridor ou Crenshaw, et bien au-delà, et pour chaque regroupement de sans-abri, la fondation a missionné au moins un binôme. Vous savez combien il y en a dans le comté de Los Angeles ? Presque soixante mille personnes. Tous dorment dehors. Donc il fallait qu'on soit assez nombreux, même si à huit ou neuf, nous ne pouvions rencontrer qu'un échantillon de la population. Mais c'est ce qu'ils voulaient à Long Life Harmony, une « représentativité ».

Atticus sentait monter en lui une nausée profonde. Soixante mille personnes. Il n'avait envisagé que Skid Row pour terrain de chasse, mais qui pouvait dire si le tueur ne frappait pas partout où des sans-abri s'aggloméraient ? Soixante mille individus sortis du système, sans protection, qui n'existaient presque déjà plus, un vivier immense dans lequel puiser impunément. Le tueur avait trouvé le crime parfait et pouvait s'en donner à cœur joie depuis des années. La tête lui tournait rien que de penser à la liste des victimes potentielles.

– OK, et Oscar Riotto dans tout ça ? exigea Hack.

Ximena gratta le tatouage de dauphin sur son poignet. Elle se tourna à nouveau vers la caméra.

– Vous me promettez que ça n'enregistre pas, hein ?

Atticus et Hack s'observèrent, étonnés par la peur qu'ils pouvaient deviner.

– Qu'est-ce que vous craignez, Ximena ? insista Atticus.

La gorge de la jeune femme faisait des bonds tant elle déglutissait.

– C'est Oscar que j'ai prévenu quand j'ai compris ce qui se passait.

Atticus se pencha vers elle sur la table.

– C'est-à-dire ? La fondation ?

Elle n'arrêtait pas de cligner des paupières et respirait fort.

– Oui.

Hack demanda :

– Qui la dirige ? Une paroisse, des particuliers, une entreprise ?

– C'est une petite structure, mais elle appartient en fait à un énorme groupe.

Atticus sentit ses propres mains devenir moites avant même qu'elle ne prononce le nom.

– EneK, vous connaissez ?

34.

Kelvin Snell attendait Kat sur un banc dans un modeste parc de Wichita, à quelques blocs des locaux du journal, au sud de la vieille ville tout en briques rouges. Le trentenaire à lunettes, barbu, faisait face à la rivière artificielle et jetait les miettes de son cookie aux canards. Il ne se leva pas lorsque la privée approcha, se contentant de s'épousseter les mains et de se tasser au fond du banc.

– Vous avez roulé vite, dit-il.

– Vous m'avez sacrément appâtée. Vous voulez voir ma carte ?

– Pas la peine, vous ressemblez à la nana que j'ai vue sur les photos.

– J'ai eu droit à ma séance sur Google ?

– On n'est jamais trop prudent. Racontez-moi votre affaire.

Kat n'aimait pas trop se lancer la première, s'il n'était pas intéressé, il risquait de garder ses informations pour lui, mais elle n'avait guère le choix. Elle résuma la situation en cinq minutes pour conclure sur Joker Diffusion qui avait payé l'impression des dix mille flyers.

– En moins de cinq jours ? Vous n'avez pas chômé.

Kat n'était pas peu fière, en effet. Les journées avaient été intenses depuis la visite d'Annie Fowlings dans son bureau, à 7 heures du matin, vendredi dernier. Snell doucha aussitôt son autosatisfaction.

– Mais vous n'avez fait que la moitié du boulot. Je vous accorde que le reste nécessite du temps et des compétences pour remonter la trace de l'organigramme.

– Quoi ?

– Vous n'avez pas été au bout de votre raisonnement. Pour TGHC et Joker, il fallait creuser le financement.

– C'est ce que vous avez fait ?

– Vous devez me promettre que ce sera donnant-donnant.

– Je viens de mettre sur la table tout ce que j'avais, on ne peut pas faire plus direct.

– Si vous retrouvez la fille, je veux avoir l'exclu sur son témoignage.

Kat ne risquait rien à s'engager là-dessus.

– Deal.

Dans un geste précieux, Snell repoussa ses lunettes qui glissaient sur l'arête de son nez.

– J'ai retrouvé la trace de quatre boîtes du même genre regroupées à Carson Mills ou dans les environs. De très petites PME. Elles appartiennent à des sociétés écrans qui font toutes partie d'un montage complexe.

Kat s'attendait à entendre surgir le nom de Galvin Hutchinson à tout moment dans la combine. Pourtant la suite prit une autre tournure.

– Je ne vous cache pas que ça n'a pas été simple mais, lentement, je suis parvenu à identifier chaque intermédiaire et la provenance des capitaux.

– Je pensais ce genre d'enquête impossible avec des barrages comme les Bahamas ou les Caïmans, totalement opaques.

– Si vous ne voulez pas attirer l'attention du fisc, mieux vaut rester sur le territoire des États-Unis. Ça vous rend traçable mais, a priori, si personne n'a de raison de jeter un œil, et sans une motivation d'acharné, vous pouvez noyer le poisson avec un empilement de sociétés écrans. C'est ce qui a été fait. J'ai mis des mois pour remonter à la source et tout est parti d'un hasard. Je n'aurais jamais dû tomber sur le premier fil, mais une fois qu'on tire dessus...

— Qui est derrière ?

Snell lissa sa courte barbe d'un air sûr de lui.

— Vous êtes prête ?

Il commençait à l'énerver avec sa suffisance et son « art » du suspense.

— Crachez le morceau, Snell.

— EneK.

— Le groupe informatique ?

— Oh, EneK c'est bien plus que de l'informatique à présent. Ils sont dans presque tous les secteurs d'activité, ils brassent des milliards.

— Attendez, je ne comprends pas bien. Quel intérêt peut avoir une multinationale de cette importance à empiler des coquilles vides pour fonder deux, pardon, quatre structures de merde ? Qu'est-ce qu'ils viennent faire là-dedans ?

Snell se tourna vers elle.

— C'est là que votre histoire m'intéresse. Vous dites que Joker a fait imprimer dix mille flyers ? Ils ont dû arroser le pays en plusieurs points, pas seulement New York. Et je ne serais pas étonné qu'il y en ait d'autres ailleurs pour faire la même chose. C'est une opération massive.

— Une opération de quoi ?

— Les Enfants de Jean, lâcha-t-il, mystérieux.

— Arrêtez de procéder par énigmes, dites-moi tout !

Snell l'observa avec méfiance.

— J'ai joué la franchise, insista-t-elle, et la vie de Lena Fowlings est dans la balance alors ne vous foutez pas de moi, Snell.

Les lèvres du journaliste s'arrondirent et claquèrent tandis qu'il réfléchissait, puis il se lança.

— Une de ces sociétés écrans a acheté d'immenses terrains à l'ouest de Carson Mills, ils y ont fait construire tout un campus fermé, inaccessible.

— Qu'est-ce qu'ils y fabriquent ?

D'un geste agacé, Snell lui fit signe d'attendre, qu'il allait y venir.

– Depuis plusieurs mois, j'ai pu y constater l'arrivée de gens, de plus en plus nombreux. J'ignore exactement combien ils sont, mais les locaux sont assez vastes pour héberger un paquet de monde. J'ai fouillé, j'ai interrogé, et rien n'est remonté sauf le nom de la structure.

– Les Enfants de Jean, comprit Kat.

Lena devait être là-bas, c'était évident.

– Impossible d'en apprendre davantage, presque personne ne sort, ils sont régulièrement ravitaillés par camion, parfois par hélicoptère. Même à la mairie de Carson Mills ils ne savent rien, sinon qu'ils ont reçu d'énormes dons pour se montrer conciliants et que les taxes sont payées rubis sur l'ongle. Ça fait assez d'argent pour qu'on ait envie de leur foutre la paix, au royaume des capitalistes et des politiciens pragmatiques. Ils les prennent pour des illuminés, mais comme ils ne se mêlent pas à la population ni ne posent de problèmes, tout le monde ferme les yeux et encaisse le cash.

– Vous pensez que ça pourrait en être une, je veux dire : une secte ?

Snell serra les dents face à son ignorance, contrarié.

– Rien ne filtre. Et le fil conducteur dans tout ça, c'est EneK qui est aux commandes. Au début, j'ai cru que c'était une sorte de terrain de recherches scientifiques secrètes, vous savez, pour des prototypes, genre « on est parano dans le business alors on développe loin des regards nos prochaines innovations ». Par crainte de l'espionnage industriel. Mais je commence à douter.

– La fille dont je vous ai parlé, Lena, elle est tombée entre les griffes d'un sale type, un escroc charismatique. S'ils ont recruté ce genre de profil, c'est pas pour attirer des scientifiques.

– C'est ce que je me dis. Il y a un loup. Et votre flyer, là, le côté « une autre vision du monde pour dépressifs », ça je l'avais pas vu venir. Il faut m'en filer un exemplaire.

– Vous n'avez rien publié encore ?

– J'ai failli le faire plusieurs fois déjà, mais j'attends d'avoir une vision d'ensemble. Quand ça va sortir, ce sera énorme.

– Ils n'ont pas fait pression sur vous ou vos supérieurs pour étouffer l'affaire ?

– Je suis discret, à part mon rédac chef, personne n'est au courant. Vous maintenant. Je suis prudent, et un petit journaliste comme moi, personne ne s'en méfie.

– Vous pensez que je peux entrer ?

– Où ça ? Chez les Enfants de Jean ? Non, oubliez. C'est Fort Knox. Barbelés, doubles grillages électrifiés, caméras partout, milice de sécurité, je vous assure que s'ils ne développent pas le prochain iPhone ou la voiture qui fonctionne à l'eau, alors ils planquent un vaisseau spatial. La question est de savoir pourquoi EneK a besoin de rassembler tous ces illuminés, ces esprits influençables et ces candidats au suicide. Qu'est-ce qu'ils en font ?

– Et vous, qu'est-ce que vous allez faire ?

Snell fixa la rue au loin, l'air pensif. Il hésitait.

– Si vous êtes coincé, publiez, et ça va forcément débloquer la situation, suggéra Kat.

– Non, pas encore.

– Alors qu'est-ce que vous espérez ?

Presque à contrecœur, il confia :

– J'ai déniché une source.

– À l'intérieur ?

– Mieux : quelqu'un qui y a vécu et qui s'en est enfui.

35.

Ximena Torrebiarte haletait presque, tant elle sentait l'angoisse l'envahir.

– S'ils apprennent que je vous parle, je suis foutue.

– Allons, relax, tenta Hack, son battoir de main devant lui. EneK, vous dites ? Vous êtes certaine de ça ?

– C'est ce qu'une fille qui bossait avec moi m'a dit, vous n'avez qu'à vérifier.

– Qu'est-ce qui vous fait croire qu'une entreprise mondiale, sérieuse, pourrait vouloir vous faire du mal ?

– Je le sais.

– Dans les films, les grands patrons sont des psychopathes, mais dans la réalité, vous êtes consciente qu'un groupe de cet ampleur aurait tout à perdre en agissant comme des mafieux ? Mademoiselle, ces gens sont milliardaires, vous envisagez une seule seconde qu'ils puissent risquer de finir en prison pour... vous ?

Atticus n'avait pas besoin d'arguments, il la croyait, lui. Ce n'était pas un hasard si leur comptable avait été tué selon un mode opératoire assez proche de celui utilisé contre Oscar Riotto. Et le lien entre eux était là : EneK.

– Ils l'ont déjà fait, ils s'en foutent, lâcha Ximena.

Atticus reprit la main.

– C'est-à-dire ? Vous savez quelque chose à propos du monstre de Skid Row ?

Elle soutint son regard avant d'acquiescer.

– Je sais que c'est Long Life Harmony.

– La fondation qui enlève ces gens ?

– Oui.

– Vous pouvez le prouver ? demanda Hack.

– Non.

Atticus fit un signe imperceptible vers son partenaire pour qu'il le laisse poursuivre.

– Pourquoi pensez-vous que c'est la fondation ? interrogea-t-il.

– J'ai fait ce boulot pendant plus de cinq mois. À force de traîner sur place, de distribuer des vivres et des affaires, les SDF me connaissaient et beaucoup m'aimaient bien, en tout cas me faisaient confiance. Ce sont eux qui m'ont parlé des disparitions. Pour être franche, au début je n'y ai pas prêté attention, puis ça revenait de plus en plus, entre eux ils évoquaient la présence d'un monstre la nuit. Alors j'ai posé des questions et ils m'ont donné des noms. Il m'a fallu plusieurs semaines pour faire le lien, mais j'ai fini par noter un point commun entre tous les disparus.

– Une particularité physique ? ne put s'empêcher d'intervenir Hack.

– Non. C'était ceux qui ressortaient de mes questionnaires comme étant les plus isolés.

Bien sûr. Ceux dont on ne remarque la disparition qu'au bout d'un moment, qui dorment à l'écart, plus faciles à embarquer...

– Vous l'avez signalé à vos supérieurs à la fondation ? demanda Atticus.

– J'ai pas osé. Je les sentais plus. J'ai démissionné et j'ai réfléchi à quoi faire de ce que je savais. J'étais sûre que les grands journaux ne me croiraient pas, alors j'ai été au plus simple.

– Oscar, votre voisin, celui qui vous draguait.

Elle fit oui de la tête, le poids d'une immense culpabilité dans le regard.

– Vous avez une idée de ce qu'ils ont fichu avec celles et ceux qu'ils enlevaient ?

– Non, je crois qu'on les a jamais retrouvés, c'est tout.

– Et l'autre fille avec qui vous bossiez, elle pourrait confirmer vos conclusions ?

– May ? Non, elle est chez Long Life Harmony depuis sa création, si ça se trouve elle est au courant de tout.

– Il va falloir nous fournir tous les noms des personnes que vous avez connues à la fondation, exigea Hack. Les adresses également.

Ximena se mordit la lèvre presque jusqu'au sang.

– Vous allez me protéger ?

– Est-ce qu'on ressemble à des fédéraux ? C'est le FBI qui a les moyens, pas nous.

– Si vous coopérez avec nous, corrigea Atticus, vous pourrez repartir libre et vous faire discrète, alors…

– Non, je ne veux pas sortir d'ici.

– C'est pas exactement un hôtel, précisa le grand blond en face d'elle.

Elle parut soudain encore plus nerveuse, et agrippa ses coudes de ses mains pour quémander :

– Mettez-moi en prison.

– Pardon ?

– Pour le meurtre d'Oscar. Je veux qu'on m'enferme. C'est moi qui l'ai tué.

Il ne manquait plus que ça. Atticus ne pouvait la laisser s'accuser d'un crime, juste dans l'espoir d'être incarcérée afin d'être sous la protection du système pénal fédéral. Cela allait discréditer tout le reste de son témoignage et il était convaincu de sa véracité, au moins pour la partie sur le rôle de la fondation et d'EneK en toile de fond.

– Ximena, ne faites pas ça, prévint-il. Il y a d'autres moyens de…

– Je l'ai tué, je vous dis. C'est moi qui ai acheté un téléphone jetable pour l'appeler et lui donner rendez-vous dans le vieux zoo, je lui ai raconté que je devais lui parler le plus vite possible à propos de la fondation.

Cette fois, Atticus s'enfonça dans sa chaise. *Merde, elle l'a vraiment fait !*

– Comment vous vous y êtes prise ?

– Je lui ai dit d'aller m'attendre sur le banc au centre du gazon.

– Et ensuite ?

Elle hésita.

– Après, je, j'ai...

– Vous n'y êtes pas allée, n'est-ce pas ?

Elle avisa la pointe de ses chaussures.

– Non. Mais il est mort par ma faute.

– Qui vous a dit de le faire ? Qui vous a donné les instructions pour le téléphone et le zoo ?

Le pied de Ximena s'agitait à toute vitesse.

– J'ai pas eu le choix, admit-elle. Un soir, un des costauds qui assuraient notre sécurité pendant la campagne de questionnaires, des mecs flippants, discrets, toujours en retrait, est venu me voir et m'a fait la peur de ma vie.

Ses premières larmes affluèrent tout d'un coup. Elle serra les dents puis poursuivit.

– Il a posé un couteau sur mes seins et m'a dit qu'il me découperait les tétons, avant de violer ma mère avec sa lame si je ne lui obéissais pas. Il m'a dit où aller pour acheter le téléphone, et quoi dire à Oscar.

– Vous n'avez pas fichu les pieds à Griffith Park ? s'étonna Hack, presque déçu.

– Non.

– Vous pourriez le reconnaître, ce costaud ? voulut savoir Atticus.

Essuyant ses joues, elle indiqua qu'elle en était capable.

Atticus lui accorda une minute de répit avant d'ajouter :

– Pendant toute votre présence à la fondation, avez-vous vu ou entendu quoi que ce soit en rapport avec des insectes ?

Elle ne comprit pas la question et Atticus dut la reformuler. Elle secoua la tête.

Il ignorait ce qui se tramait dans les couloirs d'EneK, mais ces ordures préparaient un gros coup.

— Je vous en supplie, bégaya-t-elle en pleurs, ne me laissez pas sortir.

Dans le couloir devant la salle d'interrogatoire, Hack, accoté au mur, et Atticus en face, encaissaient les révélations.

Ce fut Hack qui se lança le premier.

— Tu la crois ?

— Pas l'ombre d'un doute, tu le sais bien.

— Putain. Je ne suis pas sûr d'être de taille.

— Il va falloir, parce que dès que le district attorney va être mis dans la boucle, tout ça va prendre une ampleur phénoménale.

— Justement. Tu te rends compte ?

Avisant un officier qui passait non loin, Hack baissa d'un ton pour s'énerver dans sa barbe.

— Un scandale qui implique l'une des plus grandes entreprises du monde ! insista-t-il. Et Dieu sait ce qu'ils manigancent avec tous ces clodos qu'ils enlèvent !

— Ta carrière peut s'envoler après un truc pareil.

— Je suis pas sûr d'en avoir envie. De toute façon les huiles ne prendront aucun risque avec deux bouseux dans notre genre. T'as vu nos dossiers personnels ?

— C'est notre force, personne ne nous voit venir.

— J'aime autant que ça continue ainsi. Jamais ils nous laisseront poursuivre. Tu le sais, pas vrai ? La RHD va nous remplacer.

— Pas si je menace de tout balancer à la presse.

— Joue pas à ce jeu, Atticus. Les patrons vont te coller une cible sur la nuque.

— Je joue avec leurs armes. Si on va au bout, on sera des héros, intouchables. Je ne vais pas leur laisser le choix. Et la fille là-dedans nous fait confiance, elle ne parlera pas aux connards de la RHD, on a de l'avance, on connaît le dossier mieux qu'eux, j'ai mes contacts sur le terrain, notamment à Skid Row. S'il faut aller vite, la RHD n'aura pas le temps de s'impliquer comme on vient de le faire.

Hack souffla longuement, les mains dans ses cheveux presque transparents.

— Ils ont besoin de nous, Hack, avec un gros coup de pression de ma part, ils ne pourront pas nous dégager.

Hack dodelinait.

— Pourquoi a-t-il fallu que tu décroches ton putain de téléphone un jour où tu n'étais pas de service ?

— Tu es avec moi ?

Les deux hommes se toisèrent.

— J'ai pas le choix et tu le sais, enfoiré, lâcha Hack.

Atticus le gratifia d'une tape à l'épaule.

— Faut mettre le lieutenant au parfum, et ensuite j'appelle le district attorney.

— Fais ce que tu dois faire. Que l'enfer s'abatte sur nous.

36.

La bouteille de Hess Select était déjà à moitié vide, remarqua Kelvin Snell. Un excellent cabernet-sauvignon de 2015, bons arômes, nez généreux, un de ses préférés. Il s'en reversa un verre et coupa la télévision qui diffusait toujours les mêmes news en boucle. *On dirait qu'ils se répètent jusqu'à ce que les téléspectateurs finissent par croire à tout ce qu'ils racontent !* Du bourrage de cervelle.

Il vérifia son téléphone portable pour la vingtième fois de la soirée. Aucun message. Son contact n'avait toujours pas donné signe de vie et il espérait que ça n'augurait pas d'une mauvaise nouvelle. *Il ne va pas me planter. Il sait qu'il doit rendre tout public s'il veut retrouver une vie normale un jour. Tant que ces dirigeants ne tomberont pas, il ne sera jamais en sécurité.* Que pouvaient-ils faire en réalité ? Tout de même pas le traquer et le séquestrer... Et pourquoi pas ? Pour protéger un empire de plusieurs centaines de milliards de dollars, que pesait une vie dans la balance ?

Snell ne savait que penser de sa rencontre avec Kat Kordell. Elle paraissait fiable, il l'avait senti. *Vaudrait mieux, parce que tu viens de tout lui balancer !*

À deux, ils pourraient peut-être sortir plus d'infos, elle devait avoir des méthodes, des contacts... Et la fille disparue pourrait constituer un second témoignage, une preuve supplémentaire.

Dans un scandale de cette envergure, plus il disposerait d'indices concordants, mieux ce serait. *Si on la retrouve.*

Et puis Kelvin en avait marre de porter seul ce fardeau. La vérité pesait son poids, et celui-ci finissait par l'ensevelir. Il devait s'en défaire.

Pas maintenant, c'est trop tôt pour publier. Encore ce témoignage et je mets en ligne.

Gyllensen, son rédacteur en chef, était du même avis. Bétonner le papier avec une source interne et ils pourraient devenir le centre du monde pour les six prochains mois, au moins. Pulitzer, livres d'histoire, Nobel peut-être.

Snell se massa les paupières, le sommeil l'appelait. Il but une gorgée et sortit dans le jardin par la baie vitrée ouverte. Gobo n'était pas rentré de sa balade du soir. Si Patsy avait été là, elle lui aurait fait remarquer qu'encore une fois il n'avait pas accompagné son chien, qu'il le laissait seul, comme toujours, ce genre de conneries. Il avait bien essayé de lui refourguer le labrador lors de leur séparation, arguant qu'il bossait trop et ne serait pas assez à la maison, mais elle lui avait rappelé que c'était lui qui l'avait choisi, qu'il avait insisté pour lui donner le nom d'un Fraggle Rock – ce qu'elle trouvait déjà débile à l'époque –, et qu'une fois de plus il n'assumait pas ses actes ! Patsy n'avait que ça à la bouche, des reproches, et Dieu merci, il n'avait plus à souffrir sa présence. Ex-femme. Ex-emmerdes. Ex-stress.

Mais elle t'a tellement pourri l'existence que c'est ancré en toi et même maintenant qu'elle n'est plus là, tu l'entends te faire ses sermons !

Snell se demanda au bout de combien de temps on était débarrassé du spectre de son ex-femme. Le pouvoir des femmes. Elles vous entraient dans le cœur en une fraction de seconde, mais ne sortaient de votre esprit qu'au bout de plusieurs années.

– Gobo ! Aux pieds, mon chien !

Dans l'obscurité, il ne voyait pas plus loin que la rangée d'arbustes qui délimitaient son terrain. *Faudra que je le fasse clôturer un jour.* Mais alors fini la liberté à travers les champs d'oliviers. Gobo serait parqué dans son espace restreint, telle la cour d'un prisonnier.

En fait, c'est cool comme ça. Si ce con finit par rentrer...

– Gobo ! Aux pieds !

Toujours le même cinoche, à l'attendre pendant une plombe.

Snell s'envoya une autre lampée. Au moins, il était en excellente compagnie.

La forme noire de son chien agita les fourrés au loin et prit sa direction. *Pas trop tôt, mon vieux.*

– Viens là, bon chien.

Dans la nuit, Snell ne reconnut pas la démarche enjouée de Gobo. Il se contenta d'observer la tache noire se rapprocher.

– Surtout te dépêche pas ! Je suis ton maître, pas le portier !

Gobo occupait un large volume...

Snell se pencha pour mieux distinguer. Il ne comprenait pas ce qu'il avait en face de lui.

– Qu'est-ce que...

Ce n'était pas son chien.

Une flaque mouvante se répandait à toute vitesse dans le jardin et fonçait droit sur lui.

– Mais...

Et Snell fut incapable de donner du sens à ce qu'il entrapercevait. C'était gros, c'était étrange et c'était impossible.

Il recula lentement, son instinct reprenant les commandes.

Un nuage opaque s'abattit sur lui brusquement.

Le verre se brisa sur le dallage et Snell put à peine émettre un hurlement que sa voix fut noyée dans sa gorge sous un flot brutal.

Il se mit à gémir comme un enfant.

Un enfant terrifié par le plus monstrueux des cauchemars.

La douleur fut bien pire encore.

37.

La procédure était lancée.

Atticus et Hack avaient passé leur mardi, après l'interrogatoire de Ximena Torrebiarte, à monter le dossier avant de s'enfermer dans le bureau du lieutenant Petrozza qui leur avait tout fait répéter deux fois pour parvenir à y croire. C'était énorme. Trop pour lui, et ils convoquèrent le capitaine d'Hollywood Station, Terrence Schaeffer, pour le mettre au parfum à son tour.

Schaeffer en personne les accompagna chez le district attorney, d'où ils ne ressortirent pas avant le soir.

La machine demandait du temps pour s'ébranler, mais avec ce qu'ils injectaient dans le moteur, une fois partie, elle serait inarrêtable.

Cette nuit-là, Atticus eut toutes les peines du monde à s'endormir et il regretta de ne pas être accompagné. Ce n'était pas le moment en soi, et pourtant une présence, juste un souffle à ses côtés, l'aurait bercé et rassuré. Il pensa à Ximena qui passait sa première nuit en cellule. Était-elle rassurée ou prenait-elle conscience de sa situation ? Mel et les autres fantômes de Skid Row écoutaient certainement la rumeur de la misère. Hack devait être comme lui, à fixer le plafond, à songer à sa femme et à ses enfants et à ce qu'ils allaient subir lorsque les médias se déchaîneraient sur les deux flics qui étaient à l'origine de la révélation. Et ces hommes qu'Atticus baisait en échange d'argent, où étaient-ils en cet instant ? Que faisaient-ils ? À quoi ressemblaient leurs vies ?

Le matin, Atticus se prépara tôt et attendit que son portable sonne. Il avait été plutôt clair sur ses intentions pour la suite. Personne ne l'éjecterait. Lui et son partenaire avaient démarré cette enquête, ils la boucleraient, même si le maire en personne ordonnait le contraire. Sinon il les lâchait tous. Ils se démerderaient sans lui, sans ses contacts, et surtout il irait déverser tout son fiel auprès d'un des journalistes du *Times* dont le numéro traînait dans son répertoire.

Atticus guettait l'appel du chef de la police. Celui-ci allait lui annoncer que sa carrière était terminée s'il n'obéissait pas, et qu'il mangerait de la merde en boîte durant le restant de ses jours pour avoir osé défier la plus haute autorité du LAPD.

Mais le téléphone ne sonna pas.

Personne ne se manifesta. Une matinée anormalement calme.

Atticus s'était imaginé que ce serait réunion de crise sur réunion de crise, qu'ils seraient débordés de coups de fil, d'équipes à coordonner, de rapports à relire. Mais rien.

Il se rassura en se disant que c'était encore le tout début, que le district attorney convoquait ses propres troupes, fomentait le plan de bataille. Après tout, il était impensable de donner l'assaut contre l'un des fleurons industriels du pays sans avoir décortiqué avec une armée de juristes toutes les stratégies possibles. En face, l'heure venue, ils riposteraient par wagons entiers.

Atticus avait accompli sa part, il ne pouvait plus que suivre des instructions, qui ne venaient pas.

Laisse-leur le temps. C'est normal.

Il était nerveux.

À midi, la sonnette le fit sursauter.

Hack se tenait sur le seuil, engoncé dans un de ses éternels costumes bon marché.

– Toi non plus tu tiens plus en place ?

Hack ne répondit pas et s'invita à l'intérieur.

– Je ne cesse de me répéter qu'il faut être patient à présent, confia Atticus, mais ce n'est pas ma qualité première.

Hack ouvrit la bière qu'il venait de se faire offrir.

– Tu n'as eu personne ? demanda-t-il.

– Silence radio. Le calme avant la tempête.

Hack se posta devant la baie et admira la vue sur la colline opposée, de l'autre côté du réservoir en contrebas.

– Alicia adorerait, dit-il, pensif.

Atticus détecta le malaise.

– Ça va ?

Hack inspira profondément.

– Je ne sais pas.

– Dis-moi. C'est cette pression qui te pèse ? On va y arriver, tu sais ! Faudra serrer les dents au début, et puis tu vas voir, tu vas adorer être un héros. Imagine le regard de tes filles.

Hack hocha la tête.

– Je laisse tomber, partenaire.

Atticus se dressa devant lui.

– Non, tu ne peux pas, pas maintenant.

– Je suis désolé.

– Rappelle-toi ce qu'on s'est dit hier dans le couloir, tu…

– C'est impossible. Et toi aussi tu dois te retirer. Laisse-les faire.

– Bon sang, Hack, je ne te reconnais pas, c'est l'occasion de ta vie !

– Je n'ai jamais eu de rêve de gloire, moi.

– Mais tu aimes ton badge et ce qu'il représente.

– Laisse tomber. Protège-toi.

– Hors de question.

– Ils vont te crucifier et te brûler vif si tu continues.

Atticus se raidit.

– Qu'est-ce que tu as dit ?

– Que tu commets un suicide professionnel ! Arrête tant que…

Atticus fixa son partenaire.

– Putain, Hack, ils font pression sur toi, pas vrai ? Crucifier et brûler vif. Ce sont les mots du chef de la police. Il t'a appelé ?

Démasqué, le grand blond grimaça, pas fier.

– Il est venu me voir. Ça va trop loin, toi et moi on est juste deux péquenauds de flics, nous ne sommes rien, et EneK c'est la puissance d'une nation et des dizaines de milliers d'emplois derrière. Tu ne mesures pas les conséquences.

– Les conséquences ? Parce qu'ils les mesurent, eux, lorsqu'ils tuent Oscar Riotto pour le faire taire ? Ou quand ils enlèvent des SDF pour leur faire je ne sais quoi ? Non, Hack, je ne capitule pas. Je suis peut-être un grain de sable face à eux, mais ils ne vont pas me dégager de leur belle mécanique aussi simplement.

Eli Hackenberg avait le regard tremblant. Il y avait autre chose.

– J'ai reçu des menaces, avoua-t-il. Une photo de mes filles avec des balles dans l'enveloppe.

– Quoi ?

– Il y a une heure.

– Merde...

– Ils savent comment m'atteindre.

Après avoir rapidement fait le tour de la question, Atticus posa sa main sur le bras de Hack.

– Je comprends.

– Je t'avais prévenu : nous ne sommes pas de taille.

Atticus approuva.

– Tu as peut-être raison, admit-il après un long silence.

Ils avaient osé. Hack était hors course, c'était cuit pour lui, et Atticus ne lui en voulut pas. Lui-même n'avait pas de famille, rien pour le contraindre, aucun moyen de pression. Il assumait tout ce qu'il était, y compris un solitaire, ce qui, pour la première fois, s'avérait un avantage. Que pouvait-il perdre ?

S'ils voulaient l'arrêter, ils allaient devoir se donner un peu plus de mal que ça.

Un 4×4 noir rutilant, un modèle imposant comme ceux utilisés par les fédéraux, s'arrêta devant chez Atticus peu après le départ de son partenaire. Le flic était en train de ranger son arme de service dans son holster pour se rendre à Hollywood Station, lorsqu'il l'entendit. Les deux hommes qui en sortirent n'eurent pas besoin de sonner, il descendait à leur rencontre.

Deux sportifs, veste lestée, crosse apparente, cravate extensible, semelles en caoutchouc antidérapant, prêts au combat.

– Mr Gore, voudriez-vous bien nous suivre, s'il vous plaît ?

– Qui êtes-vous ?

Un des molosses brandit une carte de la sécurité d'EneK.

– Pourquoi ? Qu'est-ce que vous me voulez ?

– Vous avez essayé d'entrer en contact avec un de nos cadres, c'est l'occasion de poursuivre la conversation.

Atticus balaya l'air de la main et leur tourna le dos.

– Dites à vos patrons que c'est trop tard.

– Mr Kowalski précise que c'est la seule et unique offre qu'il vous fera.

Edwin Kowalski. Le fondateur.

– C'est un de ses sbires qui vous missionne ?

– C'est Mr Kowalski en personne.

L'homme s'effaça pour dégager le passage vers la portière arrière ouverte.

Atticus allait refuser fermement mais une petite voix intérieure l'en empêcha. Fini les pyramides d'intermédiaires, les hordes de boucliers humains, les excuses, les protections. Edwin Kowalski en personne. En chair et en os face à lui. Prêt à l'écouter, à encaisser. À répondre de ses actes.

L'armoire à glace avait raison, c'était une occasion unique. Exceptionnelle.

Atticus refusait toute naïveté, il savait que le grand manitou au sommet du monde n'allait pas lui tendre les poignets pour qu'un vulgaire flic lui passe les menottes. Il allait chercher à l'acheter.

Mais si Atticus avait l'habitude de payer, lui-même n'était pas à vendre. C'était son unique fierté et il comptait bien la défendre.

Il bouscula le garde du corps au passage et s'enfonça dans le 4×4.

38.

K at était tenue enfermée dans sa chambre de motel par une promesse.

Celle qu'elle avait faite à Kelvin Snell de ne surtout rien tenter avant qu'il ait pu rencontrer son témoin potentiel. C'était imminent à l'en croire, et la privée s'était engagée à ne prendre aucun risque de tout faire capoter. Ni questions embarrassantes ni promenades fureteuses, rien qui pouvait éveiller l'attention des Enfants de Jean. Si elle espérait des nouvelles de Lena, son unique espoir résidait en ce mystérieux contact.

Cloîtrée sous la climatisation de sa chambre, assommée par la télévision qui ne diffusait que des programmes affligeants de bêtise, Kat tournait en rond. Et l'absence d'activité laissait libre cours à sa culpabilité pour ressasser ce qu'elle avait fait à Mitch et déplorer l'état de leur relation, ce qui la rendait folle. Elle détestait gérer les problèmes à distance, encore plus par téléphone. Ça ne servait à rien de se repasser le discours mentalement encore et encore, ils devaient avoir une bonne conversation face à face.

À midi la promesse se fissura lorsqu'en sortant s'acheter à déjeuner dans une épicerie du centre-ville, Kat ne put s'empêcher de demander à la caissière si elle avait entendu parler des gens qui vivaient dans le complexe à l'ouest de Carson Mills.

– Mon beau-frère nous a raconté que c'est un camp de vacances pour fils à papa, mais c'est des conneries. Ceux qui ont été voir ont raconté que c'est flippant, il y a des miradors, comme une prison. Ce serait plutôt une sorte de Guantánamo secret. Notez, tant que c'est des terroristes étrangers qu'ils torturent, moi je m'en fous, hein, les mecs l'ont bien cherché. C'est eux ou nous, pas vrai ?

Plus loin, à la pharmacie où Kat reconstituait son stock de Tylenol, c'était l'hypothèse d'une base de survivalistes qui était privilégiée. Profitant de son escapade, elle traversa et sonda le bureau de poste, où l'indifférence remportait la mise puisque ces gens ne faisaient de mal à personne et qu'on ne les voyait jamais.

À peine sa salade engloutie sur son lit, Kat se positionna à la fenêtre pour scruter la rue. Elle n'y tenait plus, elle avait envie de s'y remette, d'être dans l'action. L'attente était insupportable.

La promesse acheva de voler en éclats à 14 heures.

Kat trouva un magasin de bricolage pour s'équiper de jumelles, puis elle acheta un GPS et des barres de céréales ainsi qu'une petite lampe torche et une gourde.

À 15 heures, elle roulait vers l'ouest, dépassant un vieux moulin à la sortie de la ville.

Kat avait pris soin de mémoriser quelques instructions quant à l'emplacement précis du complexe, prétextant vouloir l'éviter pendant l'une de ses randonnées. Elle n'eut pas de mal à trouver la route fraîchement construite qui s'enfonçait à travers la forêt, exactement là où on la lui avait indiquée. Elle passa devant sans ralentir et put seulement noter la présence d'un panneau « PROPRIÉTÉ PRIVÉE – DÉFENSE D'ENTRER ». Le même que celui qui ceinturait l'entrepôt dans Le Trou, en beaucoup plus grand. Les visiteurs n'étaient pas les bienvenus.

Kat fit demi-tour un kilomètre et demi plus loin, et revint sur ses pas plus lentement. Peu après la route vers les Enfants de Jean, elle dénicha ce qu'elle espérait : un chemin de bûcherons ou de gardes-chasse qui serpentait entre les conifères. Sa Nissan peinait sur la terre molle et dès qu'elle put la garer à l'abri des regards,

Kat l'abandonna face à un empilement de troncs coupés, pour poursuivre à pied.

Elle avait plutôt un bon sens de l'orientation en ville, mais dans la nature, ses repères étaient faussés, et elle se félicita d'avoir investi dans une boussole pour garder le bon cap. En l'absence de sentier allant dans la direction qui l'intéressait, elle progressait dans le sous-bois, se frayant un passage au milieu des fougères et des arbustes, évitant les amas ronceux, les mers d'orties et les crevasses. Au milieu de nulle part, sans aucun réseau téléphonique, elle redécouvrait un monde qu'elle n'avait plus fréquenté depuis trop longtemps. Celui d'une faune bavarde, invisible et pourtant grouillante de langages sibyllins, de froissements soudains ; celui de parfums de sève ou de fleurs sauvages, d'humus, de menthe, d'écorce. Kat gravissait les pentes avec ardeur, se laissait porter dans les descentes et se prenait au jeu de la course d'obstacles. Des papillons lui tenaient compagnie, des coccinelles sur ses vêtements, et elle crut apercevoir un chevreuil détaler lorsqu'elle s'arrêta pour boire à sa gourde. La citadine savourait ce retour aux sources, même si son corps douloureux lui arrachait par moments quelques gémissements.

Après presque deux heures, tandis qu'elle parvenait au sommet d'une crête dans la forêt, la végétation se clairsema et elle distingua les reflets du soleil capturés par des vitres. Elle ralentit, commença à s'abriter derrière les chênes les plus larges et se rapprocha lentement de l'orée.

Le camp des Enfants de Jean n'était qu'à cinq cents mètres, légèrement en contrebas, dans une immense clairière.

Kat fut aussitôt frappée par sa taille et les protections mises en place.

Une dizaine de bâtiments d'un ou deux étages – pour la plupart, de longs rectangles garnis d'étroites fenêtres – en constituaient la majeure partie, et étaient cernés de hangars assez nombreux. Au centre, entourée par une bande de gazon, trônait une impressionnante structure ronde, vaste comme un demi-terrain de foot, sans autre ouverture qu'une porte flanquée d'un poste de contrôle.

Si ces illuminés ont une église ou ce genre de sanctuaire, c'est celui-ci. Dans ce cas, pourquoi en surveiller l'accès à l'intérieur même du camp ?

Snell n'avait pas exagéré : une double rangée de clôtures de près de dix mètres de haut encadrait la clairière, dont une au moins était sans l'ombre d'un doute électrifiée, un champ de barbelés acérés séparant les deux. Quatre miradors dignes de Rikers Island surveillaient les angles, ainsi qu'une flopée de caméras dressées sur des mâts. Des gardes harnachés en noir patrouillaient, armés, seuls ou avec un chien, parfois par trois dans des Jeeps qui tournaient sur le chemin de ronde encerclant le domaine.

Même pour le nid d'une secte paranoïaque, cela faisait un peu beaucoup et surtout témoignait de moyens sans aucune contrainte financière.

Kat s'allongea contre une souche déracinée et poursuivit son inspection avec ses jumelles.

Il y avait des personnes qui circulaient librement d'une construction à l'autre, ainsi que des petits groupes attablés sur des aires de pique-nique. Pas de tunique ou d'uniforme pour les occupants des baraquements, c'était pour l'instant la seule différence avec une prison.

Quelque chose perturbait Kat sans qu'elle parvienne à identifier quoi exactement.

Elle concentra son attention sur l'entrée principale du camp, une guérite avec barrière pour chacune des deux rangées de grillage. Personne n'entrait sans montrer patte blanche.

Qu'est-ce que vous manigancez là-dedans ?

Il y avait même une piste d'atterrissage pour hélicoptère.

Puis, d'un coup, Kat comprit ce qui la dérangeait. Elle était incapable de dire si tout ce dispositif de sécurité servait à empêcher les intrusions ou au contraire les évasions.

Et si tous ces gens étaient retenus ici contre leur gré ?

Lena avait envoyé son SMS à sa mère en plaçant volontairement une référence à sa petite sœur morte. Elle savait que cela déclencherait une réaction, ce n'était pas anodin. Mais elle ne pouvait lui dire directement de venir l'aider. *Parce que quelqu'un lisait par-dessus son épaule, ou contrôlait ce qu'elle envoyait.*

Lena était ici, ça ne faisait pas l'ombre d'un doute. Pour y faire quoi ? Cela, Kat n'en avait pas la moindre idée, sinon que c'était sans un accès libre à la communication avec le monde extérieur.

Kat sortit son propre portable pour vérifier l'état du réseau et constata qu'il était revenu. Elle captait assez pour téléphoner mais rien du côté d'Internet et elle se demanda si c'était à cause de l'isolement ou une volonté de brouiller une partie des signaux pour préserver le camp.

Un mouvement dans le ciel attira son attention sur la partie la plus reculée, à l'opposé de sa position. Elle reprit ses jumelles et s'agenouilla pour mieux voir.

Maison en brique, pas très grande mais dominée par deux hautes cheminées qui elles étaient disproportionnées par rapport à la structure qui les portait.

Les chaudières. Toute la logistique technique qui fait tourner le camp.

Un panache de fumé commençait à sortir de la première.

Il y avait également un potager sur le côté, et même avec les jumelles, Kat peinait à le détailler, des bâtiments le masquaient. Elle se leva.

Une silhouette sortit de la maison en brique, poussant une brouette chargée de sable qu'elle conduisit jusque dans le potager pour la déverser là, dans une fosse peu profonde. Un nuage de poussière grise s'envola au passage, tandis que des morceaux plus gros tombaient de la brouette dans le trou.

Et Kat fut brusquement traversée par une émotion terrifiante. Son cœur s'accéléra et sa gorge s'assécha. Elle lâcha les jumelles.

Et si ça n'était pas un potager ?

La maison en brique avec ses énormes cheminées lui rappelait de sinistres épisodes de l'histoire.

Ce n'était pas du sable dans la brouette.

Mais les vestiges de cendres d'êtres humains.

39.

Le GMC Yukon transporta Atticus jusqu'au sommet du mont où EneK avait ses quartiers généraux, dominant Los Angeles. De là, il fut pris en charge comme un chef d'État, accompagné par deux hôtesses sublimes, en plus de ses gardes du corps, avec proposition de rafraîchissement à tous les étages, jusque sur le toit du bâtiment central où un hélicoptère ultramoderne les attendait.

– Où est-ce que vous m'emmenez ? demanda le flic, méfiant.

– Ne vous inquiétez pas, répondit un de ses anges gardiens, vous serez de retour dans la soirée.

Lorsque l'appareil décolla et se projeta au-dessus du canyon, Atticus, pris de vertige, ne put s'empêcher de se cramponner à son siège.

La cité défilait en dessous, création des hommes et pourtant à présent si palpitante d'une vie propre qu'elle semblait leur avoir échappé depuis longtemps. À l'ouest, l'océan paraissait morne en comparaison, déjà soumis.

Avant qu'ils ne franchissent les montagnes, Atticus prit son portable le plus discrètement possible pour informer Hack de ce qu'il en était et de sa dernière position connue. Mieux valait être prudent.

L'hélicoptère vira et fonça au nord-est pendant deux heures.

Il se posa finalement au sein d'une forêt sans fin, peau de velours sur des collines abruptes. Un majordome en costume oriental de soie noir et blanc accueillit Atticus à sa sortie et l'entraîna sur une passerelle de bois qui serpentait à travers les arbres. Des lanternes jalonnaient le chemin, déjà allumées malgré le jour encore bien présent, et un parfum de jasmin flottait dans l'air. Un concerto de pépiements variés descendait des troncs imposants, dont la cime se perdait loin au-dessus dans la canopée.

Deux villas apparurent enfin, reliées par une vaste terrasse en teck et face à un lac sauvage digne d'une carte postale. Si l'environnement était somptueux, les constructions n'avaient en soi rien de clinquant, mais elles impressionnaient par leur taille démesurée au milieu d'une forêt isolée du monde. Atticus s'était attendu à croiser une armada de serviteurs, toutefois, hormis le petit Chinois qui lui servait de guide, il ne remarqua personne, jusqu'au centre de la terrasse où un salon d'été se dressait face au paysage.

Edwin Kowalski était là, debout à l'attendre, environné du chant des oiseaux.

Un homme fin, plus petit que ce à quoi Atticus s'attendait, pâle, ni beau ni charismatique, presque banal. Cheveux courts, coupe fonctionnelle, joues glabres qui sentaient l'eau de Cologne ou la crème hydratante. Il arborait une chemise blanche, col Mao, et un pantalon de lin bleu clair. Aucun bijou, aucune montre. Ils devaient avoir le même âge, la quarantaine, et si Atticus l'avait croisé dans un centre commercial, il ne l'aurait probablement même pas remarqué.

Trois carillons à vent suspendus aux branches dansaient dans la brise au-dessus des deux hommes, faisant sonner leurs douces notes d'aluminium ou de bois.

Kowalski ne bougea pas et laissa Atticus venir jusqu'à lui.

– J'aime beaucoup votre prénom, inspecteur Gore.

Il avait une voix monotone, basse.

D'une main il l'invita à s'asseoir en face de lui, Atticus s'exécuta.

– Pourquoi est-ce que je suis là ? demanda le flic sans ambages.

Kowalski le fixait de son regard marron, froid. Aucune expression ne s'affichait sur son visage.

– Vous avez semé une sacrée panique.

– Vous êtes prêt à assumer ?

Le milliardaire se détourna pour admirer le lac.

– Assumer quoi ? Tous les maux de la planète parce que je suis un « sale riche » ?

– Pour commencer, les morts d'Oscar Riotto, Ronald Kopelson, Malcolm Huxley et tous ces pauvres bougres de Skid Row.

Kowalski poussa un léger soupir et une lueur ressemblant à de la déception passa dans ses yeux.

– Vous avez lu Nietzsche, Atticus ? Je suppose que non. Nietzsche est célèbre pour sa théorie du surhomme.

– Laissez-moi deviner : vous ?

Kowalski éluda en enchaînant, sans changer de ton, détachant calmement chaque mot.

– Il pense que c'est une nécessité, pour notre survie. Nous transcender, nous dépasser.

– Et donc tous ceux qui n'y parviennent pas sont des sous-hommes, résuma Atticus avec morgue. Indignes. Dont on peut disposer à merci.

– La notion d'égalité entre les êtres humains est absolument illusoire, un hochet qu'on agite pour les rassurer. Nous ne naissons pas égaux, certains ont des gènes qui leur donnent un terrain plus favorable, pour devenir plus forts, plus vifs d'esprit, plus résistants ; d'autres viennent au monde avec des maladies, seront chétifs et fragiles toute leur vie, et peu importe ce que vous ferez, leur quotient intellectuel ne grimpera jamais très haut. Certains sont dans la moyenne, d'autres au-dessus ou en dessous et vous n'y pourrez rien. Il n'y a pas de règles, c'est le fruit injuste du bouillon de la vie. Notre intelligence ou nos prouesses physiques nous démarquent. Et l'éducation est un labyrinthe, formidable créateur de différences en réalité. Et cela a toujours été ainsi, des hommes et des femmes inégaux, même autrefois, lorsque notre naissance définissait notre rang, notre hiérarchie.

Un des tubes du plus gros carillon à vent heurta son voisin et un son profond, flûté et agréablement grave résonna depuis les hauteurs pour ponctuer la tirade.

— Qu'est-ce que vous manigancez avec votre fondation ?

Kowalski se perdit un instant dans la contemplation du lac, avant de répondre sans pour autant se tourner vers son interlocuteur.

— Atteindre le surhomme est une question de survie pour l'humanité. Le transhumanisme repose trop sur sa foi en la science pour nous sauver, il n'y a qu'une volonté commune de nous affranchir de notre bassesse animale qui nous permettra de répondre aux challenges majeurs qui vont se dresser sur le chemin inéluctable de notre prolifération. Un Surhumain de Nietzsche est la réponse effective : abandonner, renoncer à certains aspects, et nous élever. Si nous attendons l'évolution naturelle, comme pour le passage du singe à l'homme, nous serons détruits bien avant. Nietzsche l'avait déjà compris, avant même que la civilisation se confronte au réchauffement climatique, à la surpopulation croissante, à la raréfaction des ressources et à l'omniprésence d'armes de destruction massive.

— Vous pensez que nous sommes tous condamnés ?

Le dirigeant fixa de nouveau Atticus. Toujours aucune émotion lisible, au point que l'inspecteur se demanda s'il était capable d'en éprouver réellement.

— À la vitesse exponentielle où s'enchaînent et croissent les défis ? Sans aucun doute. Nous avons enfanté les tourments de notre propre extinction et nous sommes incapables des sacrifices nécessaires pour les enrayer. Nous préférons accuser les politiciens de ne pas réussir collectivement ce que nous ne faisons déjà pas individuellement, et notre unique espoir réside en une science qui n'est ni coordonnée, ni financée convenablement et qui, de toute manière, ne serait qu'un moyen détourné de ne pas assumer nos responsabilités.

— Et vous, là-dedans ? Vous êtes ce surhomme, le messie tant attendu ?

Kowalski détailla son invité un long moment avant de pincer les lèvres, comme si sa décision était prise.

— Inspecteur, laissez agir les forces qui vous dépassent, ne vous mêlez pas de tout ça.

— Parce que vous êtes plus riche que tout un chacun, que vous avez une vision, vous estimez que vous n'avez pas de comptes à rendre ? Vous croyez que le pouvoir autorise à tuer ?

Le milliardaire secoua imperceptiblement la tête.

— Non, mais le bénéfice du plus grand nombre, si. Regardez les guerres. Si des dirigeants dans mon genre n'avaient pas pris la décision d'envoyer au front des millions de jeunes, vous parleriez allemand, Atticus, sauf si vos parents étaient juifs, bien sûr.

Le léger rictus de contentement qui ponctua la provocation donna à Atticus envie de vomir. L'indifférence de Kowalski, son port altier, inébranlable, et ses certitudes affichées l'insupportaient.

— Nous ne sommes pas en guerre.

— C'est là que vous vous trompez, inspecteur. Nous le sommes, et c'est une guerre plus dangereuse que toutes celles que l'humanité a engendrées, car c'est sa propre survie qui est en jeu. Croyez-moi, si nous avons été capables d'offrir quelques millions de nos précieux enfants aux canons d'une idéologie, fût-ce pour un idéal aussi noble que la liberté, nous ne devrions pas sourciller à l'idée de nous débarrasser d'une poignée pour que la majorité vive.

Tout était résumé dans le mot qu'il avait employé : débarrasser. *On ne se* débarrasse *jamais d'une vie.*

— Qu'est-ce que vous proposez ? demanda Atticus en s'efforçant de dissimuler son dégoût.

Le fondateur d'EneK avala sa salive et cilla, premiers signes patents d'une réaction émotionnelle.

— Mon entreprise œuvre en secret, muée par une volonté inébranlable et une vision que je ne partagerai pas avec vous,

Atticus. Vous êtes seulement là pour entendre mon avertissement : vous êtes intelligent, alors comprenez où est votre place. Chacun d'entre nous a un devoir qu'il peut accomplir, votre bonheur à court terme repose sur l'identification et l'acceptation de cette tâche. Ne cherchez pas à vous hisser là où vous n'êtes pas attendu, vous ne seriez qu'un imposteur, en rupture avec l'harmonie du système. Tout est en place, tout progresse. Maintenant renoncez à votre croisade égoïste qui ne pourra que vous nuire. Des desseins supérieurs sont en marche, faites confiance aux autres, vous ne pouvez assumer tous les rôles.

Atticus se leva.

– J'ai compris le message, Mr Kowalski.

Il en avait trop supporté, il n'avait plus rien à faire ici, Kowalski ne lui dirait rien de plus.

Le milliardaire ouvrit la main et le majordome réapparut.

– Je connais le chemin, fit Atticus en s'éloignant sans un signe.

Et s'il y avait bien un point sur lequel Edwin Kowalski avait tout faux, c'était sur le rôle qu'Atticus endossait en ce monde.

Il n'était pas qu'un flic au service du système et de ses dysfonctionnements. Aussi naïf que cela pouvait paraître, il croyait encore aux valeurs qui l'avaient accompagné, adolescent, et que continuait de porter le badge qu'il affichait aujourd'hui. Ses souffrances de gamin l'avaient hanté jusqu'à l'obsession. Il incarnait cette justice pour tous, celle-là même qui lui avait tant manqué lorsqu'il était jeune, pour le défendre.

Il était un flic au service des hommes et de la vérité.

Excités par le vent, les carillons s'agitèrent dans la cime, et une mélopée de sons creux envahit la forêt. De plus en plus forte.

40.

Les verres de bourbon s'enchaînaient un peu vite.

Kat avait la tête qui tournait.

Le bar était fréquenté par des habitués, des fermiers pour la plupart, Carson Mills n'ayant que peu d'industries autre que celle de ses terres. Après avoir reluqué Kat sous toutes ses coutures, chacun s'était désintéressé de cette étrangère qui stagnait au bar depuis deux heures.

Ce n'était pas malin et Kat en était parfaitement consciente. Elle avait juste besoin de se vider le crâne de ses pensées.

Trop de possibilités, d'hypothèses, d'horreurs plausibles.

Ce qu'elle avait vu à l'entrepôt dans Le Trou, à New York, avait déjà passablement semé le trouble en elle. L'existence même du camp des Enfants de Jean l'avait perturbée avant qu'elle ne s'y rende.

Les cheminées et le terrain vague dans lequel on déversait le contenu des brouettes la terrifiaient.

Elle en avait tremblé pendant tout le chemin du retour à travers la forêt qui, cette fois, ne lui avait plus du tout paru accueillante ou revivifiante.

Sa main crispée sur son téléphone, elle hésitait à chaque foulée à composer le 911, prévenir les autorités, guettant le retour du réseau à mesure qu'elle fuyait la zone blanche et se rapprochait de la civilisation.

Comme après l'agression par Dave le vagabond, un sentiment d'insécurité l'en avait empêchée. Appeler les flics, c'était sortir de l'ombre, se dévoiler et lancer la machine du système tout entier dans la procédure. Quelque chose la retenait. Outre la perte d'anonymat, elle ne parvenait pas à avoir confiance. Ce qu'elle avait vu représentait une telle infrastructure, tellement de moyens.

Si ceux qui sont derrière ce cirque ont des intentions criminelles, alors ils doivent contrôler du monde dans la région.

Tout ça était si gros, la dépassait à tellement de niveaux, qu'elle craignait d'être avalée à tout moment, sans même comprendre d'où proviendrait l'attaque.

Et puis là encore, tout ne reposait que sur des conjectures, des suppositions. Et si Lena n'était pas dans le camp, ou si elle s'y plaisait ? Si ce que Kat avait pris pour des restes humains, dans cette brouette, n'était que les cendres d'un sanglier rôti ou bien des bûches alimentant les chaudières ?

Tu te cherches des excuses pour ne pas faire face à la réalité : tu t'es mise dans une situation dont tu n'es pas à la hauteur.

Elle n'en savait rien.

Et boire de l'alcool la réchauffait, la rassurait à mesure que le bourbon noyait ses pensées, diluait toute forme de culpabilité de ne pas agir.

Kelvin Snell l'avait contaminée avec de drôles de théories. Soit il s'était planté en retraçant les montages ultracomplexes derrière Joker Diffusion et TGHC, ce qui était envisageable, et EneK n'avait absolument rien à voir à leurs problèmes. Soit c'était l'œuvre d'un petit malin planqué en interne qui se servait de la renommée phénoménale de son employeur pour se livrer à des malversations.

Faut que je me calme. Bien sûr que ce n'est pas vrai ! EneK ! Manquerait plus que ça. Jamais un groupe aussi prestigieux et célèbre ne se mouillerait dans une sordide histoire d'enlèvements ou de séquestrations... C'est complètement con !

D'autant plus que, si c'était vrai, EneK avait tant de moyens qu'ils pouvaient la traquer et la détruire en un claquement de doigts.

Tu as peur ! Voilà pourquoi tu ne fais rien !

Non, elle avait besoin de temps. Pour cerner le problème, pour identifier la nature exacte de son environnement. Qui faisait quoi ? Qui étaient ses ennemis ? Qui croire ? À qui se confier ?

Bois, ce sera plus simple.

Kat poussa son verre en direction du barman.

— Remettez-moi le même.

L'homme, plutôt indifférent jusqu'à présent, lui rendit un regard réprobateur.

— Vous êtes sûre ?

Kat fit claquer le cul du verre sur le bar.

L'homme haussa les épaules et prit la bouteille pour la satisfaire.

— Chagrin d'amour ?

— C'est ça.

Elle engloutit le whisky d'une traite, ne sentant plus sa morsure, seulement son venin capiteux qui se propagea dans son sang rapidement.

La télévision diffusait des news locales insipides, entre bulletin météo détaillant la présence de nuisibles pour les moissons, résultats sportifs des lycées des comtés environnants et interviews d'entrepreneurs de Wichita ou de Kansas City, jusqu'à ce qu'une femme apparaisse en gros plan, micro à la main, devant un pavillon, éclairée par les gyrophares de la police.

Le bandeau en bas de l'écran était racoleur et efficace : « Mort mystérieuse d'un journaliste ».

Kat se redressa sur son tabouret.

Elle n'aimait pas ça.

Ça n'a rien à voir, retourne à ta bouteille.

Elle grogna pour évacuer toute pensée parasite.

— Vous pouvez mettre plus fort ? exigea-t-elle plus qu'elle ne le demanda.

Le barman s'exécuta.

« ... le décès remonterait à la nuit dernière, bien que la police d'État refuse de confirmer. Selon son voisinage, Kelvin Snell était un homme sans histoires, qui... »

Kat reposa son verre devant elle.

Les tremblements reprirent de plus belle. C'était encore pire que ce qu'elle avait imaginé. Toutes les théories les plus démentielles se confirmaient.

Des moyens sans fin. Une détermination en milliards de milliards de dollars.

Il fallait qu'elle parte.

Loin. Vite.

Tant qu'elle le pouvait encore.

41.

Atticus avait refusé qu'on le ramène chez lui.

Dès sa descente de l'hélicoptère, il avait appelé un taxi, tout plutôt que de rester une seconde de plus enfermé entre les griffes d'EneK et de ses sbires.

Edwin Kowalski avait été clair avec lui. Il n'avait même pas nié les crimes. Tout ce qu'il voulait, en convoquant Atticus, c'était lui faire passer le message qu'il n'était qu'un vulgaire petit flic, et qu'il devait rester à sa place, laisser les « cerveaux » gérer ce qui était important. Il n'était qu'un pion minuscule qui osait sortir de son rôle et qu'il fallait recadrer.

Kowalski était si détaché qu'il donnait l'impression de ne pas être humain. Avoir accordé un entretien personnel semblait déjà une preuve formidable de son infinie générosité... Atticus enrageait. *Sa Majesté a daigné se rabaisser à mon niveau, elle est trop bonne...*

Le message avait été bien reçu.

La réponse d'Atticus serait tranchante.

EneK n'avait pas hésité à assassiner Oscar Riotto, Huxley ou Kopelson, ni à menacer directement Hack et sa famille. Si Atticus n'avait pas subi le même sort, c'était forcément parce qu'ils se méfiaient de lui, il en était conscient. Se faire projeter à plusieurs centaines de kilomètres, au milieu du domaine privé d'Edwin Kowalski, prouvait qu'ils le prenaient très au sérieux.

Et Atticus ne voyait qu'une raison à cela : ses menaces de tout balancer à la presse, lors de sa conversation avec le chef de la police. EneK ignorait comment, mais Atticus avait couvert ses arrières, et tant qu'ils ignoreraient de quelle manière exactement, ils ne prendraient pas le risque de le supprimer. Pas tant qu'ils n'auraient pas connaissance du pacte qui le liait à un journaliste, ni de l'identité de celui-ci.

Ils pensent que j'ai laissé un dossier avec instruction de tout publier si je disparais. Sans quoi je serais déjà mort.

À l'instant où ils réaliseraient que ce n'était pas le cas, puisqu'ils ne pouvaient faire pression sur lui, l'acheter ou l'intimider, alors il serait mis hors circuit. Atticus ne se faisait aucune illusion.

Le temps lui était compté.

Le taxi le déposa en tout début de soirée à Hollywood Station. Le poste était agité, nombreuses interpellations, des vols, des agressions, plusieurs deals de dope en flagrant délit, le couloir principal fourmillait d'officiers en uniforme et de leur prise qui beuglait. Atticus poussa la porte du hall des détectives, bien plus calme à cette heure. Il se rendit compte que ces derniers temps il n'y venait plus qu'en décalé et appréciait assez cette tranquillité apparente. Il vit la lumière dans le bureau du lieutenant, ce qui signifiait que celui-ci était encore dans les locaux, quelque part. Il le trouva à l'étage, en pleine discussion avec le capitaine. Les deux hommes scrutèrent Atticus avec le même regard étrange, où dominait l'agacement, nuancé toutefois d'une pointe d'admiration.

— Où en est la cellule de crise ? fit l'inspecteur sans se soucier de raconter sa petite visite de l'après-midi au milliardaire.

— Ça avance, répliqua le capitaine, laconique. Rentrez chez vous, Gore, on vous préviendra lorsqu'on aura du nouveau.

— Hors de question, capitaine, s'il faut coordonner les opérations, je veux...

— La ferme, Gore, le coupa sèchement son supérieur. Vous n'êtes pas qualifié pour coordonner quoi que ce soit et si vous n'aviez pas fait votre manège au chef, vous ne seriez même plus sur l'enquête.

Le ton avait changé du tout au tout depuis qu'Atticus avait menacé le chef de la police de tout révéler à la presse s'il était écarté. Il ignorait si Schaeffer l'avait réellement pris en grippe pour insubordination ou s'il était seulement las et cherchait à se couvrir en maintenant son inspecteur à l'écart.

Petrozza soupira et tenta d'adoucir la situation.

— Vous n'aimez peut-être pas la RHD, mais ils ont l'habitude, ils savent comment faire et prendront les bonnes décisions.

— Je veux être présent à leurs réunions, insista Atticus.

Le géant haussa les sourcils derrière ses lunettes en écaille, mais ce fut le capitaine qui répondit :

— Appelez-les et démerdez-vous avec eux.

Les choses allaient donc se passer comme ça, chacun pour soi. Atticus n'était officiellement pas écarté de l'enquête, mais à lui, le *rookie*, de parvenir à se faire une place parmi les vétérans.

— Hack vous a prévenus qu'il prenait du recul ? demanda Atticus.

— Il prend ses distances avec vous, Gore, corrigea le capitaine, et il a bien raison.

— Si c'est votre interprétation, capitaine.

Hack avait eu si peur pour sa famille qu'il était possible qu'il n'ait même pas dit la vérité à ses deux supérieurs.

Atticus les salua et redescendit. Une fois dehors, dans la douceur de la nuit tombée et de l'infatigable rumeur urbaine, il composa le numéro de Connor Hogan, l'enquêteur de la RHD à qui il avait déjà parlé dans le cadre du meurtre du comptable d'EneK.

— Hogan, pourquoi est-ce qu'on n'a toujours pas perquisitionné la fondation ? Chaque heure qui passe leur permet de faire un peu plus le ménage !

— Bien sûr, Gore. Je vous propose de me rédiger un mémo sur le sujet, on le soumettra à la direction lors du prochain rassemblement.

– Je ne plaisante pas ! Faites passer le message que si demain matin on n'est pas chez Long Life Harmony, la presse ouvrira son prochain bulletin sur un scandale retentissant.

– Du bluff, Gore, rien qu'une grande gueule. J'ai le nez dans vos rapports, et il n'y a rien.

– Parce que vous faites tout pour ne pas aller traquer les preuves à la fondation et directement chez EneK ! La presse va adorer ce traitement de faveur de la part du LAPD.

Atticus raccrocha. Tout ce qui comptait c'était qu'Edwin Kowalski avait un doute sur ce bluff. Assez pour le convoquer et le laisser en vie.

Hogan allait appeler le chef de la police en personne pour lui rapporter la conversation. Atticus hésita à rentrer chez lui. Il savait que son téléphone sonnerait tôt ou tard. Ses oreilles allaient siffler.

Au moins, maintenant, Kowalski savait que son discours n'avait pas eu l'effet escompté. S'il avait voulu remettre Atticus Gore à sa place, il s'y était pris de la pire manière qui soit.

Atticus avait besoin de vie, de s'entourer de joie, à défaut d'en ressentir. Il avait ses habitudes à West Hollywood, cependant ce n'était pas le moment. Les gays étaient à la mode dernièrement et la société plus tolérante, mais si le scandale éclatait dans la presse et qu'EneK contre-attaquait avec des photos d'Atticus et ses mœurs légères, l'opinion publique, aussi « gay-friendly » soit-elle de nos jours, n'apprécierait pas ce déballage de pratiques sexuelles décomplexées. L'ADN de la nation demeurait l'Amérique puritaine qui l'avait bâtie, et le moindre chahut réveillait ses vieux démons archaïques. Si Atticus devait incarner cette affaire, il ne pouvait se faire décrédibiliser.

Il opta pour un bar sur Vine Street et attendit que la tempête lui tombe dessus. Qui allaient-ils lui envoyer ? Le chef de la police ne se déplacerait pas, jamais il ne prendrait le risque de se montrer avec Gore, au cas où ce dernier aurait planqué un journaliste pour voler des clichés. Il ne fallait pas qu'Atticus puisse étayer ses dires en cas d'explosion. Quant aux gars de la RHD, ils étaient bien trop présomptueux pour se rabaisser à venir lui faire la morale. Non, ce serait quelqu'un de son entourage direct. Et Hack refuserait de servir d'intermédiaire.

Petrozza, s'ils la jouaient amical, bon conseil. Ou le capitaine si le choix de l'autorité était retenu.

La dernière fois que tu as attendu que la guerre éclate, tu as poireauté toute la journée et il ne s'est strictement rien passé.

Son portable sonna avant minuit.

Hogan. Apparemment, la RHD avait plus de courage que ce qu'il avait cru.

– Gore, on tape Long Life Harmony demain à l'aube.

Atticus fut trop surpris pour parler. Il n'avait pas envisagé cette réponse à sa provocation.

– Vaudrait mieux qu'on n'en reparte pas bredouilles, ajouta Connor Hogan, sinon tu es fini.

Atticus se fit raccompagner chez lui peu après. Les phares du taxi qui manœuvrait pour faire demi-tour dans la rue étroite éclairaient encore l'escalier qui desservait l'entrée par le premier étage, lorsque Atticus découvrit le cadeau.

Une enveloppe marron glissée sous son paillasson.

Il la saisit délicatement, s'attendant à sentir des douilles de balle à l'intérieur ou ce genre de menace explicite. Il n'y avait qu'un document, une liasse de papiers.

Il l'ouvrit et se tourna aussitôt pour vérifier qu'il n'y avait personne en contrebas.

Lui qui se pensait cerné d'ennemis venait de se découvrir un ami.

42.

Kat se réveilla dans sa chambre de motel, les tempes écrasées par la migraine.

Elle se déplia sur le rebord du lit, courbaturée, le flanc toujours douloureux, comme prisonnier de la mâchoire d'un monstre énorme.

À l'aveugle, elle fit parcourir ses doigts sur la table de chevet pour saisir le flacon de Tylenol, sa béquille depuis trois jours.

Elle se souvenait à peine de comment elle était rentrée du bar, la veille au soir, en panique.

Sa valise gisait au sol, renversée.

Des flashs l'envahirent. Elle en train de jeter dedans ses affaires dans l'optique de prendre la route dans la nuit pour quitter le Kansas. Puis l'étourdissement de l'alcool, un bref sursaut de lucidité et elle s'était écroulée.

Kat s'observa. Elle était encore habillée.

Elle se traîna jusqu'à la salle de bains pour contempler les dégâts.

Gueule de chiotte. Maquillage obligatoire.

Elle but un peu d'eau et posa ses paumes sur l'évier pour se caler.

Maintenant que la crise de paranoïa due à l'excès de boisson était dissipée, elle devait dresser un plan d'action.

Kelvin Snell était mort. Ce n'était pas un accident, impossible d'être naïve à ce point. Son assassinat confirmait qu'il avait vu juste. Son adversaire était un empire entier, plus riche qu'un pays. *EneK.*

Rien que ça.

Le plus prudent serait de rentrer, de donner ce que j'ai à Mrs Fowlings, et d'oublier cette affaire.

Sauf que ça ne lui ressemblait pas. Kat allait au bout des choses, toujours. Elle était bien trop impliquée désormais pour abandonner si près du but. Et c'était devenu personnel.

Mille questions se bousculèrent et elle les chassa toutes, refusant de se laisser engourdir par les doutes. Ce qu'elle faisait n'était pas raisonnable, si elle se posait une heure pour réaliser dans quel pétrin elle s'était fichue, Kat savait qu'elle s'écroulerait et renoncerait. Pourtant sa nature la portait à un pragmatisme déterminé et éclairé par une forme de justice séculaire : protégée par ses valeurs, elle devait dénoncer le mensonge. Ne pas se soucier de la taille du tyran ; elle n'était même pas compétente pour définir qui, au sein de l'entreprise, était mouillé, et elle s'en moquait. Sa mission était de retrouver Lena Fowlings et si au passage elle pouvait attirer le regard des autorités sur un crime, elle n'hésiterait pas un instant.

Tu réagis comme une gamine.

Elle voyait très bien l'adolescente qu'elle avait été, fière de montrer à oncle Tony – et par là même, indirectement, à ses parents qui avaient toujours affiché vis-à-vis de ce métier et de sa fascination à elle une incompréhension douloureuse – son implication et sa réussite dans une cause noble qui excédait sa tâche de détective privée. Dans le cynisme ambiant, ce modèle de candeur, de spontanéité et d'idéal lui faisait du bien. Profondément. Pendant une seconde, un éclair de lucidité la fit s'interroger sur la nature potentiellement suicidaire de cette démarche, mais cela sous-entendait une vision si noire d'elle-même qu'elle réfuta aussitôt cette hypothèse.

Combien d'individus avaient au cours de leur vie un jour l'occasion de se confronter à un choix crucial, qui les mettait face à celle ou celui qu'ils avaient été autrefois, alors jeune et nourri de rêves et d'idéaux, et les faisait réfléchir à ce qu'ils étaient devenus ?

Kat prit une douche presque froide, pour effacer l'anesthésie de l'alcool et achever de se réveiller, puis se noua les cheveux avec un élastique et s'habilla, tenue efficace, souple. Pantalon stretch, chaussures de marche, polo. L'heure n'était plus à l'apparence, à la séduction. Pourtant elle s'accorda vingt minutes pour se parer d'un maquillage décent. Elle avait sa dignité.

Lorsqu'elle sortit sur le parking du motel, elle prit soin de paraître décontractée et, l'air de rien, sonda tout le périmètre pour s'assurer que personne ne la surveillait. Elle ne nota rien de particulier et en fut presque déçue.

Je ne me fais pas un film. Snell est mort. Ce n'est pas un jeu, tout ça est vrai.

Elle prit sa voiture pour passer s'acheter un café, puis roula plein nord en direction de Wichita. Au siège du journal où officiait Kelvin Snell, on la fit patienter plus d'une heure avant de finalement la rembarrer. Le rédacteur en chef n'avait pas le temps de la recevoir compte tenu des circonstances. Elle hésitait à aller se présenter à la police et renonça en approchant du commissariat. S'ils avaient quelque chose à lui demander, ils la convoqueraient.

En fouillant sur Internet via son smartphone, Kat identifia l'adresse de Snell et s'y rendit. Une voiture de police restait garée devant, les traditionnelles bandes jaune et noir entourant une partie du domicile. Il fallait s'y attendre et elle se demanda pourquoi elle était venue jusqu'ici. Elle n'allait tout de même pas s'introduire illégalement chez lui ?

De toute manière, si le nom de son contact est dans son téléphone ou planqué dans son bureau, les flics ne vont pas tarder à mettre la main dessus. Kat devait se faire une raison : elle ne rencontrerait pas le témoin de Snell, celui qui s'était échappé du camp.

Mon Dieu, « échappé ».

Le mot la choquait encore plus, maintenant qu'elle avait vu le site dans la forêt.

Elle mourait d'envie de passer un appel anonyme pour expédier tous les flics sur place afin qu'ils constatent par eux-mêmes ce qui se tramait derrières ces clôtures électrifiées. Sauf qu'ils ne s'y rendraient pas sans une très bonne raison, détaillée, vérifiée, et un groupe aussi colossal qu'EneK n'était pas du genre à ne pas prendre ses précautions. À grands coups de millions de dollars, ils avaient dû décortiquer les vies de tous les dirigeants de l'État, depuis le gouverneur jusqu'aux chefs des polices locales en passant par les juges. Pour une puissance sans limites financières et morales, il existait différentes manières de s'assurer de la fidélité de n'importe qui. La corruption, le chantage, les menaces ou tout simplement la promesse de pouvoir. Pris un par un, tous avaient leur faille, qu'ils soient intègres ou pourris de longue date, il suffisait de la cerner.

Non, Kat ne devait se faire aucune illusion, EneK verrouillait le secteur, peut-être pas à tous les niveaux, mais suffisamment pour gagner du temps si cela était nécessaire.

Elle rentra déjeuner à Carson Mills et, faute de mieux, se lança à nouveau dans la tournée des hôtels, chambres d'hôtes et toutes formes de locations de logements, afin de présenter les photos de Lena et de Galvin Hutchinson, avec l'espoir qu'on puisse les reconnaître. Sur la plupart des sites, Kat retomba sur les mêmes personnes que celles qu'elle avait déjà interrogées à ce sujet l'avant-veille, sans plus de résultat. Au moins le message circulait, et dans une bourgade de cette dimension, Kat ne doutait pas que sa population allait bavarder à propos de cette détective privée avec son accent de la côte Est et du couple qu'elle recherchait. S'il y avait un témoin du passage de Lena ou Galvin par Carson Mills, il finirait par entendre parler d'elle et la trouver.

Le camp des Enfants de Jean aussi va savoir que tu es là.

C'était le risque. Tant pis, elle l'assumait, elle ne pouvait se planquer éternellement.

Kelvin Snell en est mort...

Cette pensée surgit tandis qu'elle passait devant une armurerie. La loi sur l'achat et le port d'armes à feu au Kansas était très claire : tout ou presque était autorisé, y compris se balader en pleine rue avec son arme sur soi. Pour autant, Kat préféra ne pas céder à la tentation. Elle ignorait si c'était son éducation, ses habitudes de pure New-Yorkaise – probablement la ville la plus intolérante aux armes de tout le pays – ou juste du bon sens, mais elle craignait que cela n'engendre plus de problèmes que de solutions.

Même si le camp se rend compte que tu furètes autour, ils ont de plus gros poissons à attraper. Ils ne vont pas assassiner le moindre curieux qui traîne, tout de même !

Kat revit Kelvin Snell repousser ses lunettes sur son nez dans un geste précieux, et elle en eut un pincement au cœur.

Lui avait des preuves. Les montages de sociétés écrans, le témoin qu'il devait interroger...

Comment avaient-ils su ? Snell lui avait confié qu'il était prudent, son rédacteur en chef était le seul au courant. Celui-ci l'avait-il trahi ?

Plus probable qu'ils surveillent Internet avec des logiciels espions qui analysent les recherches par mots-clés, où lorsqu'on tape le nom de plusieurs sociétés à eux... ce genre de pièges.

Ensuite, EneK embauchait assurément des génies de l'informatique capables de pirater un ordinateur à distance, voire un téléphone, fouiller l'historique, lire les e-mails, les SMS...

Et constater que Snell était sur leur dos et se rapprochait...

Là encore, pour une entreprise milliardaire, ce n'était qu'un assemblage de compétences aisé à réaliser, chacun à son poste, assigné à sa tâche, sans se poser trop de questions, sans comprendre la vision d'ensemble. Chaque employé ignorait tout de son implication dans le processus de mise à mort de Kelvin Snell, il se contentait de faire son job, de délivrer l'information à un supérieur qui lui-même transmettait à un autre, et ainsi de suite jusqu'à... *Qui ? Le conseil d'administration ? Le patron lui-même ?* Comment s'appelait-il déjà ? *Edwin Kowalski !*

Bien que très discret, cet homme parmi les plus riches de la planète n'avait pu échapper à l'intérêt des médias et Kat avait déjà vu sa photo, celle d'un personnage effacé, qui semblait presque ne pas être à sa place.

La privée se gara sur une place dans la rue principale et tapa le nom du dirigeant sur Google. Issu d'une famille bourgeoise du Vermont sans histoires, plutôt bon étudiant sans être brillant. *Université de Yale, tout de même...* Il avait fondé une petite boîte de programmation pendant ses études, avant de travailler sur le transfert de données à très haut débit, puis sur leur stockage. Le coup de génie du personnage avait été d'acheter pour une bouchée de pain des terrains qui n'intéressaient personne dans des territoires quasi polaires, où il avait construit de vastes hangars à grand renfort d'aides financières des régions concernées, trop heureuses d'enfin pouvoir dynamiser l'emploi de ces zones habituellement boudées par l'économie. Lui achetait le sol et bâtissait les infrastructures près de villages au taux de chômage prohibitif, pour offrir du travail. Les aides de l'État se chargeaient d'installer les câbles nécessaires au transport des données, sur des centaines de kilomètres. Au-delà de l'investissement minimisé, c'était sur le coût d'entretien que Kowalski avait tout gagné. Les conditions climatiques polaires suffisaient à refroidir les blocs de disques durs et les serveurs de plus en plus monstrueux qu'il empilait pour satisfaire la demande de ses clients, là où ses concurrents dépensaient des millions en climatisation permanente. Dans un monde qui se virtualisait, mais où paradoxalement le moindre e-mail devait être stocké physiquement quelque part pour son archivage, Kowalski offrait une solution économique à tous les prestataires de services.

Sa fortune s'était construite en une décennie à peine. Avant de croître, exponentiellement, à mesure qu'il diversifiait ses activités.

Kat réalisait qu'Edwin Kowalski incarnait cette poignée d'hommes et de femmes dont on ignorait finalement tout du profil psychologique, de leurs intentions ou de leur équilibre mental, mais qui accédaient en moins d'une génération au sommet, parmi les plus puissantes personnalités de la planète, avec des ressources économiques inépuisables à leur disposition et un pouvoir démentiel. Sans avoir de comptes à rendre à quiconque, ni se soumettre à aucune forme de contrôle. Dans un système régi par l'argent, la mondialisation capitaliste leur conférait un statut de prophètes.

Ils étaient libres de faire régner leur propre religion parmi les hommes, une foule d'adeptes liés par le canon de la nourrice sonnante et trébuchante, aveuglés par ces nouveaux évangiles fondateurs de modes et créateurs de tendances. Qui aujourd'hui pouvait se targuer de ne pas fréquenter le temple d'Amazon, de ne pas avoir Google pour bible, smartphone et tablette en main comme autant de signes ostentatoires de ses croyances personnelles, addict à la confession sur Facebook, Instagram, Twitter... ?

Plus que des prophètes. Des demi-dieux.

L'humanité s'était elle-même rendue dépendante de ce panthéon assemblé en si peu de temps par ses propres soins, une cour divine constituée d'une dizaine de visages à peine et qui, maintenant installée dans les cieux, comptait bien façonner cette terre selon son bon vouloir.

Groggy sous l'effet du vertige qu'entraînaient ces constatations, Kat décida d'aller prendre l'air. La journée touchait à sa fin, elle n'avait pas obtenu de résultats concluants et commençait à se sentir démunie, sans idées pour la suite. Tout ne pouvait s'arrêter ainsi, elle ne s'imaginait pas conclure, face à Annie Fowlings, que sa fille était *probablement* enfermée dans un camp retranché, sans savoir si elle en était heureuse ou le subissait.

Kat dîna dans un restaurant à l'ancienne, tout droit sorti des années 1960 avec son carrelage à damier, ses box avec banquettes en Skaï et le répertoire musical idoine craché par le juke-box. Il ne manquait que les serveuses sur patins à roulettes et le visage rassurant de Richie Cunningham. Elle avala son omelette au milieu des familles, observant, curieuse, ouverte aux autres, et s'accorda même un milk-shake pour se remonter le moral. Elle tritura son téléphone, ne sachant si elle devait appeler Mitch, entendre sa voix pour se rassurer, calmer le jeu après le froid de ces derniers jours, puis s'abstint. Elle n'avait pas le courage. La soirée lui fit du bien malgré tout, dissipa une partie de son spleen.

Lorsqu'elle rentra au motel, la nuit était tombée et Kat n'était pas plus avancée. Faute de mieux, elle envisageait d'aller écumer les tribunaux des comtés environnants à la recherche d'affaires concernant Galvin Hutchinson et dans l'espoir d'en sortir un nom ou une adresse. Peut-être que la base de données PACER n'avait pas tout enregistré, après tout. Peut-être qu'elle n'avait pas fouillé correctement... Elle n'y croyait pas elle-même, mais devait se résigner à tout tenter. Si Hutchinson avait débarqué au Kansas, c'était peut-être parce qu'il avait de la famille éloignée, un camarade de prison, ou une vieille affaire qui l'avait amené, dans sa jeunesse, à y poser ses valises momentanément. De toute façon, Kat n'avait rien d'autre, il fallait entamer le boulot ingrat de fourmi.

Elle claqua la porte derrière elle, pressée de retirer ses chaussures, lorsqu'elle s'interrompit sur le seuil. Son corps l'alerta en une fraction de seconde, dressant le duvet de sa nuque et déclenchant une brusque inspiration.

Elle devina une présence dans la chambre. Une odeur étrangère flottait dans l'air, en même temps que le sifflement presque imperceptible d'un souffle régulier.

On l'attendait.

Kat tâtonna sur le mur, jusqu'à trouver l'interrupteur.

– N'allumez pas la lumière, lui ordonna une voix grave. Ça ne sera pas nécessaire.

43.

Samuel Trappier ressemblait à un vieux beatnik avec ses longs cheveux gris et ses chemises hawaïennes, et ses discours antisystème respiraient la conviction chevillée à l'âme.

Cependant, il fallait bien reconnaître qu'il savait se servir des outils dudit système, surtout lorsqu'il s'agissait d'en pointer les excès et les failles.

Lors de leur dernière rencontre, Atticus lui avait demandé si EneK avait des connexions avec des entomologistes, et Trappier n'était pas homme à rester sans réponse. Il avait fait ses devoirs, avec application et, surtout, un sens du détail digne d'un fouineur professionnel. Cet Internet qu'il détestait, il en faisait pourtant son terrain de jeu lorsque nécessaire.

Sa synthèse se résumait en une trentaine de pages imprimées depuis différents sites, glissées dans une enveloppe marron.

Le pli n'était pas signé, mais Atticus n'avait aucun doute. Ça ne pouvait être que lui. Il était le seul à qui il avait posé cette question et qui disposait des ressources pour fournir ce genre de rapport, qu'il avait déposé sur son palier, anonymement.

« J'estime davantage la propagation de la vérité que mon succès personnel, donc je partage. » C'étaient ses mots.

Atticus avait lu l'ensemble dans la nuit, surlignant les passages qui attiraient son attention. Depuis presque dix ans, EneK avait investi plusieurs centaines de millions de dollars dans le rachat de sociétés spécialisées dans les biotechnologies, avec un axe évident : le domaine du minuscule. Trappier avait exhumé une des rares déclarations d'Edwin Kowalski au cours de cette période d'acquisitions : « La biomasse des insectes et plus globalement de toutes les créatures associées représente la très grande majorité de ce qui vit sur notre planète. Quiconque en percera les mystères contrôlera les ressources essentielles à la survie de l'espèce humaine. »

Un discours qu'Atticus n'eut aucune peine à imaginer prononcé par le magnat de la science. Il ne manquait que la tirade suivante où il préconisait la destruction d'une partie de l'humanité afin que les surhommes émergent. Restait l'objectif réel derrière. Atticus avait du mal à croire que ces investissements ne visaient à long terme qu'une simple opération économique. Kowalski avait une vision. Son obsession des insectes allait au-delà du désir d'offrir à l'humanité de nouvelles sources de protéines pour son alimentation ou même une main-d'œuvre réduite et corvéable à merci. Il y avait un objectif moins avouable.

Le mode opératoire du tueur d'Oscar Riotto ou de Kopelson le confirme. Ils sont parvenus à quelque chose avec ces insectes.

Petit à petit, Atticus envisageait des hypothèses glaçantes, qu'il finit par écarter faute de preuves. Il n'était pas utile de se perdre en conjectures farfelues. Pas maintenant.

La liste des laboratoires suivait, sur plus de dix pages, et lorsque Trappier était parvenu à décortiquer la spécialisation ou les fonctions de ceux-ci, il l'avait indiqué en dessous.

À 5 heures du matin, lorsque le réveil avait sonné, Atticus avait bondi de son lit, en sueur. Épuisé par le manque de sommeil et des cauchemars terrifiants.

Les inspecteurs de la RHD s'étaient regroupés au commissariat de Valley Bureau, de l'autre côté des montagnes de Griffith Park, tout près du siège de la fondation Long Life Harmony. Une horde de six enquêteurs pour coordonner quinze officiers en uniforme. Le brief fut rapide et précis. Ils venaient pour saisir des documents en relation avec les disparitions de Skid Row, ainsi que les dossiers du personnel. Il fallait notamment mettre un nom sur le chargé de la sécurité qui accompagnait Ximena Torrebiarte lors de ses missions à Downtown, celui qu'elle accusait d'être venu la menacer pour l'obliger à tendre un piège à Oscar Riotto. Dès qu'ils auraient son identité, ils le passeraient à la moulinette du LAPD dans l'espoir de prouver son implication dans le meurtre du journaliste.

Atticus se faisait peu d'illusions, et la perquisition ne fit que confirmer son pessimisme. Long Life Harmony était prévenue. Et tout le temps perdu par la RHD leur avait permis de se mettre à l'abri. Atticus enrageait en silence. Il savait que les cartons saisis se révéleraient inutiles. Tout avait déjà été nettoyé, les employés compromettants effacés du moindre répertoire. Des consignes données aux autres. EneK était efficace.

Atticus fulminait ouvertement, il ne cachait pas sa frustration tandis qu'il aidait à déménager les boîtes de documents saisis. Il y avait de quoi remplir plusieurs coffres de voiture, des journées de vérifications se profilaient, et elles seraient vaines. Quelqu'un de haut placé avait fait traîner, ils auraient dû foncer le jour même du témoignage de Ximena.

Atticus bousculait, Atticus jurait, Atticus ordonnait, transportait, et petit à petit parvint à créer un vide autour de lui, chacun prenant soin de l'éviter pour s'épargner sa mauvaise humeur.

Et dès qu'il le put, il déposa dans son propre véhicule les deux cartons qui l'intéressaient tout particulièrement, sans que personne ne le remarque.

En milieu de matinée, lorsque la perquisition fut achevée, il s'adressa à Connor Hogan, de la RHD :

– J'imagine que tout part directement pour vos bureaux ? Je vous rejoins dans l'après-midi.

Hogan ne lui répondit même pas et claqua sa portière.

Connard.

Atticus fit mine de se diriger vers Hollywood Station pour donner le change, au cas où il aurait été suivi, et lorsqu'il fut convaincu que personne n'était dans son sillage, il bifurqua pour atteindre Silver Lake et rentrer chez lui où il monta les deux cartons à la hâte, jetant régulièrement des coups d'œil inquiets vers la rue.

Il vida le contenu de sa prise sur la table de son salon et fit un pas en arrière pour admirer les piles de dossiers. Tous les questionnaires remplis par l'équipe de Skid Row, dont Ximena Torrebiarte.

Ça n'avait pas été simple de les repérer durant la perquisition sans attirer l'attention de ses collègues, encore plus difficile de les mettre de côté pour les transporter lui-même et au bon moment, mais il y était parvenu.

Il fit chauffer de l'eau pour se faire un thé au gingembre, et attaqua.

Les questionnaires s'étalaient sur quatre pages imprimées, des cases à cocher, des rubriques à compléter. En lisant un exemplaire, Atticus fut stupéfait de la précision et l'exigence des réponses demandées aux sans-abri. Identité complète, date de naissance, numéro de Sécurité sociale lorsque connu, le plus d'adresses antérieures possibles. La famille n'était pas épargnée non plus, on leur demandait de détailler leur mode de vie d'autrefois, lorsqu'ils étaient insérés. Et pour finir on les interrogeait sur leur vie dans la rue, leurs « amis », leurs habitudes, addictions et ainsi de suite. Si la personne disséquée voulait obtenir sa rétribution en nature, il fallait qu'elle accepte cet éclairage cru braqué sur son existence, de tout déballer, se mettre à nu, avant de repartir avec son ballot de nourriture.

À la lecture d'un cas, Atticus fut frappé par le nombre de données recueillies. Long Life Harmony ne pouvait pas les publier sans passer pour trop inquisitrice, même en brandissant le prétexte d'une étude complète et étayée. À coup sûr, cela faisait partie de leur stratégie si l'on venait à s'intéresser à leur action : ces données relevaient de l'intimité des « volontaires » et serviraient à établir des schémas, définir des modèles pour améliorer la prévention, empêcher au mieux de futures désocialisations. En aucun cas ils n'autoriseraient la consultation des données brutes.

Mais Atticus savait quel était l'objectif réel derrière ces questionnaires. Cerner des proies faciles, isolées, avec peu ou pas de liens.

Il termina son thé et se lança dans le tri.

Le plus simple et rapide fut de les classer en fonction de leur auteur, avant qu'Atticus puisse sélectionner exclusivement ceux qui avaient été rapportés par Ximena. À partir de là, il reprit la liste des noms que Mel le clochard de Skid Row lui avait confiée.

Dominik Sheppard, Baby Roy, Lorette et Ravnik Chessernicof.

À présent, il fallait tenter de les retrouver dans le tas.

Atticus prenait soin de bien lire chaque nom et prénom, conscient que Mel s'était basé sur la phonétique, et qu'il devait exister une large part d'approximation, ou qu'il pouvait s'agir de surnoms, comme dans le cas de Baby Roy.

Et petit à petit, la magie opéra. Dominik Sheppard. Lorette Nichols. Radnik Chernikhov. Seul Roy manquait à l'appel, mais Atticus avait mis de côté trois questionnaires qui pouvaient correspondre, Douglas Royston, Dean « Roy » Ayster, et Michael Roy Reynolds.

La lecture de leur dossier confirma leur potentiel de cibles faciles. Tous vivaient un peu à l'écart des groupes, se faisaient discrets ou au contraire n'éprouvaient aucune forme de méfiance, comme Lorette Nichols, qu'on devinait capable de grimper dans la première voiture qui passe en échange d'un peu de nourriture ou d'alcool.

Il les avait retrouvés.

Chaque nom avait à présent un passé, une existence bien définie.

Et mieux encore, à partir de là Atticus espérait pouvoir comprendre ce qui avait motivé EneK à les tuer.

Vérifier s'il n'existait pas un lien. Une explication à leur mort.

44.

Les sachets de thé secs s'accumulaient dans la soucoupe posée sur le bord de la table. Un parfum poivré et citronné imprégnait le salon.

Après avoir épuisé tout le répertoire du Sepultura des années 1980-1990, période frères Cavalera, les enceintes Focal jouaient un cran plus bas dans l'agressivité, *Angel Dust*, l'album ultime de Faith No More.

Atticus avait lu tous les questionnaires, noirci huit pages de notes et dégagé une vingtaine de pistes qui s'étaient refermées une par une après vérification. Du groupe sanguin à l'ancienne profession en passant par les quartiers fréquentés, les mœurs ou l'origine ethnique, le flic avait tout couvert.

Il n'existait aucun lien entre les disparus de Skid Row. Rien, sinon leur profil de proies faciles.

Atticus s'enfonça dans le canapé, un peu désemparé. La voix claire de Mike Patton le fit sortir de sa réflexion et s'envoler le temps d'un refrain, avant qu'il ne retombe dans le concret de la réalité. Il n'avait rien.

Soit les enlèvements étaient motivés par des raisons extérieures à la personne et cette dernière ne servait en définitive que de chair à canon, soit l'élément déclencheur n'apparaissait pas dans le questionnaire.

Ils se sont basés sur ces documents pour faire leur choix, c'est la raison d'être même de cette étude, donc c'est forcément là-dedans !

Sinon, il ne restait que la première éventualité. La victime n'importait que pour ce rôle de victime, pas pour ce qu'elle était elle-même.

Atticus n'avait par conséquent rien de plus. Aucune direction à suivre, et certainement pas de mode opératoire reconnaissable et applicable aux travaux effectués par Long Life Harmony dans les autres quartiers de SDF.

S'il y avait plus de victimes, il n'était pas à même de les identifier.

Atticus se posta devant la baie vitrée pour se dégourdir les jambes. Il n'avait pas déjeuné et se sentait ensuqué par l'inactivité. Courir autour du réservoir lui ferait du bien.

La RHD ne l'avait pas appelé, pas plus qu'Hollywood Station, trop contents de s'en être débarrassé. Pour eux, il devait remâcher sa déception dans son coin, honteux ou furieux.

Atticus fit deux tours du lac artificiel et remonta sur sa colline, en eau. Il n'avait pas couru longtemps, mais vite, besoin d'épuiser sa frustration.

Sa motivation revint sous la douche, pendant que le jet lui massait les épaules.

Lorsqu'il se rassit face aux piles de questionnaires, il envisageait une autre hypothèse.

Que ces documents n'aient servi que de point de départ. La fondation, ou quelqu'un y ayant accès, avait pu les récupérer pour opérer une présélection afin de pousser les recherches plus loin. Atticus n'avait déniché aucun lien entre les victimes en se basant uniquement sur ces données parce qu'elles n'étaient qu'un indicateur général. Cela ne signifiait pas pour autant qu'il n'en existait pas un ailleurs. C'était à lui d'aller le traquer.

Il reprit toutes les informations à sa disposition. Le tueur était parti de ces mêmes pages, donc le fil à dérouler se trouvait là, sous ses yeux. Dossier médical ? *Non, aucune question sur les hôpitaux fréquentés.* Troubles psychiatriques ? *Pareil, ça n'est pas le sujet.* Quelque chose dans les métiers qu'ils avaient exercés avant de tout perdre ? *Peut-être...* Une connexion familiale ?

Les disparus répondaient sur leur passé professionnel, des noms d'employeurs, parfois des adresses, et mentionnaient d'anciens proches, pour certains sous leur nom complet. Atticus se lança dans un fastidieux exercice d'investigation pour retrouver la plupart des individus cités. Et un par un, il les appela.

Ses questions étaient simples, il allait droit au but : connaissaient-ils ou se souvenaient-ils de la personne ? À partir de là, soit cela ne conduisait nulle part et il le sentait immédiatement, soit il déroulait le fil pour voir jusqu'où cela pouvait le mener.

Il prenait des notes, le combiné coincé entre l'épaule et l'oreille et, coup de fil après coup de fil, voyait ses chances d'aboutir se réduire drastiquement. La plupart de ses interlocuteurs ne se souvenaient pas, ou n'avaient pas envie de perdre du temps à évoquer une personne qui n'avait pas laissé un souvenir impérissable. D'autres, plus rares, au contraire se montraient prolixes, un peu trop dans l'excès de compassion pour quelqu'un qu'ils avaient laissé tomber. Il n'y avait rien, là non plus.

Atticus avait presque terminé, la journée touchait à sa fin, lorsque la sœur de Lorette Nichols décrocha. À peine eut-il prononcé le nom de la disparue que la femme à l'autre bout lui demanda :

– Vous êtes de la police, vous dites ?

– Oui, LAPD.

– Vous en avez mis du temps !

– Pour quoi ?

– Pour rappeler, pardi ! Vous l'avez retrouvée ? Vous avez des nouvelles de Lorette ?

Atticus pressentait qu'il y avait un contexte qu'il ne maîtrisait pas, mais devait jouer intelligemment pour ne pas trahir son jeu.

– Vous avez eu quel service, madame ?

– Quoi, quel service ? J'ai appelé les putains de flics !

– Parce qu'on m'a transféré votre dossier mais tout n'est pas clair.

– Y a rien qui est pas clair bordel, Lorette a appelé paniquée pour me demander de l'aide et c'est tout ! Vous ne savez pas où elle est alors ? Ça fait six jours et vous ne l'avez toujours pas retrouvée ? Vous avez envoyé des patrouilles là où je vous ai dit ?

Atticus reposa son carnet de notes, l'esprit vivifié par l'excitation.

– Voilà ce qu'on va faire, Mrs Nichols, vous allez reprendre depuis le début et tout me raconter.

– Mais qu'est-ce que vous branlez chez les poulets, merde ! J'ai déjà tout raconté !

– S'il vous plaît, je peux vous aider, mais assurons-nous de n'avoir rien oublié. Votre sœur vous a appelée, c'est bien ça ? Quand était-ce ?

– Là, samedi soir. Putain, six jours que j'ai demandé votre aide et vous ne répondez que maintenant ?

– Qu'est-ce qu'elle vous a dit exactement ?

– Elle était paniquée, elle pleurait, elle bafouillait, il s'est passé un truc grave, je la connais, je le sais.

– Mais quels ont été ses mots à elle ?

– Qu'elle s'est enfuie, que je dois l'aider avant qu'ils la retrouvent. J'ai peur qu'elle se soit fourrée dans un machin avec des tordus, vous savez ma sœur elle vit dans la rue et...

– Oui, à Skid Row, c'est ce que j'ai dans le dossier.

– Voilà, et c'est ça qu'est bizarre aussi, comment elle est passée de LA au Kansas ?

– Au Kansas vous dites ? Elle vous a dit qu'elle était là-bas ?

– Mais ils vous ont rien transmis ou quoi ? C'est ça l'efficacité des flics aujourd'hui ? J'ai tout répété, oui, à... attendez, je l'ai écrit là quelque part... Oui, à Carson Mills qu'elle a dit ! Dans le Kansas ! Écoutez, ma frangine et moi on n'est plus très proches, elle... elle a fait ses choix, et moi je veux pas de ça autour de mes enfants. Mais je la connais, elle était vraiment pas bien, ça fait au moins un an que j'avais pas de ses nouvelles, et je suis sûre que c'est grave.

– Elle vous a donné des noms ?

– Non, elle flippait sévère, elle ne voulait pas rester en ligne trop longtemps, elle a dit que je devais l'aider, qu'elle allait rappeler pour que je lui file du pognon, et aussi que je trouve le numéro de l'armée. C'est Lorette, ça, depuis qu'elle... vous savez la drogue ça lui a un peu cramé les neurones. Je sais qu'on pourrait penser à une combine de toxico pour me faire cracher du fric, mais je vous le dis : je connais ma sœur et elle avait réellement la trouille, c'était pas du chiqué.

– Je vous crois, Mrs Nichols. Elle a laissé une adresse ou un numéro ?

– Nan, elle a appelé d'un téléphone public et a dit qu'elle me rappelait vite. J'ai pas eu de nouvelles depuis. Putain, six jours et vous embrayez que maintenant !? Mais ma sœur a pu crever dix fois depuis, vous réalisez ?

Atticus essaya à peine de la calmer, il promit de s'en occuper et raccrocha pour se précipiter sur les pages imprimées par Trappier.

Il en renversa la moitié sur le parquet avant de trouver ce qu'il cherchait. La liste des laboratoires rachetés par EneK.

Son index descendit jusqu'à la troisième ligne. Sa mémoire ne lui jouait pas de tours.

PodsBioTech. Situé à Carson Mills, Kansas.

45.

La présence déplia sa masse dans l'obscurité pour fondre sur Kat qui, encore sous l'effet de la surprise, ne put réagir.

L'homme saisit sa main pour l'éloigner de l'interrupteur avant qu'elle n'allume, puis se posta sur le côté de la fenêtre pour guetter le parking du motel à travers les lattes du store.

– Vous n'avez pas été suivie ? demanda-t-il, anxieux.

– Je... Qui êtes-vous ?

L'intrus était agité, il ne tenait pas en place. Il repoussa Kat pour accéder à la porte, qu'il verrouilla.

– Je ne vois personne, poursuivit-il, mais avec eux, on n'est jamais trop prudent. Donnez-moi votre téléphone portable.

Face à la réticence de Kat, l'homme tendit la main dans la pénombre et insista, plus virulent.

– Donnez-le-moi !

Kat obtempéra et le vit l'éteindre avant de l'enfouir sous un oreiller.

– Même en veille ça peut leur servir pour écouter les conversations. J'ai fait le tour de votre chambre en vous attendant, il n'y a pas de micro.

Après deux allers-retours entre l'entrée et le fond de la pièce, l'homme parut s'apaiser un peu.

– Qu'est-ce que vous me voulez ? fit Kat.

– Je vous retourne la question.

Soudain Kat comprit ce que cette réponse signifiait dans le contexte de son activité à Carson Mills et elle bafouilla :

– Galvin Hutchinson, c'est vous ?

L'homme s'arrêta au niveau du mini-bar, qu'il ouvrit. La lueur anémique qui en coula ne suffit pas à éclairer son visage. Il se servit en buvant directement dans la mignonnette de whisky.

– Raté, souffla-t-il après avoir dégluti.

– Qui êtes-vous ?

Il soupira, une fatigue profonde.

– Pourquoi vous cherchez Lena ?

Kat fut aussitôt intriguée, au point que la peur passa au second plan.

– Je suis détective privée, sa mère m'a engagée pour la retrouver, avoua-t-elle en jouant la franchise.

– Ouais, c'est ce que je vous ai entendue raconter. Prouvez-moi que vous connaissez bien Lena.

Kat n'était pas sûre d'elle, ça pouvait tout aussi bien être un piège. *De toute façon, ai-je d'autres options ?*

– Sa petite sœur, Tanie…

– Eh bien quoi, Tanie ?

Il y avait un sous-entendu dans sa question qui laissait penser qu'il savait et attendait que Kat fasse le premier pas.

– Elle est morte lorsque Lena avait onze ans.

L'attitude de l'homme commença à changer. Moins de nervosité à son égard. Elle venait de marquer des points. *C'est donc qu'il connaît bien Lena, qu'elle s'est confiée à lui.*

Dans le noir, Kat se sentait tout de même très vulnérable.

– Est-ce que vous mesurez la merde dans laquelle vous vous êtes mise ? Vous savez ce qui se passe ici ? fit-il en essayant de contrôler son affolement.

Maintenant que son esprit sortait de l'aveuglement dû au stress, Kat comprenait qui il était.

Comment m'a-t-il retrouvée ?

— Lena est parmi les Enfants de Jean, dit Kat, elle y a été attirée par Galvin Hutchinson, voilà ce que je sais. J'ai vu le camp aussi. C'est Kelvin Snell qui vous a parlé de moi ?

— Vous connaissez Snell ? Il est mort.

— Vous êtes son témoin, n'est-ce pas ?

L'homme se tut et termina la bouteille d'alcool.

— Est-ce que vous pouvez nous aider à quitter la ville ? demanda-t-il.

— Nous ? Vous êtes combien ?

Elle devina sa colère contre lui-même de s'être si bêtement trahi.

— Deux.

— Est-ce que je peux mettre au moins la veilleuse ? L'obscurité me rend nerveuse.

Silence. Puis l'homme se rendit sur le seuil de la salle de bains qu'il alluma, la porte presque fermée. Un filet de lumière perçait à travers la chambre, juste assez pour deviner que l'intrus était blanc, avait une trentaine d'années, les cheveux roux, en bataille, l'air épuisé.

— Comment vous vous appelez ?

Là encore, l'homme prit le temps de la réflexion avant de répondre :

— Jake.

Il saisit la chaise du bureau et la disposa sous la poignée de la porte, inclinée, pour la bloquer.

— Snell n'a jamais mentionné votre existence, prévint-il.

— Je l'ai rencontré juste avant qu'il ne soit tué. Je sais que vous deviez vous voir.

— Je n'étais pas chaud, mais c'était le seul moyen de tout faire éclater, de nous protéger. J'attendais le bon moment. Ces ordures ont été plus rapides que nous.

— Les Enfants de Jean ? Ce sont eux les assassins ?

Jake cessa ses agitations et fit face à Kat.

— Qu'est-ce que vous savez d'eux au juste ?

— Je n'ai que des bribes. Ils sont dangereux. Puissants.

– Bien plus que vous ne pouvez l'imaginer. Asseyez-vous, nous n'avons pas beaucoup de temps, je ne resterai pas, c'est trop risqué, il faut que je rentre me planquer.

– Où ça ?

– À votre avis ? Vous y êtes passée deux fois déjà, j'ai bien cru que vous faisiez partie de ces enfoirés et qu'on était repérés. Vous nous avez fait flipper.

Un des hôtels. Non, ils n'ont pas d'argent. Une chambre d'hôte. Une âme compatissante à qui ils se sont confiés et qui les a pris sous son aile.

– Qui est l'autre personne avec vous ?

– Elle est restée là-bas, c'est plus prudent. C'est moi qui l'ai sortie de l'enfer. Ils allaient la tuer.

Kat revit les grosses cheminées et frissonna.

– C'est Lena ?

– Non.

– C'est ça ce qu'ils font les Enfants de Jean ? Assister à des meurtres ?

– À des démonstrations, corrigea Jake. De leur pouvoir absolu. De l'imminence de la fin des temps.

Bien sûr. Les Enfants de Jean. L'Apocalypse selon saint Jean…

– Une secte apocalyptique…

– Sauf qu'elle n'annonce pas la fin du monde. Elle la programme.

Kat avait du mal à suivre et, craignant que Jake ne décide de mettre fin à leur discussion brusquement pour s'enfuir, préféra se recentrer sur l'essentiel, plutôt que sur le décor.

– Vous avez dit connaître Lena. Est-elle en vie ?

– Elle l'était la semaine dernière, lorsque je me suis enfui. Elle fait partie des volontaires.

– Parce que tous ne le sont pas ?

Jake alla vérifier une nouvelle fois à la fenêtre que personne n'approchait par le parking, puis il désigna le bord du lit pour que Kat s'asseye et il posa une fesse sur le mini-bar.

– Leur protocole est parfaitement au point, expliqua-t-il. D'abord ils ont recruté des individus charismatiques, beaux parleurs, sournois, avec un passé trouble, le genre à ne pas trop se poser de questions du moment que ça paye bien, voire extrêmement bien. Eux, ce sont les rabatteurs.

Galvin Hutchinson. Manipulateur, violent, et psychopathe si besoin.

– Leur mission est simple : diffuser la bonne parole, pour attirer les paumés, les dépressifs et les esprits influençables. Ils vous font venir avec du joli marketing sur le manque de sens du monde moderne, sur la vacuité de l'existence, l'abjection de l'être humain...

Le flyer. Kat se souvint de la pertinence du texte qu'elle avait supposé rédigé par toute une équipe.

– Vous pourriez vous dire que c'est vraiment pour les débiles, mais je vous garantis que c'est fort, ils ont bien bossé leur truc, insista Jake. Le principe de base est le même que pour endoctriner les apprentis terroristes : on vous raconte à quel point le monde part en couille, que rien ne va plus, et ensuite on vous explique qu'il existe une solution. Et celle-ci vient parfaitement combler vos propres manques. Parce que c'est ce qu'ils attaquent, les gens en déficit de repères, de cadre, de sens. Et petit à petit, ils entrent dans votre cerveau. Les rabatteurs sont doués, ils ont été bien formés par une armée d'experts du comportement.

– Il y a un rituel d'initiation, n'est-ce pas ?

Kat ne pouvait oublier la cuve dans l'entrepôt, et les griffures d'ongles.

– Pour ceux qui sont sélectionnés, oui. En gros, les plus réceptifs. Ils assistent à...

Jake avala sa salive, l'œil brillant. Son ton baissa, et il ajouta, la voix tremblante :

– La purification.

– Comment ça ?

Kat avait les mains moites.

– C'est là qu'entrent ceux qui n'ont rien demandé. Des hommes et des femmes qui sont ramassés en douce, des parias, des oubliés qui ne manqueront à personne. Eux servent de démonstration.

Kat parla tout bas elle aussi.

– C'est un meurtre ? Collectif ?

– Non. Un sacrifice. C'est la méthode qui termine de vous convaincre qu'ils ont raison, et que de toute manière le monde ne pourra pas leur échapper.

La salle dans l'entrepôt avec les visages allongés peints sur les murs, les traces d'ongles dans la cuve...

– Mon Dieu...

– Oh, vous pouvez l'oublier, j'en ai vu l'implorer et il n'a rien fait pour les sauver. Ceux qui font ces horreurs en revanche, eux ils ont les pouvoirs d'un dieu. Vous ne le croiriez pas à moins d'y assister. C'est leur force, personne ne pourrait envisager ce dont ils sont capables, il faut le voir pour basculer. Et alors là...

Jake regarda Kat avec une tristesse infinie. *Cet homme est brisé.*

– Ce qu'ils font est monstrueux, dit-il du bout des lèvres.

Kat attendit qu'il ait assez de forces pour mettre les mots bout à bout.

Elle aperçut une larme glisser sur sa joue.

– Ils parlent aux insectes, ils les commandent. Et lorsqu'on est choisi pour la purification, les insectes nous dévorent.

46.

Kat avait du mal à respirer.

Trop d'informations en même temps, de révélations, d'absurdités horribles.

Pourtant elle avait vu les insectes écrasés au fond de la cuve. Et soudain la vision du chat de Lena, nettoyé de sa chair, la traversa.

– Comment... comment ils peuvent..., bafouilla Kat.

– J'en sais rien, ils le font, c'est tout. Et moi j'ai fait partie de ces paumés qui se sont laissé séduire, j'ai cru à ce discours, ça résonnait en moi, un monde injuste, devenu dément, où des pays comme le nôtre gaspillent des millions de tonnes de bouffe par jour pendant que des enfants crèvent de faim ailleurs, où une poignée de types nagent dans des piscines de diamants pendant que les trois quarts cumulent les boulots juste pour survivre. Les économies d'une vie confiées à un banquier inconscient qui partent en fumée juste parce qu'ils jouent entre eux, jetant sur le carreau des familles entières au passage. La futilité des vies virtuelles sur les réseaux sociaux, le contrôle des masses par l'abrutissement, la violence qui se propage et qu'on tolère un peu plus chaque fois, l'incompétence omniprésente, les mensonges... Oui, tout ça me rendait dingue, alors comme c'était exactement leur discours, je l'ai écouté, et j'ai suivi.

Jake se massa les tempes en grondant.

– J'imagine que vu de l'extérieur je passe pour un crétin, dit-il. Cependant je peux vous promettre que lorsque vous le vivez, c'est différent. Il y a une progression, vous comprenez ? D'abord une brochure pour attirer votre attention. Si vous répondez à ce stimulus, alors c'est foutu. Dès que vous vous pointez à l'une de leurs réunions, c'est mort, vous êtes embarqué. Leur présentation est tellement bien faite, à coups de chiffres insupportables, d'images fortes, c'est intense, ça vous prend aux tripes, vous donne envie de réagir soit en vous flinguant, soit en brûlant le monde. Et c'est là que les experts comportementaux entrent en jeu, ils s'immiscent dans votre crâne, étudient vos réactions et apportent une réponse à vos doutes, à vos peurs. Tout ça est progressif, on y entre par paliers, et sans même que vous vous en rendiez compte, vous êtes absorbé, déraciné de votre vie précédente en quelques mois, et le temps que vous réalisiez ce qui vous arrive, vous avez renoncé à tout, sauté dans un minivan et vous filez pour le Kansas.

Kat ne le jugeait pas. Elle savait à quel point il était facile de basculer lorsqu'on était mal dans sa peau. Il suffisait de regarder l'émergence de Daech et les milliers de volontaires qui avaient afflué du monde entier pour rejoindre l'État islamique, certains n'étaient même pas croyants un an auparavant. Une grande cause, un boniment minutieusement préparé, des prêches efficaces qui répondent aux blessures intérieures du plus grand nombre, un réseau pour les diffuser, et les candidats affluaient. EneK bénéficiait de milliards de dollars pour peaufiner sa méthode.

C'était la réaction des volontaires face à la mise à mort qui la dépassait. Pourquoi ne prenaient-ils pas leurs jambes à leur cou en comprenant où ils étaient ?

– Vous avez assisté à cette... purification.

Il la fixa et Kat eut peur. *Il y a de la folie en lui.*

Ils avaient détruit une partie de sa raison.

– Oui, avoua-t-il.

– Qui est derrière tout ça ? Dans quel but ils vous endoctrinent ?

Jake l'observait et elle lut soudain de la pitié.

– Pour contribuer à la fin des temps. En être les acteurs plutôt que l'attendre et la subir.

– Attendez, vous êtes en train de me dire que tous les volontaires au camp sont... des sortes de survivalistes pro-actifs ? C'est ça leur rêve ?

– Ils veulent détruire le monde. Pour de vrai. Et c'est plus qu'un rêve maintenant. Ce sera bientôt une réalité.

– Mais... c'est...

Kat n'arrivait pas à l'envisager. Personne ne pouvait enfermer cinq cents individus ensemble et leur faire accepter de devenir les bourreaux de l'humanité, ça ne fonctionnait pas ainsi.

Lena.

Une jeune femme mal dans sa peau, qui se cherchait, en conflit avec sa mère, avec des idées noires, pas loin de passer à l'acte. Elle avait d'abord trouvé une première voie de secours à travers la magie et sa promesse d'un univers caché, peut-être meilleur, sous l'influence de Silas Okporo, premier palier. Avant de rencontrer Galvin Hutchinson, le rabatteur des Enfants de Jean. Il était entré dans sa tête, avait repéré ses failles pour mieux les remplir de ses mots nauséabonds. Tout avait été vite, à la mesure du désespoir qui hantait Lena. Le tatouage dans le dos, annonciateur de ce qui allait suivre. Le sacrifice de son propre chat où se mêlaient maladroitement ses croyances magiques balbutiantes et son acceptation du chaos imminent, auquel elle devait participer plutôt que de le subir et de souffrir. *Faire mal plutôt qu'avoir mal.*

Galvin Hutchinson l'avait retournée pour en faire un pantin. Et lorsqu'il lui avait montré ce dont ils étaient capables, toute résistance mentale en Lena avait explosé. *C'était ça ou la démence.* Les hurlements du sacrifié, dans cette cuve, avaient dû résonner pendant des nuits et des nuits entre ses oreilles. *Tout comme le crissement des ongles contre le métal, jusqu'à se rompre.*

À partir de là, oui, Lena avait suivi Galvin. Parce qu'il n'y avait plus d'autre choix sinon se tuer elle-même sans plus attendre. Là, il réinjectait un peu de sens dans son parcours, elle avait un rôle à jouer. Un rôle essentiel.

Contribuer à l'Apocalypse. Faire de ses propres hésitations une réalité pour tous. Ne pas partir seule, mais emporter le monde avec soi serait, d'une certaine manière, moins douloureux.

Et des Lena Fowlings, il devait y en avoir beaucoup.

Énormément.

La société en produisait de nouvelles à chaque crépuscule.

– C'est complètement fou, lâcha-t-elle entre ses lèvres.

Et quel était l'intérêt de ceux qui opéraient dans l'ombre ? Quel gain tiraient-ils de cette vaste mascarade meurtrière ?

– Combien étiez-vous au camp ? demanda Kat.

– Je ne sais pas, nous sommes regroupés par bâtiment, on ne se mélange pas, mais il y a au moins deux cents volontaires par unité.

Et Kat en avait compté une dizaine.

– Quel mal peuvent-ils faire, même avec un ou deux milliers d'adeptes ? Au pire ils seront capables de brûler une petite ville avant que la garde nationale ne les maîtrise. C'est loin de l'Apocalypse…

Jake secoua la tête.

– Vous ne comprenez pas. Toute la journée, ils nous bourrent le crâne avec des films de propagande, avec leurs exposés implacables. Le but c'est de nous maintenir sous pression pour qu'au moment venu, on obéisse sans discuter. À partir de là, chacun aura une tâche bien précise à accomplir. C'est pas grand-chose, appuyer sur un bouton, s'infiltrer pour couper un fil, passer un coup de téléphone… Mais mis bout à bout, ça devrait suffire. Il y a un plan. Une vision. Les Enfants de Jean ne visent pas une ville, ni même notre pays tout entier. Ils veulent renverser le monde.

Kat ne voyait toujours pas comment transformer les adeptes d'une secte en une menace réelle, et Jake répliqua :

— Moi aussi je l'ignore, je ne comprends pas, c'est fait exprès ! Chacun son rôle, sans mesurer les conséquences de son acte. Et je ne sais pas qui dirige. Là-bas au camp il y a une hiérarchie, mais la plupart du temps on ne voit que notre recruteur, c'est lui le patron. En revanche, je peux vous dire que c'est pour bientôt.

— Ils vont libérer les adeptes dans la nature ?

— Ceux qui ont gagné leur confiance, oui.

— Et ensuite, c'est de l'infiltration à long terme ?

— Je ne crois pas, ils veulent que ça aille vite. Quand l'Apocalypse sera lancée, il faudra agir sans se poser de questions.

— Bientôt, comme une échéance en mois, en semaines ?

— Je l'ignore. Le camp était en effervescence lorsque je me suis enfui. Ça approche. Peut-être même dans quelques jours.

Kat sentait une boule d'angoisse qui croissait. Elle se focalisa sur sa priorité.

— Et Lena ? Où est-ce que vous l'avez vue ?

— Elle était dans le même bâtiment que moi, mais pas avec le même recruteur.

— Elle est parvenue à envoyer un SMS à sa mère la semaine dernière, vous savez comment ?

— Lorsqu'on va mal, qu'on doute, ils peuvent autoriser un message, ou parfois c'est eux qui l'exigent, pour calmer une famille trop inquiète. Mais ils surveillent. Quand on entre au camp, on abandonne sa liberté. On devient un soldat de l'Apocalypse, notre existence individuelle doit passer au second plan.

— Personne ne se rebelle ou ne demande à partir ?

Jake se tut pour choisir ses mots.

— Pour que nous n'oubliions jamais la puissance des Enfants de Jean, il y a des purifications régulières auxquelles nous devons assister. Ceux dont la détermination faiblit finissent en exemple.

Kat tanguait entre l'envie de succomber à un rire cruel et celle de perdre volontairement connaissance pour tout oublier. C'était trop gros. Jake se payait sa tête.

L'Histoire nous a prouvé que les hommes peuvent obéir aux pires exigences, ce n'est qu'une question de manipulation, de circonstances, de moyens.

EneK disposait de tout.

— Maintenant, vous devez m'aider, implora Jake. Nous voulons quitter la ville, avec la mort de Snell, c'est devenu trop dangereux.

Kat se leva, la pièce vrillait, tant ses idées étaient confuses.

— Il faut que cette conspiration sorte dans la presse…, dit-elle.

— D'abord vous nous exfiltrez, ensuite on verra. Je ne prends plus de risques avec un journaliste. Vous avez une voiture, emmenez-nous le plus loin possible.

Kat lui fit signe de se taire. Elle n'en pouvait plus. Elle fila dans la salle de bains s'asperger d'eau froide.

Elle resta ainsi à laisser l'eau goutter de sa peau pendant cinq longues minutes. Jake s'impatientait lorsqu'elle revint dans la chambre.

— J'ai un plan, annonça-t-elle.

Lorsque Jake quitta le motel, un peu plus tard, après qu'ils eurent encore discuté, il longea le mur jusqu'à regagner une ruelle sombre d'où il se coula dans la nuit.

À aucun moment, il n'aperçut le drone silencieux qui le suivait depuis le ciel.

47.

Atticus n'avait rien avalé de la journée, il carburait à la théine et à l'adrénaline, et ne fit l'effort de s'extraire de son investigation pour allumer la lumière du salon qu'une fois l'obscurité trop forte et qu'il fut incapable de lire ses propres notes.

PodsBioTech était une entreprise de biotechnologie dont le cœur d'activité était les expérimentations sur les insectes. Cinq ans avant son rachat par EneK, elle avait fusionné avec une compagnie spécialisée dans la robotique miniaturisée. Une demi-décennie de tentatives coûteuses en tout genre et elle était au bord du gouffre financier, faute de résultats. EneK avait débarqué à ce moment pour réinjecter du cash et relancer la machine. Sauf que cette fois, PodsBioTech bénéficiait du réseau de connaissances mis en place par toutes les start-up qu'Edwin Kowalski venait de s'offrir. En fouillant les documents rassemblés par Trappier, Atticus avait lu que PodsBioTech avait renoncé aux techniques robotiques, infructueuses, pour se jumeler avec MCR, qu'il avait pris initialement pour une boîte de communication. En réalité, MCR effectuait des études poussées sur la communication... des insectes. Tout était sous ses yeux, mais faute de savoir quoi regarder et comment l'interpréter, il était passé à côté.

Et PodsBioTech avait récemment déménagé dans le Kansas, dans un bled perdu, Carson Mills.

Il lui manquait encore les plus grosses pièces du puzzle, mais progressivement, il parvenait à remplir les blancs.

Kowalski est un taré. Ça ne l'empêche pas de faire fortune à milliards. Il a le syndrome de la petite bite, alors il compense, et dans son cas c'est en lisant Nietzsche et en s'imaginant qu'il peut être ce surhomme. Il veut sauver l'humanité de... son humanité, en se hissant au-dessus.

OK, jusqu'à présent ça se tenait.

Pour ça, il met du pognon dans le domaine des sciences autour du monde des insectes. Il fait une découverte qu'il garde secrète, mais qui lui permet d'avoir le contrôle sur eux.

Atticus s'interrompit dans son exposé en réalisant jusqu'où il allait. Il naviguait en pleine science-fiction. Contrôler des insectes. Absurde.

N'oublie pas Oscar Riotto et les autres. Son squelette... Il a littéralement été bouffé ! Kowalski maîtrise les insectes, ça ne peut être que ça !

Après tout, l'armée cherchait à faire de même avec les animaux depuis plus d'un siècle. Des dauphins transformés en bombes vivantes, des oiseaux espions et même, se souvint-il, des scarabées transportant des caméras miniaturisées ! C'était une réalité. Aussi improbable puisse-t-elle paraître.

Bon. Et après ? Via une de ses fondations, ils enlèvent des SDF pour...

C'était là qu'il séchait. Lorette Nichols s'était retrouvée dans le Kansas, terrifiée. Qu'est-ce qu'elle fabriquait dans un labo de biotechnologie centré sur les insectes ?

Cobaye.

Il ne voyait que ça.

Son portable sonna. Hack.

— Comment ça va ? demanda son partenaire.

— Je lis.

— Ah. Et c'est quoi ta lecture ? *Sports Illustrated* sur les chiottes ? Tiens, ils font des magazines de sport pour les gays ?

– Tu m'appelles pour ça ?

Le ton changea, moins léger.

– Non. Tu veux venir déjeuner à la maison demain ? Je fais des burgers au barbecue.

La question sonnait creux. Mécanique. Trop préparée.

– Je bosse, Hack.

– Allez, c'est vendredi, laisse les mecs de la RHD faire le sale boulot. Je sais que c'était la perquise ce matin, il va y avoir une tonne de paperasse à trier et décortiquer...

– C'est le chef qui t'a demandé de m'occuper ?

Hack ne chercha pas à mentir.

– Schaeffer. Cela dit, ça nous ferait plaisir, avec Alicia, que tu viennes.

Atticus n'était pas sûr que le capitaine soit en service commandé, il était du genre à prendre soin des siens, et se donnait peut-être du mal pour éloigner le plus possible son inspecteur des emmerdes.

– Tu m'excuseras auprès d'Alicia et des filles, mais je vais passer mon tour.

– T'as vraiment mieux à faire ? Tu crois pas que tu devrais lever le pied ? Tu sais, rapport à...

– J'ai compris, Hack. Schaeffer t'a mis en congé ?

– Bières-transat-télévision. Tu sais pas ce que tu rates.

Hack manquait de conviction. Un reliquat de peur dans la voix.

Il sait qu'on est probablement écoutés. Il donne le change, montre qu'il n'est plus un danger.

Les deux hommes ne dirent plus rien, gênés.

– Fais attention, ajouta Hack, grave.

Une fois qu'ils eurent raccroché, le silence lui fit peur. Atticus ne l'aimait pas. Ne l'avait jamais aimé. Il prit un vieil Ozzy Osbourne, *No More Tears*, et la guitare du virtuose Zakk Wylde le rassura en quelques accords.

Étonnamment, c'était au moment où son partenaire se

dégonflait qu'il se découvrait un attachement pour lui. Ils ne se connaissaient pas encore très bien et Atticus l'avait souvent jugé un peu hâtivement, à cause de son aspect rustre et beauf, mais c'était un bon gars dans le fond. *Il ne se dégonfle pas. Il se protège.*

Et il ne pouvait lui en vouloir de veiller sur les siens.

Moi je n'ai que ma gueule à charge.

Et s'il voulait la préserver, il devait vite définir quel serait son prochain mouvement sur l'échiquier géant où Edwin Kowalski et lui s'affrontaient.

C'était présomptueux de sa part d'imaginer pouvoir rivaliser avec un homme pareil, songea-t-il.

Qu'il aille se faire foutre.

Atticus passa une heure sur Internet à arpenter les sites sur PodsBioTech, sur Carson Mills et la région, pour rien. Lorsqu'il entra les mots-clés « Kansas + insectes » dans son moteur de recherche, les deux premières pages lui proposèrent tout ce qu'il y avait à savoir sur les différentes cultures et les nombreux nuisibles qui les ravageaient. En revanche, à l'instant où, pour les mêmes termes, il cliqua sur l'onglet « Actualités », le premier lien à s'afficher le fit se pencher sur son ordinateur.

Un journaliste retrouvé mort chez lui dans d'horribles circonstances à Wichita, soit à une demi-heure de Carson Mills. Quasiment à l'état de squelette. La police se refusait à tout commentaire mais semblait dépassée, et des voisins avaient tous vu un gros nuage d'insectes au-dessus du jardin de la victime le soir de sa mort. De quoi déclencher les pires rumeurs et autres divagations fantaisistes.

C'était riche d'enseignements pour Atticus. Une mine d'or. Déjà, la parution dans la presse signifiait qu'EneK n'avait pas le contrôle absolu sur tout ce qui sortait, notamment la presse régionale. Ensuite que les flics eux-mêmes n'étaient pas sous influence.

Lorette Nichols en cavale dans le secteur. Un laboratoire d'EneK bourré d'insectes tout proche et maintenant le cadavre d'un autre journaliste.

Il n'y avait plus aucun doute. Atticus venait de trouver quel serait son prochain mouvement sur l'échiquier.

48.

Sally Fuller était une femme dans toute sa splendeur : capable de faire deux choses en même temps, avec la même attention, à savoir suivre une rediffusion de « La Roue de la fortune » à la télévision tout en gardant un œil par la fenêtre sur les mouvements dans sa cour.

Son époux, s'il avait encore été là, n'aurait pas manqué de lui faire remarquer qu'à occuper son cerveau à tant de choses, elle finirait avec la maladie d'Alzheimer. Mais finalement, à poser son cul tout le temps sur son fichu rocking-chair, c'était lui qui s'était envolé d'un cancer du côlon, non sans une ironie dont Sally ne s'autorisait pas à rire, du moins pas en public. Elle avait toujours accordé aux apparences une grande importance. C'était vital, dans une bourgade comme Carson Mills, ce que les autres pensaient de vous. Car c'était ce qui vous définissait, ce qui resterait de vous après votre mort. Le souvenir.

C'était pour cela qu'elle n'avait jamais rien dit de la violence de son mari (elle en était devenue experte en maquillage de bleus et prétextes en tout genre). Tout aussi impensable de le quitter.

Pendant quarante-six ans, elle avait courbé l'échine et encaissé. Et renoncé à bien des rêves qui n'étaient pas au goût de la brute.

Un mois et un jour après l'avoir enterré, Sally Fuller déposait sa première petite annonce pour trouver un locataire. Elle avait toujours voulu tenir un petit hôtel, accueillir les gens de passage, les entendre parler avec leurs accents et deviner leur provenance, écouter leurs histoires, préparer leur chambre avec soin pour qu'ils s'y sentent bien – elle s'était mise dans l'idée que sa signature serait un brin de lavande sur les oreillers, pour les parfumer. Mais à soixante-cinq ans, elle n'avait plus le courage de se lancer dans un tel défi. Les deux chambres de l'étage lui suffisaient amplement pour proposer un équivalent plus modeste, dans une formule encore plus personnelle.

C'était la petite fille de sa voisine qui lui avait montré comment faire avec l'ordinateur pour créer une annonce. L'hiver, elle n'avait personne, mais lorsque se profilaient les beaux jours, un représentant ou des randonneurs réservaient en ligne, parfois des gens de passage pour un mariage et même quelques habitués qui revenaient chaque année, et Sally se faisait une joie de tous les recevoir.

Lorsque le couple avait débarqué sans réservation, Sally avait immédiatement remarqué que ça n'allait pas fort. C'était évident. Leurs traits tirés, les yeux rougis de larmes et d'angoisse, sans valises ni voiture, ils avaient tout du duo de criminels en fuite, et sa première intention avait d'ailleurs été de se rapprocher doucement du téléphone, pour prévenir le shérif.

La fille, notamment, était dans un sale état. « Ravagée » était le terme. Sally avait cru reconnaître un langage corporel qu'elle ne connaissait que trop bien et avait jugé très sévèrement l'homme sur le coup. Avant de se reprendre. Ses gestes pour elle, son attention, ses précautions, ce n'était pas l'attitude d'un mari violent, même dans les phases de réconciliation. Lui était sincère. Très inquiet même. Il prenait grand soin d'elle.

En quelques secondes, le couple avait touché Sally et son cœur s'était ouvert.

– Nous n'avons pas d'argent, madame, avait dit l'homme, et nous ne voulons pas vous attirer d'ennuis, alors nous ne resterons pas. Mais je vous en supplie, pour mon amie, auriez-vous un peu d'eau et de nourriture à nous offrir ?

Sally avait fait mieux que cela. Elle avait enfilé son tablier et préparé sa meilleure tourte. Tant pis si le shérif en personne débarquait pour l'accuser d'héberger des fugitifs, il y avait des regards qui ne mentaient pas : ceux de ces deux-là n'avaient rien de monstrueux. Au contraire.

Et ce qui avait commencé autour d'une tourte se poursuivait à présent, six jours plus tard, dans le plus grand secret.

Jake et Lorette lui avaient raconté leur folle histoire. Sally avait du mal à tout comprendre, même à croire ce qu'elle avait bien entendu. Toutefois, elle se sentait incapable de les jeter dehors et prenait très à cœur sa mission de les cacher.

Alors quand il avait fallu mentir à la détective privée, elle l'avait fait avec le même aplomb que lorsqu'elle racontait s'être cognée contre le coin de la porte après s'être fait corriger par son mari.

Jake et Lorette ne sortaient jamais ou presque. Lui promettait que ce serait bientôt terminé, qu'ils partiraient dès qu'un journaliste aurait publié leur histoire. Mais ce soir-là, il avait expliqué qu'il devait s'absenter, que leur situation était compromise.

Il rentra à minuit, une ombre dans la cour, et gagna la cuisine par la porte de derrière. Le voir surgir dans les vêtements de son mari décédé causait toujours un petit choc à Sally.

Il la salua.

– Est-ce que vous avez obtenu ce que vous espériez ? demanda-t-elle.

– Il me semble. Vous serez bientôt débarrassée de nous. Merci pour tout ce que vous faites. Sans votre aide, nous serions morts.

Sally n'était pas particulièrement pressée de les voir disparaître. Ils étaient touchants et ce mystère l'amusait presque.

Il avait joint les mains devant lui en signe de prière pour la remercier. Et il était allé se coucher.

Lorette dormait déjà lorsque Jake la rejoignit dans le lit.

Il ne savait que penser de cette Kat Kordell sinon qu'elle était leur unique espoir. Elle connaissait le secret de Lena sur sa petite sœur morte. Or Lena n'était pas du genre à le partager avec le premier venu, il avait fallu que Jake gagne sa confiance pour qu'elle lui en parle. C'était un argument pour croire en Kat Kordell.

Son plan tenait la route. C'était simple, avec peu de risques qu'un imprévu vienne tout compromettre.

Jake hésita à réveiller Lorette pour le lui raconter, mais il s'en abstint. Pour une fois qu'elle ne gémissait pas dans son sommeil, elle méritait encore un peu de ce repos profond et paisible. Ils auraient tout loisir de bavarder demain à l'aube. Jake ne dormait jamais tard, trop angoissé. Chaque craquement du parquet le réveillait en sursaut, le moindre pot d'échappement dans la rue et il était debout à la fenêtre, le cœur affolé. Il n'était pas fait pour cette vie de traque, il fallait qu'ils en sortent le plus vite possible, il ne tiendrait plus longtemps dans cet état.

Tandis qu'il ressassait le plan de fuite du lendemain, Jake ne remarqua pas l'araignée filandreuse qui grimpait sur le pied du lit, ses longues pattes dansant frénétiquement pour gagner en vitesse.

Il se demandait si Oklahoma City était véritablement l'option la plus évidente. Kat avait annoncé vouloir changer d'État pour commencer, et rallier une grande ville.

L'araignée, parvenue sur le matelas, glissa sous la couette sa forme brune et terne qui dessina une minuscule bosse, presque imperceptible malgré ses mouvements rapides.

Quitter le Kansas, déjà, était préférable, admit Jake. Kat n'avait pas tort.

À son tour, un interminable mille-pattes enroula ses anneaux luisants sur la structure du lit, rivant les crochets de ses membres sur le bois pour se hisser, et il rampa, long, dodu, presque obscène, sous l'oreiller de Jake.

Kat avait mentionné des contacts dans la presse de New York. C'était bien, ça, New York. Pratique pour se noyer dans la foule. Loin de Carson Mills.

Plusieurs coléoptères se joignirent aux premiers venus, visqueux pour certains, d'autres avec des antennes fouineuses, des pattes interminables et garnies d'ergots pointus. Et une deuxième araignée, encore plus grosse que la précédente, ses huit bras chitineux se dépliant avec une agilité déconcertante compte tenu de sa taille. Ses chélicères palpitaient.

Tous avaient investi la pièce sans un son, armada protéiforme qui profitait du manque de vigilance de l'homme allongé pour se rapprocher, toujours plus près.

De minuscules bosses remontaient sous la couette en direction de Jake.

Puis un bruissement au fond de la chambre le fit se redresser sur ses coudes.

Dans la nuit, il ne distinguait rien, mais écouta attentivement.

Les créatures dans le lit avançaient encore.

Ne percevant plus aucun son, Jake se rallongea. *Sally a dû laisser une fenêtre ouverte pour aérer et a oublié de la refermer.*

Un voile obscur ondula sur le parquet sans que Jake ne l'entende. Il déferla sur le mur, telle une vague au ralenti, avant de se casser sur le matelas, du côté de Lorette.

Jake crut qu'elle bougeait et ne s'en alarma pas.

Pas plus qu'il ne comprit ce qui se passait lorsqu'elle se mit à remuer et à gémir, songeant encore à un de ses nombreux cauchemars.

C'est reparti. Elle ne fera plus jamais une nuit normale.

Mais lorsqu'elle fut prise de convulsions, Jake l'attrapa par les épaules.

– Lorette ? Hey, Lorette, réveille-toi !

Il se pencha vers la lampe de chevet, alluma.

Son amie était tournée vers lui, toujours endormie.

– Tu m'entends ? Allez, me fais pas flipper, réveille-toi, insista-t-il.

Les yeux de Lorette roulèrent sous ses paupières et sa langue heurta l'intérieur de sa joue.

– Qu'est-ce que tu fabriques...

Un grouillement horrible, humide et affamé remonta de sous la couette et Jake se mit à trembler de tout son être.

Les dards s'étaient plantés, le venin injecté, les mandibules avaient découpé, et des hordes vicieuses pénétré la chair par tous les orifices possibles, ou s'en frayant de nouveaux, et une puissante marée noire avait inondé la malheureuse qui n'avait pu réagir. La dévorant de l'intérieur.

Les paupières de Lorette s'ouvrirent sur des orbites vides, des larmes de sang coulèrent à la place et une nuée d'insectes en jaillit en même temps que la grosse araignée charnue sortait d'entre ses lèvres.

Jake voulut hurler mais aucun son ne remonta de sa gorge.

Sa raison l'avait déjà lâché. Il savait ce qui l'attendait.

Un brin de lavande séché tomba de sous l'oreiller.

49.

Avec ses lunettes de soleil, sa chemise parfaitement coupée, son jeans près du corps et sa barbe de la semaine, Atticus ne ressemblait pas à un flic. Du moins pas à ceux qu'on trouvait à Wichita, Kansas. Il dut montrer son badge et parler comme un flic pour qu'on le prenne au sérieux.

Le nom d'un des enquêteurs dans l'affaire du journaliste retrouvé mort, sous forme de squelette, était cité dans la presse, et Atticus n'eut aucune peine à le rencontrer dès son arrivée sur place en toute fin de matinée, dans les locaux de la police de Wichita – un grand immeuble moche de verre noir qui servait également de mairie.

Dennis Wallen avait la moustache généreuse et l'œil triste. Il le reçut amicalement et lui proposa d'aller discuter dehors en marchant. Le quartier était un secteur administratif déprimant, sans commerce ni vie.

– Je suis pas sûr d'être la bonne personne, confia Wallen à Atticus. L'enquête n'est plus entre mes mains.

– Qui s'en charge ?

– Compte tenu de la nature particulière du crime, une cellule a été constituée. À sa tête, ils ont mis deux vétérans, proches du chef et du maire, appuyés par des membres du KBI, le Bureau d'investigation du Kansas.

Les choses se passaient finalement de la même manière un peu partout.

— D'habitude, je suis le premier à renseigner un confrère, mais là, je peux rien faire. Si vous leur apportez des informations sur un crime similaire par chez vous, ils vous accueilleront les bras ouverts.

Atticus répondit poliment qu'il allait le faire, mais n'en pensait pas un mot. Il n'avait aucune confiance, à partir du moment où les politiciens étaient dans la boucle, et à Wichita, le chef de la police était nommé par le conseil municipal. Aux ordres, donc.

— Vous êtes allé chez la victime, n'est-ce pas ? Vous avez remarqué la présence d'insectes sur place ?

— Oui, pas mal. Écrasés. Comme si Kelvin Snell s'était débattu au milieu d'une horde de bestioles. C'est insensé. Vous savez qu'on a des invasions de criquets parfois, ici, au Kansas ? Ils débarquent d'un coup, une vague tellement grosse qu'elle cache le soleil. Ils s'abattent sur un champ et une heure plus tard il n'y a plus rien. Si ces saloperies se mettent à attaquer les humains, c'est la panique assurée. Les gens ont peur avec cette histoire de Snell.

— Vous n'avez aucun suspect ?

— C'est trop tôt. J'ai à peine eu le temps de m'occuper des relevés téléphoniques de la victime, que j'ai été remplacé.

— Vous savez sur quoi il travaillait en ce moment ?

— Non, son rédacteur en chef n'a pas été très loquace, il était sous le choc de la nouvelle.

— Ce Snell, il a une réputation par ici ? C'est un fouineur ?

— J'avoue que je ne le connaissais pas, mais tout le monde lit le *Wichita Eagle*, donc j'ai forcément dû tomber sur ses articles. Vous retenez le nom des journalistes, vous ? Je crois même que je ne regarde jamais qui a écrit, en fait ! Si c'est pas ingrat comme job, ça...

— Est-ce que le nom de Lorette Nichols vous évoque quelque chose ?

Wallen fit la moue, ce qui donna à sa moustache une forme amusante.

— Non, je devrais ?

— C'est une fille que je recherche pour mon enquête. Vous pensez que vous pourriez jeter un œil dans votre base de données pour voir si son nom ressort récemment ?

— Je vais me renseigner. Dites, mon lieutenant ne m'a pas prévenu de votre arrivée, ce n'est pas très... officiel, pas vrai ?

Atticus ne pouvait lui mentir davantage, Wallen était sympathique mais pas idiot.

— En effet. Je viens sur mon temps libre. Cette affaire compte beaucoup pour moi.

— J'ai connu ça, faites gaffe à pas y laisser votre mariage. Lorsqu'on se met à ne plus penser qu'à ça, et à voir le coupable d'un crime partout ou faire des cauchemars de la victime, il faut savoir renoncer. Notre boulot peut devenir une obsession. Les gens ne comprennent pas ça. Comment vous avez su pour Snell ?

— En surveillant la presse sur le Net. Il y a des liens possibles avec mon cas.

Atticus ne savait pas comment s'extirper de cette impasse.

— Los Angeles-Wichita, ça fait une trotte ! Vous êtes sacrément motivé... Faites gaffe à l'obsession, je vous dis.

— Je viens rendre visite à un parent, j'en ai profité...

— Ah oui, où ça ?

— Carson Mills, répondit Atticus.

— Je connais. J'y allais quand j'étais gosse, mon père était ami avec le vieux shérif là-bas, un mec incroyable, un vieux cow-boy à l'ancienne, comme on en fait plus.

— Je suppose que c'est trop vous demander que de consulter les listings téléphoniques de Snell dont vous parliez tout à l'heure ?

Wallen le gratifia d'un regard réprobateur.

— Vous ne lâcherez pas, n'est-ce pas ? Vous êtes venu de trop loin pour que je sois égoïste. Qu'est-ce que vous cherchez ?

— S'il y aurait un numéro en commun avec ma victime.

– Je vais vous dire : filez-moi une liste et je comparerai. S'il y a une récurrence, je vous promets de vous en informer.

– Et aussi qui l'a appelé en dernier, le jour de sa mort. Est-ce qu'on a utilisé un téléphone jetable prépayé ?

– Je vais faire de mon mieux.

Le vieux malin ne lui ouvrirait pas les portes de son bureau. Atticus le comprenait, il aurait fait la même chose. Wallen était un bon flic.

– Très bien. Merci de votre aide.

Atticus prit la carte de visite de Wallen et promit de lui envoyer la série de portables à comparer, tout en sachant qu'il n'en ferait rien. Puis il le quitta pour se rendre dans la vieille ville, plus à l'est.

Atticus s'étira en sortant de voiture. Il n'avait pas arrêté depuis son réveil, à l'aube. Taxi, aéroport, vol jusqu'à Kansas City, location, trajet vers Wichita… Il avait un coup de barre et rêvait d'un gin tonic et d'un massage.

Le siège du *Wichita Eagle* était tout petit, deux étages, très étroit, tout en longueur et en briques rouges, la marque de fabrique de la vieille ville.

À l'accueil, la secrétaire était partie en pause déjeuner, remplacée par une stagiaire qui informa Atticus que le rédacteur en chef avait pris sa journée à cause d'un drame. La fille ne maîtrisait pas encore les codes du secrétariat et les phrases types du genre « il est en réunion à l'extérieur » ou les prétextes bidon associés. Une proie facile pour les sournois comme Atticus. Il montra sa plaque du LAPD sans préciser d'où il venait, se donnant de l'importance pour l'impressionner. Chez une personne influençable, cela avait tendance à lui ôter toute envie de contester son autorité. Et il commença l'interrogatoire sur Kelvin Snell.

La fille n'était au courant de rien, sinon du fonctionnement du standard téléphonique et de la photocopieuse. Il fallait s'y attendre.

Pourtant, lorsque Atticus, qui commençait à se faire une raison, demanda si elle connaissait l'emploi du temps de Snell ou ses rendez-vous récents, la stagiaire répondit :

– Ah si, je sais que le jour où il est mort, il a vu une flic de New York !

– New York ? Vous êtes sûre ?

– Oui, c'est moi qui ai pris son appel. Elle a insisté pour lui parler, elle était coriace, vous savez, à pas lâcher le morceau. Elle arrivait pas à le joindre et voulait qu'il la rappelle de toute urgence.

– Vous avez son nom ?

– Euh... je crois pas.

Une lumière s'alluma quelque part sous ses cheveux et elle leva l'index pour le faire patienter. Elle se mit à pianoter sur son écran et fouilla dans un index informatisé.

– Tous les appels sont là, expliqua-t-elle. C'était... mardi, à l'heure du déj si je me souviens bien. Voilà ! Ce doit être ce numéro-là. Je vous l'écris sur un Post-it ?

– Ça ne sera pas nécessaire.

Atticus avait déjà mémorisé les chiffres.

50.

La réalité dépassait la fiction.

Kat n'arrêtait pas de se le répéter. Les séries télé les plus ingénieuses et sinistres qui proposaient une vision si noire de l'homme étaient souvent grotesques ou fantaisistes, dignes d'un James Bond. Elle se souvenait pourtant d'un scandale à New York, bien réel celui-ci, d'un milliardaire célèbre qui s'était constitué tout un réseau de recrutement de jeunes filles, mineures bien souvent, pour satisfaire ses désirs sexuels, au point d'avoir une cour, des rabatteuses endoctrinées ou des hommes de main pour assurer la logistique... Mais cela s'arrêtait à l'aspect sexuel, un grand classique, il n'y avait pas d'idéologie. Edwin Kowalski, lui, poussait les curseurs au maximum. Un individu qui aurait tout, absolument tout réussi, maître du monde et qui, plutôt que d'en jouir, chercherait à le détruire ? Quel était le sens ? Aucun, sinon un nihilisme total. Réussir sa vie aux yeux de tous, afin de mieux la détruire et de les emporter avec lui.

Le récit de Jake, aussi glaçant fût-il, ne lui paraissait plus aussi impossible à croire. Elle avait vu le camp. Sa sécurité, ce qu'il dégageait. *Et ses cheminées.*

Ce que Lena avait fait à son chat. L'entrepôt, aussi...

Kat s'était demandé si Jake n'était pas un affabulateur exceptionnel, et qui croyait lui-même à ce qu'il racontait, donc un fou... Avant de l'entendre parler de sa fuite avec son amie Lorette. Il y avait une telle conviction dans ses mots.

Il lui avait raconté en détail leur évasion. La gestion délicate de l'eau sur le camp, ressource qui manquait, le seul point faible, et donc la nécessité de procéder à la lessive dans une blanchisserie industrielle extérieure. Plusieurs fois par semaine, des camions venaient déposer les vêtements et le linge propres pour récupérer des ballots sales. Une routine permanente, qui avait même lassé le personnel de sécurité qui contrôlait à peine ces allées et venues. Jake l'avait remarqué et en avait profité pour se cacher dans le linge, avec Lorette. Ils avaient sauté du véhicule en marche en pleine forêt avant de rallier les faubourgs de Carson Mills dans la soirée.

Là encore, l'histoire se tenait, Kat n'avait aucune raison de douter.

La jeune quadra se noua les cheveux avec un élastique et se passa un dernier coup de rouge à lèvres, rose pâle, discret. Elle était prête.

Elle se mit derrière le volant de sa Nissan et roula jusqu'aux chambres d'hôtes de Sally Fuller, dont lui avait parlé Jake la veille.

Elle avait échafaudé un plan pour les aider à quitter Carson Mills, assez simple, ce qui lui paraissait préférable, incluant tout de même une bonne dose de prudence, sinon de paranoïa. D'abord elle partait du principe qu'on la suivait peut-être et donc qu'il fallait détourner l'attention au bon moment. Pour cela, elle allait se garer près de chez Sally Fuller en laissant les portes déverrouillées et ensuite marcher jusqu'à l'épicerie au bout de la rue, indiquée par Jake. Si elle était véritablement sous surveillance, il fallait savoir à qui elle parlait, et donc ce qui comptait c'était elle, pas sa voiture. Dans l'épicerie, elle prendrait son temps. Assez pour que Jake et Lorette puissent se glisser dans son coffre.

Ensuite, elle ferait mine d'avoir un problème à l'œil et retournerait à son véhicule pour y passer un coup de téléphone à Wellington, une ville au sud avec un hôpital modeste, suffisant pour le prétexte. EneK avait les moyens technologiques d'écouter ses conversations téléphoniques, ça ne faisait pas l'ombre d'un doute. Ils l'entendraient expliquer qu'elle avait quelque chose dans l'œil et qu'elle arrivait au service des urgences.

Une heure enfermée dans une salle d'attente à Wellington et elle ressortirait pour appeler son motel et expliquer qu'elle ne rentrerait pas la nuit prochaine, qu'elle devait consulter dans un service spécialisé, à Oklahoma City. Pour donner le change. Elle pouvait même espérer qu'ils lui ficheraient la paix, la pensant au moins provisoirement hors circuit pour raison médicale.

La suite serait plus délicate. Il n'était pas question que Jake et Lorette montent dans un avion, et prendre le train allait les exposer presque tout autant. Kat ne voyait qu'un long voyage sur les routes du pays. Plusieurs jours. De quoi se faire oublier, qu'on perde leur trace. Et qu'elle puisse réfléchir à comment faire éclater cette folie dans la presse une fois qu'ils seraient parvenus à New York, dans son fief.

Surtout s'assurer que le temps de réaction entre publication et intervention sur place par les forces de l'ordre soit le plus court possible.

Sinon EneK aurait le temps de faire disparaître les preuves accablantes, voire de disperser les Enfants de Jean sur tout le territoire. Non, il fallait se coordonner, frapper brutalement. C'était ce qui l'inquiétait le plus. Elle ne voyait pas comment faire. Et chaque fois qu'elle envisageait une option, elle réalisait que c'était impossible, le géant industriel aurait immédiatement la parade, pour étouffer, faire pression ou gagner le temps nécessaire. Comme s'il était impensable pour une fourmi dans son genre de s'attaquer à un colosse de la dimension d'EneK.

Elle ralentit à l'approche de l'adresse de Sally Fuller.

En voyant l'ambulance, les voitures de police, l'attroupement de badauds et les deux brancards avec housse noire dessus, Kat remit le pied sur l'accélérateur et continua tout droit.

Elle avait compris.

Le paysage tanguait et elle dut respirer par la bouche pour réussir à reprendre ses esprits.

Mon Dieu...

Jake et Lorette étaient morts.

Les Enfants de Jean les avaient retrouvés.

– C'est un cauchemar, dit-elle tout haut dans l'habitacle.

S'ils sont remontés jusqu'à eux, ça signifie qu'ils sont au courant pour moi, c'est certain !

Après Kelvin Snell, Kat était la prochaine sur la liste.

Non, ils ne peuvent pas semer les cadavres à la pelle... Les trois savaient, représentaient une menace directe, alors que moi...

Kat n'avait aucune preuve. Elle était un parasite qui leur tournait autour, rien de plus. Ils ne prendraient pas le risque de l'assassiner et d'attirer l'attention sur Carson Mills pour elle.

Jake.

Elle le revit, hier soir dans sa chambre, les larmes aux yeux, affolé, et ce fut elle qui pleura.

Kat conduisit pendant longtemps en mode automatique, sans savoir où elle allait, dans le vague.

Inconsciemment, elle avait dérivé jusque sur la route qui conduisait aux Enfants de Jean. Lorsqu'elle vit le grand panneau interdisant l'entrée, elle se mit à trembler et fit demi-tour.

Redoubler de prudence n'était pas la solution. Elle devait rentrer chez elle. C'était terminé. Elle n'avait plus rien à faire ici, à présent.

Jusqu'au coup de fil qui la fit sursauter, trois heures plus tard à son motel, tandis qu'elle rangeait ses habits dans sa valise.

– Je suis flic au LAPD, dit un homme. Il faut qu'on se parle.

51.

Le vieux moulin de Carson Mills surgissait du sommet de la colline, à l'ouest, visible à des kilomètres à la ronde, son toit entièrement couvert des écailles brunes des bardeaux. Ses quatre bras prenaient le vent sans jamais bouger d'un centimètre, figés et inutiles. Il avait été plusieurs fois détruit par les intempéries, les incendies et l'usure, alors les bonnes âmes de la ville s'étaient fendues de généreux dons pour le reconstruire à l'identique, et ce, même s'il n'était plus actif depuis plus d'un siècle. Un panneau planté devant sa porte racontait son histoire avec la liste de tous les mécènes, un notable n'ayant aucune chance d'être considéré dans la région si sa famille n'apparaissait pas sur la stèle. Totem agricole en terres paysannes, il était un véritable symbole, on se plaisait à répéter que tant qu'il y aurait une tour Eiffel à Paris, Carson Mills aurait son moulin.

Il était ce qu'il y avait de plus facile à trouver dans le comté. Un point de rendez-vous idéal.

Kat s'était garée un peu plus bas sur ce qui servait de parking au bout du chemin, avant de gravir la pente pour attendre.

Atticus Gore arriva un quart d'heure plus tard.

— Je ne suis pas flic, annonça Kat pour commencer.

Atticus s'immobilisa en face d'elle.

— J'aurais dû m'en douter, la fille qui m'a donné votre contact n'avait pas l'air très fiable. Pourquoi ne pas me l'avoir dit au téléphone ?

— Parce que j'aimerais savoir ce qu'un inspecteur du LAPD me veut.

— Kelvin Snell. Vous êtes la dernière à l'avoir vu vivant.

— C'est Los Angeles qui conduit une enquête dans le Kansas ?

Atticus n'apprécia pas le sarcasme.

— Pour qui vous travaillez ? s'enquit-il.

— Je suis détective privée à New York.

— Et qu'est-ce que Snell vient faire là-dedans ?

— Qu'est-ce que le LAPD vient faire ici ? Et qu'est-ce qui me prouve que vous êtes bien flic ?

Atticus exhiba son badge.

— Ça va, c'est suffisant ?

— Je peux acheter le même sur Internet pour vingt-cinq dollars.

Kat tenta un coup de poker.

— Qui me dit que vous n'êtes pas avec les Enfants de Jean ?

— Jamais entendu parler.

Il semblait sincère. Kat avait espéré une réaction plus franche, qu'il se trahisse. Elle insista :

— EneK ?

— Quoi ?

— C'est eux qui vous envoient ?

Cette fois elle avait visé juste, le nom l'avait fait réagir, son regard n'était plus le même.

— Pourquoi vous me parlez d'EneK, vous les connaissez ?

— C'est une vraie question de flic ça ? répliqua Kat. Parce que c'est sacrément con. La planète entière sait qui c'est.

Elle se sentait tout aussi ridicule à présent, à le sonder dans l'espoir de savoir s'il était sincère ou là pour l'attirer dans un piège.

Ils n'opèrent pas ainsi mais par-derrière, la nuit...

Les deux se toisèrent, méfiants. Il était évident qu'ils n'iraient nulle part sur ce ton. Kat abattit son jeu la première pour montrer sa bonne volonté.

– Je cherche une jeune femme disparue. La piste remonte jusqu'ici, et Snell avait des infos.

Atticus acquiesça. Katt attendit. C'était le tour du flic à présent. Pas habitué à être dans la position de l'interrogé, il dut se faire prier par le regard insistant de son interlocutrice.

– Pourquoi vous craignez EneK ? demanda-t-il, soupçonneux.

– Jamais vous ne répondez aux questions ?

Atticus serra les mâchoires. Puis il lâcha :

– Moi aussi je cherche une femme.

– Lena Fowlings ?

Il secoua la tête et, presque à contrecœur, souffla :

– Lorette Nichols.

Lorette et Jake.

Kat mit les mains sur ses hanches et se mordit les lèvres. Elle n'était pas certaine que ce soit une bonne idée, mais elle finit par dire :

– Je vais vous raconter mon histoire.

Dans un élan ininterrompu, Kat retraça les six derniers jours de son enquête, sans rien omettre, parfois traversée par un terrible doute : elle commettait peut-être l'erreur de sa vie d'ainsi faire confiance à ce flic, s'il en était bien un.

Lorsqu'elle eut terminé, elle l'étudia attentivement.

Atticus n'exprimait rien. C'était comme s'il n'avait rien entendu.

Puis d'un coup, il se déverrouilla.

– Je n'ai rien avalé depuis deux jours. Je vous invite.

À la demande de Kat, ils n'étaient pas rentrés à Carson Mills, elle préférait éviter qu'on puisse les voir ensemble, et ils roulèrent jusqu'à Wellington, au sud, où ils peinèrent à trouver un restaurant en service continu qui leur servirait à déjeuner à 16 heures.

Atticus dévora un steak de la taille d'une vache tout en exigeant des précisions de la part de la privée sur son récit. Il s'intéressait parfois à des détails sans importance, et Kat comprit qu'il la testait sans y paraître. Elle avait rarement vu une personne aussi suspicieuse, alors même qu'elle venait de tout lui balancer, sans contrepartie. Lui ne répondait toujours à aucune de ses questions, esquivant, répliquant par une autre question ou dérivant sur un sujet différent. Il était habile, malin. Mais Kat ne l'était pas moins et elle comprenait bien où il voulait en venir. *M'épuiser jusqu'à ce que je me contredise, que je m'emmêle. Sauf que ça n'arrivera pas, mon coco, parce que c'est la vérité. Crue, improbable, folle si tu veux, mais la vérité, qu'elle te plaise ou non.*

Kat était patiente, elle avait tout son temps et, généreuse, elle jouait le jeu face à ce Californien au physique de séducteur. Il ne portait aucune alliance. *Pas le genre.* Elle l'imaginait plutôt enchaîner les conquêtes, et s'il s'ouvrait aussi peu dans sa vie privée qu'il le faisait face à elle, il y avait fort à parier que les filles partaient en courant après quelques semaines de relation stérile.

Atticus commanda un thé au ginseng pour le dessert et, tandis qu'il le laissait infuser, détailla Kat avec une impudeur dérangeante.

– Quoi ? fit-elle, agacée.

Il plissa les lèvres.

– Je suis impressionné.

– Par moi ? ria-t-elle avec quelque chose de presque adolescent dans son ton de voix.

Pas habituée aux compliments, encore moins lorsqu'elle ne s'y attendait pas, elle ne sut comment réagir. Et puis ce type la perturbait, ce qu'elle ne savait comment interpréter. Ce n'était pas de la simple méfiance. Son attitude distante, l'intelligence dans ses pupilles, ses manières précises, comme si chaque geste était parfaitement contrôlé. Il avait presque un côté poseur, réalisa-t-elle, et cela la rassura en fin de compte. *Physique tenu au cordeau, parure soignée. Ce garçon s'aime beaucoup.* Énumérer ses failles le rendait moins impressionnant.

– Jusqu'où vous êtes prête à aller ? demanda-t-il.

– Pour retrouver Lena ?

– Pour faire tomber EneK.

Kat leva les mains devant elle en soufflant.

– Oulà, je ne sais pas... C'est ça votre idée ? Depuis une heure vous me passez à la moulinette, je vous donne tout ce que j'ai et...

– Si je vous mets dans la boucle, alors vous et moi nous devrons faire équipe.

– Quoi ? Pour s'attaquer à EneK ? Vous êtes vraiment flic ?

– Pas ici. Pas maintenant. C'est allé trop loin.

– Pire : une vendetta personnelle, pas vrai ?

Atticus scruta la rue par la large fenêtre contre laquelle il était appuyé.

– C'est notre devoir d'être humain, dit-il.

– Oh, épargnez-moi le laïus sur nos valeurs...

– L'enfoiré qui se cache derrière tout ça est prêt à aller jusqu'au bout. Il faut quelqu'un pour l'en empêcher.

Kat pouffa entre moquerie et angoisse, sans savoir laquelle était la plus forte.

– Vous vous entendez ? Le discours du héros ! Non merci, je n'ai pas cette fibre-là.

Atticus se pencha sur la table et la cloua sur sa chaise du regard.

– Vous réalisez ce qui se passe là-dedans, dans ce camp ? Ce que ces dingues préparent ? Ce dont ils sont capables ?

– Justement. Ce n'est pas vous, un flic en croisade, et moi, une détective paumée, qui avons la carrure suffisante pour y parvenir.

– Vous savez qu'EneK est intouchable par les voies légales.

– Pas mon problème.

– Et Lena Fowlings ? Et tous les autres ? Les prochaines victimes ?

– Mais vous vous imaginez quoi ? Qu'on va débarquer chez Edwin Kowalski pour le flinguer ? Vous déconnez !

Elle en avait trop entendu, ou peut-être pas assez, elle ne savait plus, mais elle se leva pour quitter les lieux.

Atticus la retint par le poignet.

– Ils vont vous tuer, dit-il simplement.

Elle semblait le défier du regard.

– Si je suis parvenu à remonter jusqu'à vous, poursuivit-il, ce sera un jeu d'enfant pour eux.

Elle demeura debout, la lèvre tremblante. Atticus ne s'arrêtait plus.

– Vous en savez trop sur eux. Ils vous enverront leurs insectes, et vous ne pourrez rien faire.

Kat ressentait la peur au fond d'elle qui remontait. Elle cherchait à se convaincre du contraire, qu'elle allait rentrer dans son loft de Brooklyn, faire son rapport à Annie Fowlings, lui annoncer, tête basse, qu'elle ne pouvait plus rien pour l'aider, et retourner à une existence normale…

Les images du chat éventré, de l'ongle dans la cuve de l'entre-pôt, des cheminées du camp et celle de Jake qui pleurait dans le noir se bousculèrent en elle. Les deux housses mortuaires noires s'ajoutèrent à la liste en un flash étourdissant.

– Asseyez-vous, demanda Atticus. Asseyez-vous, Kat. Vous aviez une partie du puzzle. Je vais vous montrer l'autre.

52.

Les poids lourds défilaient à grande vitesse sur le boulevard, de l'autre côté de la fenêtre du restaurant routier. Kat Kordell encaissait et Atticus lui laissa le temps, tout comme il l'avait pris pour la cerner, pour se faire une opinion, avoir confiance.

Cependant, il continuait de s'interroger sur la femme derrière la détective privée. Avait-elle des enfants ? Il ne la voyait pas mariée, plutôt divorcée. Obsessionnelle du sport, sa silhouette la trahissait. Une revanche sur la vie, sur les autres ? *Tout le monde n'est pas comme moi...*

Davantage une lutte contre le temps, l'âge. Elle s'habillait bien, ongles vernis, touche de maquillage, Kat Kordell ne cherchait pas à séduire les autres mais elle-même, réalisa Atticus. *Elle se bat pour se trouver belle, encore, le plus longtemps possible.* Cette pensée la lui rendit encore plus attachante. Il connaissait bien la problématique.

Et au-delà de son physique, ce qu'elle avait accompli dans un délai si bref, sans les moyens de la police, le bluffait réellement, il avait été sincère avec elle. Et à eux deux, ils parvenaient à une vision d'ensemble du projet d'Edwin Kowalski, ce fou misanthrope, mégalo et milliardaire.

– On peut contrôler des insectes ? répéta Kat qui avait besoin de se convaincre.

– Sur le papier ça semble complexe, mais apparemment, oui. Leur système de communication est essentiellement basé sur des phéromones, des substances chimiques semblables à des odeurs, indiscernables pour l'homme. Et ils ont des cerveaux primitifs très basiques. Avec l'usage de phéromones, d'impulsions électriques sur le système nerveux et la chaîne ganglionnaire et je ne sais quelles autres ingéniosités, c'est envisageable. Des laboratoires ont travaillé là-dessus depuis des décennies, mais je ne pensais pas qu'on était sur le point d'y parvenir.

– Jusqu'à ce qu'EneK mette des milliards de dollars sur la table. Mais tout de même, vous vous rendez compte ? Parvenir à guider chacune de ces bestioles, individuellement...

– Ce n'est pas nécessaire. Pour la plupart des espèces, il suffit de manipuler le cœur du groupe, et les autres suivent. Et puis si EneK sait comment diffuser telle ou telle phéromone pour diriger ou attirer, créer la faim, voire rendre agressif ou au contraire apaiser, il suffit de vaporiser votre ordre et tout ce qui est dans le secteur va obéir instantanément. Votre diffuseur de phéromones devient une télécommande.

– Donc ça signifie qu'EneK doit être sur place pour ça.

– En tout cas pas très loin. Il ne s'agit que de contraintes techniques scientifiques. Si on les maîtrise, ensuite ça n'est plus qu'une question de mise en pratique sur le terrain.

Kat s'enfouit la tête entre les mains. Elle digérait toutes ces informations puis, probablement pour s'assurer qu'elle avait bien tout compris, elle résuma :

– Kowalski veut créer un Surhumain au nom de la survie de l'humanité, mais ça passe par l'épuration du plus grand nombre, pour faire de la place. Pour ça, il met sa fortune au service de ses idéaux fascistes, il achète les entreprises qui l'intéressent et parvient à prendre le contrôle des insectes.

– Des arthropodes, en général, insectes, arachnides, myriapodes...

Kat éluda d'un signe de la main.

– Bref, des saloperies. Pendant ce temps, il engage une bande de pervers au passé criminel, avec profil de manipulateurs charismatiques, et il en fait ses prêcheurs afin de recruter des candidats à l'Apocalypse.

— Tout en procédant à des enlèvements pour se fournir en cobayes ou en victimes de cérémonie visant à démontrer son pouvoir absolu sur ses recrues, pour les convaincre et les terrifier.

— Recrues qu'il enferme dans le camp des Enfants de Jean avec leurs kapos.

— Au passage, officiellement c'est l'adresse de PodsBioTech, ceux qui lui ont fourni les techniques de communication sur les insectes, je pense.

Deux énormes semi-remorques passèrent en trombe tout près du restaurant, faisant vibrer les carreaux.

— Et ça nous amène au plan d'Edwin Kowalski, conclut Kat, l'éradication du brouillon humain. Sauf que je ne vois pas comment, même avec quelques nuées de bestioles et mille ou deux mille fanatiques. Ça reste marginal à l'échelle du pays.

— Si votre témoin a...

— Jake. Il s'appelait Jake.

— Si Jake a dit vrai, le déclenchement des opérations est imminent et c'est logique, question de climat.

— Comment ça ?

— La température du sang des insectes dépend de celle de leur environnement. Par conséquent, l'hiver ils s'engourdissent et deviennent inactifs pour la plupart. C'est au printemps ou en été qu'ils seront le plus dynamiques et réceptifs aux stimuli.

— Donc maintenant...

Kat soupira longuement, de nouveau.

Atticus, lui, n'était que dans le pragmatisme, construire un raisonnement, assembler les données pour compléter sa vision globale. C'était son moyen personnel de ne pas se laisser déborder par des émotions qui le troublaient. Il déclara :

— Kowalski n'est pas du genre à investir uniquement pour la spéculation. Il a un plan pour tout ce qu'il fait, c'est ce que j'ai retenu de lui en étudiant ses acquisitions. Et sa dernière obsession, c'est l'espace.

– Il veut rayer de la carte l'espèce humaine et ne garder qu'une poignée de Surhumains qu'il va expédier là-haut ?

– Il est taré mais je ne pense pas à ce point. Même s'ils avancent dans le secret, on peut supposer qu'ils ne sont pas encore à même de voyager longtemps dans le cosmos. Des technologies comme celles-ci prennent du temps, même avec de l'argent, on le voit bien avec les Elon Musk, Jeff Bezos ou Richard Branson, les autres grands milliardaires adeptes du voyage orbital. Donc non, ça n'est pas ça. En revanche, les entreprises que Kowalski a achetées sont pour la plupart en lien avec des satellites...

Kat, qui cogitait vite, embraya :

– Il pourrait s'en servir comme d'un réseau, pour diffuser ses signaux à travers l'atmosphère ?

– Et ainsi déclencher son attaque massive depuis les quatre coins du globe.

Kat secoua la tête, sidérée.

– C'est hallucinant.

Atticus posa une main amicale sur celle de Kat qui, mal à l'aise, reprit la sienne.

– C'est pour ça que nous ne pouvons rester sans rien faire, dit Atticus après une pause.

Kat haussa les sourcils :

– Kowalski a tout verrouillé, il se protège. Vous et moi n'avons aucune chance. Il faudrait que le FBI ou une agence fédérale lui tombe dessus. Et encore... il doit bénéficier de protections, des gens qu'il a placés, soutenus financièrement ou qu'il tient par les couilles d'une manière ou d'une autre.

– Je sais. J'y ai été confronté.

– Vous voyez bien, c'est injuste, je suis d'accord, mais c'est la réalité.

– Si les institutions sont bloquées, c'est le public qui doit savoir, et c'est lui qui réagira.

– Ah oui et comment ? Vous voulez qu'on crée un blog ? Conspiration-Insectes.com ? Kelvin Snell a été assassiné pour moins que ça. Ils surveillent tout. Les médias sont certainement leur première préoccupation.

Atticus se pencha vers elle.

– J'ai besoin de vous. Seul, je ne peux pas y arriver.

Pour le fuir physiquement, Kat se renversa en arrière dans sa banquette, fermant les yeux.

– Je ne sais pas, dit-elle. Laissez-moi un peu de temps.

– Nous n'en avons pas beaucoup.

Cette fois Kat se leva, déterminée.

– Alors ce sera sans moi, murmura-t-elle en partant.

53.

Bernie Fulher poussa la porte du bureau du shérif de Carson Mills et se planta devant le comptoir en attendant que Jennifer Jamison émerge de l'arrière-salle. La jeune femme, le reconnaissant, prit un air contrit.

– Je suis désolée, Mr Fulher, le shérif n'a rien de nouveau, sinon il serait passé vous voir, vous le savez.

– Ça fait plus d'un mois que vous me répétez le même discours, s'énerva le vieil homme. Ma Janie est morte et tout le monde s'en moque ! Je veux des réponses maintenant.

Jamison, ne sachant trop comment procéder, opta pour l'empathie.

– Je comprends, vous devez être bouleversé, mais hélas, il n'y a rien que nous puissions faire. Vous avez essayé de vous rapprocher de votre paroisse ? Eux pourront...

– Ma Janie n'est pas décédée par accident, elle a été assassinée ! J'en suis convaincu ! On l'a empoisonnée ! Pourquoi est-ce que vous ne voulez pas me donner ce fichu compte rendu d'autopsie ? Qu'est-ce qu'il cache ?

– Rien, Mr Fulher, nous ne cachons rien, vous savez très bien que nous sommes là pour vous aider au contraire.

– Puisque vous avez découpé ma Janie, je veux au moins lire ce rapport ! Je suis sûr qu'il y a des informations compromettantes dedans !

– Mr Fulher, ne criez pas, s'il vous plaît.

– Je sais qui l'a tuée ! J'ai juste besoin de preuves, maintenant. J'ai mené mon enquête, moi, puisque personne ne le fait ! Il y avait une camionnette au bout de notre allée ce matin-là. Mark Sullivan, le facteur, l'a vue, il me l'a dit ! On nous surveillait !

– Ne racontez pas de bêtises, Mr Fulher...

– Je le sais. La camionnette, j'ai fini par la retrouver à force de surveiller le centre-ville, et vous savez à qui elle appartient ? À ces gens du camp dans la forêt pas loin de la ville ! Ce sont eux les responsables de la mort de ma femme ! Depuis qu'ils sont là, les choses ne sont plus les mêmes. Ils font des expériences, ça ne peut qu'être ça, sinon pourquoi venir s'enterrer au fin fond de l'Amérique ? Ma Janie c'était exactement ça, un test grandeur nature. Ils s'en sont servi comme d'un cobaye, j'en suis certain. Parce que nous sommes deux petits vieux sans histoires, isolés, dans un village paumé, ils se sont dit que personne n'y verrait rien, mais moi je ne suis pas dupe !

– S'il vous plaît, baissez le ton...

– Pourquoi personne ne veut m'écouter, hein ? Et le shérif, où est-il ?

– Il est occupé, il est en tournée.

– Très bien. Puisque vous ne voulez pas m'entendre, on va voir si les journalistes sont aussi complaisants, eux. J'ai envoyé des e-mails à plusieurs journaux du Kansas, vous allez voir ! Vous serez bientôt forcé de me le donner ce rapport d'autopsie, et je saurai de quoi est morte ma pauvre Janie. Et tous les responsables payeront pour ce crime infâme !

Furieux, Bernie Fulher tourna les talons et ressortit en claquant la porte.

En rentrant chez lui, Bernie se connecta à sa messagerie mail via l'ordinateur qui occupait une table du salon réservée à cela. Il avait pris des cours du soir pendant quatre mois afin d'apprendre à s'en servir. Aucun des journalistes n'avait encore répondu. Il se rappela comment fonctionnait la boîte mail et chercha l'onglet « Envoyé » pour s'assurer que tout était bien parti, mais curieusement, aucune des trois missives rédigées n'apparut. Bernie mit cela sur le compte des mystères de l'informatique car il était absolument catégorique : il avait tapé chaque message en le personnalisant en fonction du destinataire, avant de relire plusieurs fois l'adresse mail qu'il avait au préalable obtenue. Non, les messages étaient bien expédiés, c'était juste lui qui ne savait pas comment les retrouver, ça ne pouvait qu'être ça.

De toute manière, s'il n'avait pas de nouvelles avant le milieu de semaine prochaine, il se rendrait dans les locaux des journaux pour se faire entendre. Sa patience avait des limites.

Bernie fila dans la salle de bains pour prendre une douche chaude, et lorsqu'il se fut déshabillé, ce qui à son âge met un certain temps, il entra sous le jet brûlant qui lui massa les épaules. Sa femme préférait les bains, elle, et il la revit s'enfermer pendant plus d'une heure avec un de ses bons bouquins, à barboter. Lorsqu'ils étaient jeunes, Bernie n'avait jamais le droit d'entrer dans la salle de bains lorsqu'elle y était. Puis, avec l'habitude, leurs corps n'avaient plus eu de secrets l'un pour l'autre, le verrou s'était ouvert. Ce n'était qu'en vieillissant que l'interdiction s'était réveillée. Par pudeur au début, puis avec de plus en plus d'insistance, jusqu'à ce que Janie lui commande de ne plus jamais pénétrer ici sans qu'elle ait d'abord pu au moins passer un peignoir. Elle avait honte de ce qu'elle devenait. Lui n'était pas mieux, bien au contraire, mais il avait dépassé cela, c'était hélas ainsi. Pas sa Janie.

C'était amusant de réaliser qu'ils avaient eu leurs plus belles années entre la fin de la trentaine et le milieu de la cinquantaine. L'âge d'or du couple. Ah, qu'ils avaient eu une belle et simple vie ensemble !

Sa gorge se noua et soudain Bernie pleura sous la douche.

Au plafond, une veuve noire semblable à celle qui avait pénétré le conduit auditif de Janie se faufila, traînant son gros abdomen luisant, ventru, avec ses fines pattes pointues. Elle parcourut toute la distance jusqu'à se positionner au-dessus de la cabine de douche.

Bernie frotta ses paupières rougies puis attrapa le shampoing et fit mousser ses cheveux, fins et fragiles.

L'araignée commença à descendre, suspendue à son fil. Ses deux pattes avant dressées comme pour se préparer à mieux attraper sa proie.

Bernie frottait et frottait, comme s'il allait parvenir à s'arracher de la tête tous les souvenirs qui lui faisaient tant mal au cœur.

La veuve noire était à présent juste au-dessus de lui, à une dizaine de centimètres à peine. Elle ralentit.

Bernie se pencha à la recherche du mitigeur et échappa à l'arthropode qui tentait de s'agripper à sa chevelure. Il mit un peu plus de pression et de chaleur puis se redressa.

La veuve noire déplia tout son petit corps charnu et cette fois se laissa choir sur le vieil homme, qu'elle atteignit sans qu'il s'en rende compte. Elle se dandina au milieu de la mousse pendant que Bernie frottait encore sur les côtés, ses doigts effleurant la créature. Il avait du shampoing plein les yeux, et l'eau qui lui coulait dans le dos masquait la sensation d'un intrus.

L'araignée passa sous une mèche et se posa sur la surface du crâne.

Le veuf pivota et le jet lui inonda le visage, puis la tête entière, et chassa la mousse. Bernie enfouit ses doigts fins dans sa tignasse pour aider le rinçage. L'araignée fut chahutée, elle s'agrippa, manqua de planter ses chélicères dans la peau fine, et à cet instant fut balayée par le jet de la douche. Elle se recroquevilla avant de tomber dans le creux situé entre l'index et le majeur de Bernie qui se massait. Là, elle commença à se déployer de nouveau, posant l'extrémité de ses pattes parmi les poils des doigts, et se souleva, prête à mordre.

Bernie bougea encore et la puissance du jet de la douche l'enveloppa entièrement.

La veuve noire fut emportée, elle chuta sur son épaule droite, puis glissa le long de son dos avant de heurter le fond de la cabine et de dériver vers le siphon.

Bernie sortit pour se sécher.

Il n'avait rien remarqué.

Il enfila son pyjama, passa une robe de chambre et alla se préparer un maigre dîner – il n'avait pas faim –, qu'il avala devant la télévision. Il n'était pas 22 heures lorsqu'il se coucha. Il était épuisé. La tristesse le vidait de ses forces.

Il s'endormit presque aussitôt, sans mettre de réveil, privilège de la retraite.

Dans son sommeil, il se tourna plusieurs fois avant de se caler sur le côté. Les muscles de son visage se décontractèrent totalement et sa bouche s'ouvrit petit à petit.

Il se mit à baver un peu sur l'oreiller.

Une scolopendre gluante avançait sur les draps, droit vers lui. Elle remontait en direction de la tête, ses dizaines de pattes ressemblant à des griffes dansaient pour la tracter.

Bernie ouvrit la main, un rêve agité, et la créature visqueuse se faufila juste en dessous, tous ses anneaux ondulant à l'instar d'un serpent brun.

Parvenant au niveau du menton du vieil homme, la scolopendre leva ses crochets à venin, comme pour tâter le terrain, et instinctivement attirée par cet abri humide, elle se dressa pour atteindre les lèvres béantes. Les antennes s'agitèrent, palpèrent la cavité, et le chatouillement fit remuer la langue dedans.

Puis la scolopendre entra dans la bouche de Bernie. Lentement.

Son sommeil était si profond qu'il ne se réveilla pas, mais son cerveau interpréta les sensations pour que le rêve en cours les prenne en compte. Il se transforma en cauchemar. Bernie grogna un peu.

L'extrémité de la créature se mit à pendre dans le vide depuis la commissure, le temps que l'avant la traîne à l'intérieur comme s'il s'agissait d'un énorme spaghetti moisi, et il n'y eut plus rien.

C'est alors que Bernie ouvrit les yeux d'un coup.

Il se redressa sur son lit, en panique, tandis que le mille-pattes s'enfonçait dans sa gorge. Il voulut crier mais en fut incapable, alors il plongea ses doigts dans le fond de sa bouche pour essayer de l'extraire, mais c'était trop tard.

Les crochets à venin se plantèrent dans son œsophage et le vieil homme eut beau se cogner contre les murs, se rouler au sol, il ne put empêcher sa gorge de gonfler, encore et encore, pendant que ses jambes et ses bras s'engourdissaient et qu'il agonisait lentement.

Il mourut au milieu de la nuit, dans le silence, une larme sur sa joue sans que personne ne sache si c'était pour lui-même ou parce qu'il partait rejoindre sa Janie.

Aucun de ses e-mails ne parvint jamais aux journalistes visés.

Dehors, une camionnette attendit encore un peu, puis recula pour regagner son repaire.

54.

Atticus avait giclé du restaurant pour faire face à Kat. En quelques secondes, son visage n'était plus le même. Alors qu'il réalisait qu'il repartait seul au combat, le masque du flic était tombé. Au-delà de l'intelligence, il y avait à présent de la vie dans son regard, bouillonnante, pleine de doutes et d'appréhension.

– J'ai besoin de vous, continua-t-il.

– J'ai bien compris, j'en ai assez entendu. Et moi j'ai besoin de prendre l'air, de réfléchir.

Atticus se figea devant elle.

– Nous ne sommes pas en sécurité, les équipes d'Enek nous surveillent déjà probablement, nos téléphones sont peut-être piratés.

– Pourquoi croyez-vous que j'ai voulu que nous venions ici, loin de Carson Mills ?

– Chaque jour qui passe peut s'avérer fatal. Pour vous, moi et pour des milliers d'autres. La menace que représente Edwin Kowalski est réelle.

La colère monta en Kat. Elle ne goûtait plus du tout cette insistance doublée d'une pression physique. Elle voulait qu'on respecte son choix.

– Laissez-moi.

– Il n'y a que nous deux qui sachions.

– LAISSEZ-MOI ! aboya Kat, débordée par l'émotion.

Atticus parut alors prendre conscience de ce qu'il faisait et recula en levant les mains.

– Je suis désolé.

Il secoua la tête.

– Je ne voulais pas…, bafouilla-t-il.

Kat s'apprêtait à le dépasser pour rejoindre sa voiture sur le parking de l'autre côté de la rue, lorsqu'elle vit ses yeux. C'était comme si ses pupilles tremblaient. Elle crut y discerner un désespoir mâtiné d'une profonde solitude. Et elle le comprit. Depuis combien de temps luttait-il contre cette hydre intouchable ? Combien de cadavres avait-il découverts en enquêtant sur EneK ? Sa hiérarchie contaminée au point de devoir lui demander de lever le pied, les politiciens lui imposant d'abandonner… Qui était Atticus Gore ? Avait-il une femme ou au moins une compagne pour se confier le soir, pour relâcher la pression, reporter son attention sur autre chose, ou était-il ce séducteur condamné à l'errance, qui s'endormait sans personne la plupart des nuits ? Il paraissait si sûr de lui, porté par ses convictions, un roc inébranlable…

Et moi ? Que peut-il s'imaginer à mon sujet ? Que je suis une femme inflexible, fonceuse, emplie de certitudes, au cuir épais, armée pour tout encaisser ? Parce que c'est ce que je dégage, c'est l'image que j'ai construite, mais au fond qu'y a-t-il sinon une multitude d'inquiétudes ? Qui pourrait s'imaginer que je travaille comme une acharnée pour me poser moins de questions sur ce que je suis ? Que je me donne un air déterminé pour mieux masquer mes propres béances ?

Habituellement, à ces mots, Kat se serait trouvée ridicule et se serait interdit de poursuivre. Pourtant, il y avait comme une suspension de la critique permanente en cet instant, qu'elle attribua à tout ce que dégageait Atticus. Dans ce regard, il ne dissimulait plus, il était lui-même, à bout.

Nous nous ressemblons.

– Je sais que vous avez peur, dit-elle enfin. Moi aussi.

Atticus ne broncha pas, sinon pour déglutir.

Un semi-remorque passa juste dans son dos, rugissant, les soufflant de son élan.

– Vous devriez renoncer, ajouta Kat. Vous ressemblez à un homme qui n'a pas pensé à lui depuis trop longtemps. Je ne vous parle pas de votre physique et du reste, mais bien de vous, celui que vous êtes en réalité.

Atticus secoua la tête.

– Je ne peux pas.

– Même si vous parveniez à vos fins, et j'ignore comment, je ne suis pas sûre que vous en ressortiriez indemne. Laissez tomber. Rentrez chez vous. D'autres que nous, plus compétents, plus nombreux, plus puissants, feront le boulot.

– Vous vous mentez et vous le savez. Personne n'agira. C'est trop tard. Il n'y a plus que nous et le fruit d'un concours de circonstances, de notre travail. Si nous laissons passer cette occasion, alors tout ça aura été vain. Kowalski ira jusqu'au bout, lui.

Kat l'étudia encore quelques secondes. Le soin qu'il accordait à son corps, sa méticulosité, sa sensibilité... elle fut brusquement prise d'un doute, avant de l'évacuer aussitôt pour revenir à son idée principale. Fuir pour survivre.

– Soyez un peu égoïste, et rentrez chez vous, voulut-elle conclure.

Mais Atticus répliqua aussitôt :

– C'est impossible. Je suis devenu flic pour ce genre de moment.

– Le grand cliché de la lutte pour la vérité ?

Kat s'en voulut aussitôt d'être aussi acerbe.

– Défendre ceux qui en ont besoin.

Kat allait répondre d'un sarcasme mais encore une fois l'émotion débordant de son regard l'en empêcha. Il était dans le vrai. Au bord d'une nationale bruyante, sur le seuil d'un restaurant pour routiers, Atticus Gore se révélait, à nu, parce que l'instant comptait plus que tout.

– Toute mon enfance j'ai rêvé d'être entendu, défendu, qu'on me protège, et personne n'a jamais endossé ce rôle pour moi, avoua-t-il. Je suis flic pour ça. Je ne peux pas me défiler maintenant. C'est trop tard.

Kat soupira, presque émue par sa franchise, par la peine qu'elle ressentait, qui transpirait de lui. Quel genre de gamin avait-il été ? Famille dysfonctionnelle ? Enfant battu ? Le bouc émissaire de l'école ? Probablement un peu de tout ça à la fois. Atticus Gore avait dû être maigre, fragile, avant de se constituer cette armure de muscles fins, comme une couche de défense pour l'adulte qu'il était devenu. Elle ne l'imaginait pas particulièrement beau à l'adolescence. Son charme était celui de l'homme, il s'était développé avec le temps, rien d'inné en lui.

– Appelez-ça de la caricature, riez-en, insista-t-il, mais c'est ce que je suis. J'ai beaucoup de défauts, mais pas celui de me mentir, ici, tout de suite, sur moi, sur la suite. Je ne peux me défiler. Et je suis seul. J'ai besoin d'une main tendue, plus que jamais.

Kat recula d'un pas, instinctivement. Si elle percevait sa détresse, si elle la comprenait même, trop d'informations se percutaient sous son crâne, trop d'enjeux qui la dépassaient, qui l'écrasaient. Kat ne se sentait pas capable de tout digérer, encore moins de lever le menton pour foncer dans le tas.

Tout avait commencé simplement, à Brooklyn, elle s'était presque attendue à boucler cette histoire de disparition en trois ou quatre jours... Le chemin parcouru depuis lui donna le vertige.

Se retrouver confrontée, elle, petite privée de New York, à un empire comme EneK ? De la démence. Improbable. Impossible même.

Le costume était trop grand. Bien trop grand. Elle nageait dedans.

Je vais m'y noyer...

Sur la route, juste à côté, les camions fusaient avec leur car-
gaison. Imperturbables. Comme si le monde pouvait traverser
les pires traumatismes et eux continuer de satisfaire ses exigences
logistiques. Il en fallait des millions de tonnes de vêtements, de
nourriture, de matières premières, de gadgets en tout genre,
pour faire tourner la fourmilière quotidiennement. Un homme,
seul, pouvait-il tout ébranler ? Aussi riche fût-il ?

Pendant une seconde, Kat imagina ce qu'il adviendrait de tout
ce système si Edwin Kowalski parvenait à ses fins. Wellington
serait une ville fantôme, la nature regagnant du terrain au fil
des saisons. Les poids lourds renversés sur le bas-côté, livrés
à la rouille. Des squelettes d'êtres humains partout, mâchoire
pendante dans un cri éternellement silencieux. Des vers ou des
araignées nichés dans leurs orbites.

Un début de crise de panique l'envahit, palpitations, souffle
court. Elle ferma les paupières pour se maîtriser.

Lorsqu'elle les rouvrit, Atticus était suspendu à sa décision.

– Je suis désolée, dit-elle avant de le quitter.

55.

S a paume effleurait les pétales des coquelicots, tout un champ sauvage en bord de route ; ainsi disséminés parmi les blés, ils ressemblaient à une projection d'infimes gouttelettes de sang, à l'instar d'une blessure dont la nature restait incompréhensible pour les hommes.

Atticus songea qu'il était temps qu'il change de métier, il voyait de la violence partout, même dans les paysages de la campagne. Mais il aimait trop ce qu'il faisait pour envisager autre chose, c'était ancré en lui. De toute manière, s'il poursuivait sur cette voie, la question ne se poserait bientôt plus. Il préférait ne pas trop s'interroger sur ce qui l'attendait. La prison ou la tombe n'étaient pas à exclure.

Il marchait pour soulager son corps d'être trop longtemps resté immobile dans la journée, et pour occuper son esprit par la contemplation. Il avait repéré un rapace sur une branche en hauteur, à l'entrée de la forêt, et tentait de se focaliser sur lui. Ne pas s'autoriser à divaguer. Il avait besoin d'un repos mental.

Il resta là jusqu'à ce que le soleil embrase l'horizon, et il assista à l'un des plus beaux crépuscules de sa vie. Un dégradé sublime, des ricochets de violet et d'azur contre les flocons de nuages très hauts dans le ciel, une traîne pourpre qui virait à la couleur des abysses en son extrémité, à peine percée de diamants glacés, intouchables dans le vide éternel. Une dernière respiration enflammée, et le jour s'éteignit.

Lorsqu'il rentra à Carson Mills, Atticus se rendit à l'hôtel que lui avait conseillé Kat Kordell et s'allongea pour dormir, mais se réveilla au bout d'une heure, incapable de retrouver le sommeil. Il repensait à Lorette Nichols. Sans l'avoir jamais connue, il éprouvait de la tristesse à l'idée de sa mort. Toxico, SDF, cette femme dépeinte comme joyeuse et colérique à la fois, probablement bipolaire, particulièrement sociable, au point de n'éprouver aucune méfiance, il avait cru qu'il la rencontrerait et qu'elle serait une clé importante pour la propagation de la vérité. Maintenant, elle n'était plus qu'une dépouille frêle dans un tiroir de morgue, dont l'essentiel de ce qui l'avait définie dans son passage terrestre avait été avalé par une armée d'organismes minuscules.

Atticus finit par se rhabiller et erra jusqu'à un bar où il étudia les rituels des habitués en sirotant une bière locale.

Lorsqu'il rentra enfin à sa chambre, l'alcool diluait ses pensées. Il chercha sa clé dans ses poches, avant de remarquer la Nissan que conduisait Kat, garée sur le parking. Elle était assise derrière le volant, la tête renversée. Atticus se rapprocha et remarqua le sac sur le siège passager. Elle quittait la ville. Elle capitulait.

Il cogna au carreau.

La détective privée se réveilla en sursaut. Elle sortit de sa voiture, l'air aussitôt vive.

— Vous êtes passée dire au revoir ? ironisa un Atticus un peu gris.

— J'ai besoin d'un dernier verre. Vous êtes encore d'attaque ?

— Suivez-moi, je connais le chemin.

Installés dans un box mal éclairé, au milieu des effluves de bière et de la musique country, Kat avala trois bourbons coup sur coup avant de s'en faire servir un quatrième, tandis qu'Atticus l'observait avec curiosité.

– Vous avez des enfants ? demanda-t-elle.

– Non.

– Pas même en projet ?

Atticus fit un imperceptible « non » du menton.

– Moi non plus.

Elle se tut pour scruter la salle un long moment avant de reprendre :

– Les parents que je connais me disent que ça me rend moins inquiète, moins vulnérable à la peur. Je ne supporte pas ce genre de connerie débile. Peut-être qu'ils stressent en permanence pour la santé de leur progéniture, mais ont-ils oublié ce que c'est que de s'endormir seul le soir, sans personne ? Non, ils ne savent pas, parce qu'à quarante ans passés, tu ne poses plus la tête sur l'oreiller de la même manière que lorsque tu en as dix ou quinze de moins. Lorsque tu fermes les paupières et que tu perçois ton cœur, c'est une horloge que tu entends. Pire, c'est un gong, dont chaque battement assène sa cruelle vérité : tu es seule au monde. Absolument toute seule. Et le temps passe. Irrémédiablement. Il te désagrège petit à petit, jusqu'au jour où tu tomberas en lambeaux, prête à mourir.

– Vous êtes tout le temps aussi sinistre ou c'est juste ce soir ?

– Vous êtes un homme, ce n'est pas pareil pour vous, la vie ne vous rattrape pas au milieu pour vous rappeler que votre fonction première est désormais obsolète.

Atticus ne répondit pas, mais Kat dut lire dans son regard tout ce qu'il ressentait, et elle leva une main en signe d'excuse.

– OK, c'est moi qui suis débile sur ce coup, pardon.

– Vous n'avez jamais été mariée ?

– Non. Trop occupée. Jamais trouvé le bon.

Après une pause pour réfléchir, Kat corrigea :

– En fait si, peut-être, mais je ne nous ai pas donné une chance d'aller jusque-là. Le mariage est un exercice de funambulisme, il faut oser se lancer dans le vide, prendre ses marques, gagner en assurance... Puis sans cesse s'imposer de revenir à la base : travailler son équilibre. Dès qu'on ne fait plus que regarder le paysage, alors tôt ou tard on finit par tomber. Je crois que j'aime trop regarder le paysage pour me lancer. Je suis mieux loin derrière, en sécurité sur la falaise. Et vous ?

– Quelque chose dans le même genre, éluda Atticus.

– Sérieusement, vous n'avez jamais eu une affaire sérieuse ? Je vous imagine vous marier sur un coup de tête à Las Vegas, à vingt-cinq ans. Non ?

– Je suis un loup solitaire, je vis sur ma montagne, et j'en redescends de temps en temps, pour chercher un peu de compagnie, mais je préfère ma montagne la plupart du temps.

– Et vous n'en souffrez pas trop ?

– Je ne crois pas. J'ai mes rituels pour m'entourer.

– Laissez-moi deviner : pas l'alcool, vous êtes trop mince pour ça... Le sport, c'est évident. Et puis... le yoga ? Vous avez une tête à faire du yoga !

– La musique. J'en écoute tout le temps.

Kat l'étudia, un sourire aux lèvres.

– Vous êtes amusant, vous savez ça ?

L'alcool commençait à l'enivrer, Atticus pouvait le sentir, au-delà de la désinhibition, à travers ses gestes.

– Un côté Mr Parfait, ajouta-t-elle, provocatrice.

La chanson « I Love This Bar », de Toby Keith, tomba des haut-parleurs et Kat s'enfonça dans sa banquette pour l'écouter.

Atticus posa les coudes sur la table pour se pencher vers elle.

– Pourquoi êtes-vous là, maintenant, avec moi ?

Elle désigna son verre vide.

– Pour me donner du courage.

– Du courage pour fuir ?

Kat le fixa avec intensité. Il émanait d'elle autant de malice que de doutes.

– Si un homme seul est capable de renverser le monde, à deux, alors, on doit pouvoir l'en empêcher, aussi riche soit-il.

Atticus se recula dans son assise, attentif.

– Et vous avez raison, ajouta-t-elle. S'ils veulent me tuer, autant être prudente et se protéger mutuellement. Il y a deux lits dans votre piaule ?

– Je crois...

– Je vous préviens : ne vous avisez pas de m'approcher. Nous allons rentrer pour donner l'illusion d'un petit couple à d'éventuels observateurs, et je vais prendre une douche froide, histoire que les cellules grises carburent. Il faut qu'on mette au point notre stratégie. Vous l'avez dit : nous n'avons plus de temps à perdre.

– J'ai déjà un plan.

– Ah oui ?

– Il ne me manque qu'un moyen de pénétrer dans le camp, avoua-t-il.

Kat repoussa son verre sur la table et se glissa au bout de la banquette pour donner le signal du départ.

– Alors j'ai ce qu'il vous faut, annonça-t-elle.

L'espoir se réveilla dans le regard d'Atticus, accompagné par un sentiment plus diffus encore qu'il mit plusieurs secondes avant d'identifier. L'appréhension s'étiolait.

Il n'était plus seul.

56.

Aux premières lueurs de l'aube, Atticus disparut pour Kansas City où il devait récupérer le matériel nécessaire à l'infiltration du camp.

Kat, de son côté, s'était défini une tâche précise : retourner au poste d'observation qu'elle avait déjà occupé la première fois et dresser une liste des routines des Enfants de Jean. Tout ce qu'elle pourrait remarquer serait utile. De la topographie du terrain à l'emplacement des caméras, les éventuels angles morts, les rondes de surveillance, la fréquence des relèves, les entrées et sorties de chaque bâtiment...

Allongée dans la mousse, elle étudiait l'ensemble avec ses jumelles, prenait des notes et des photos avec son téléphone, et s'efforça d'être pertinente dans son analyse. Ce n'était pas vraiment son domaine, toutefois elle ne s'en sortait pas trop mal, estima-t-elle à midi en mâchant une barre de céréales.

De gros corbeaux dodus croassaient sans discontinuer depuis le matin et Kat n'en pouvait déjà plus de les entendre. Ils l'horripilaient avec leurs ricanements perçants.

Elle vérifiait son portable de temps en temps pour s'assurer qu'Atticus Gore ne lui avait pas envoyé de message. Le réseau n'était pas trop mauvais, mais la 4G ne passait pas, ni même le Edge. Impossible de se connecter à Internet comme elle l'avait remarqué lors de sa précédente visite.

L'inconvénient majeur de ce type de surveillance, outre l'inconfort de la position au fil des heures, c'était qu'elle permettait de penser. De tout remettre en question. De douter de soi. Kat était incapable d'abandonner Atticus, Lena et tous ceux qu'elle devinait enfermés dans cette prison qui n'en portait pas le nom. Elle avait bien essayé de se réfugier derrière le prétexte de la cause désespérée qui ne lui ressemblait pas, que ça n'était pas son rôle, d'autres le feraient mieux et ainsi de suite ; ça n'avait pas fonctionné. Elle était impliquée. Elle en savait trop pour faire semblant d'oublier, pour reprendre son existence à New York et ne pas culpabiliser, voire pire : vivre dans la peur. Se terrer chez elle, paranoïaque, à scruter la moindre silhouette, dans l'attente des sbires d'EneK. Elle se connaissait bien assez pour savoir que chaque matin elle se serait demandé si ça n'était pas le dernier, guettant le début de l'Apocalypse à son tour. Et il n'y avait rien de pire que de savoir et d'attendre.

Et puis il y avait l'aspect moral. Elle l'avait dit à Atticus, elle ne ressentait pas la fibre héroïque en elle, cependant, ses valeurs profondes, celles qui lui avaient été inculquées petite, celles-là mêmes qui avaient guidé ses pas à chaque heure de son développement, ces valeurs-là remontaient, gonflées à bloc, et remplissaient sa tête de leurs certitudes. Des commandements intègres, des idéaux enfantins mais qui garantissaient au monde une certaine probité. Son père l'avait élevée en lui répétant « comporte-toi comme tu voudrais que le monde soit », et elle l'avait entendu. Encore aujourd'hui. Un écho permanent qui guidait son compas interne.

Loyale envers elle-même, Kat n'avait pu quitter Carson Mills.

Atticus n'y était pas étranger non plus. Elle l'avait jugé un peu vite. Séducteur, frimeur inébranlable, il s'était révélé bien plus fragile en réalité. Un petit garçon traumatisé par sa différence et que personne n'avait jamais défendu. C'était ce même gamin qu'il protégeait aujourd'hui, en voulant se dresser contre EneK. Elle avait confiance en lui, un lien rapide s'était tissé entre eux, celui des gens qui se ressemblent, ils s'étaient reconnus à travers leur solitude, dans leurs blessures profondes de mélancolie. Elle savait qu'elle pouvait compter sur lui.

Tandis qu'elle était percluse de douleurs musculaires, son instinct de survie la questionnait sur le bon sens de cette décision.

Elle irait au bout. Même si elle ignorait ce que cela signifiait, sinon elle aussi écouter la petite fille en elle. Celle qui n'était pas encore corrompue par l'égoïsme de l'adulte. Elle s'était moquée de la candeur héroïque d'Atticus dans ce restaurant ; à présent elle se laissait envahir par un sentiment similaire et l'assumait pleinement.

Vers 18 heures, Kat estima qu'elle avait accompli sa mission, et elle se replia. Elle ne supportait plus les corbeaux et leurs cris moqueurs. Elle avait encore presque deux heures de marche à travers la forêt et préférait rejoindre sa voiture tant qu'il ne faisait pas complètement noir. C'était bien le dernier endroit de la planète où elle voulait se perdre sous le regard de la lune.

Le soleil disparut un peu avant qu'elle ne parvienne à l'abri, et Kat pressa le pas malgré le sous-bois toujours aussi dense en l'absence de sentier.

Les oiseaux s'étaient tus. Tous, sans exception. Ne demeuraient que le grincement des troncs serrés les uns contre les autres et le feulement des broussailles dans la brise fraîche du soir.

Les ombres sortaient de leur tanière et s'entremêlaient pour tisser les prémices de la nuit, rampant sur la frondaison, s'étirant entre les taillis, glissant depuis les branchages. Kat sortit sa lampe torche de sa poche et l'alluma, elle n'avait plus le choix pour éviter le piège des racines vicieuses. Elle brillerait tel un phare, mais elle était bien assez éloignée du camp à présent, elle ne craignait plus rien.

Le silence de la forêt la fit soudain s'arrêter. Elle ne croyait pas avoir entendu pareil mutisme de toute sa vie dans un espace sauvage. La nature retenait sa respiration.

Tu te fais des films. Dépêche-toi plutôt de rentrer !

Kat se faufila entre deux chênes noueux et descendit un talus escarpé. D'après son sens de l'orientation, elle n'était plus très loin de la route de terre, en tout cas le cap était le bon sur la boussole. Au pire, si elle ne parvenait pas exactement là où elle était garée, il serait plus facile de marcher sur un passage dégagé qu'en plein cœur du bois.

Mais ce silence l'inquiétait de plus en plus.

Ta référence c'est Prospect Park, dans Brooklyn, voilà pourquoi tu n'es pas coutumière de ce genre de calme !

Quelque chose détala en vitesse dans son dos, remuant feuilles et brindilles, et la citadine sursauta.

Putains de bestioles. Les buildings me manquent, le son de la ville me manque, les insultes des taxis me manquent, même la pollution me manque.

Elle accéléra autant que son environnement le permettait, et s'accrocha dans les ronces, l'obligeant à une nouvelle halte pour se dégager.

Elle avait cette désagréable impression de ne pas être seule.

Bien sûr, idiote ! Il y a toute une faune planquée là…

Cette fois, elle dérapa dans une pente et s'écorcha le poignet en tombant. Sa lampe lui échappa et roula dans un bosquet en contrebas. *Merde !*

Elle devait ralentir pour ne pas risquer de se rompre les os.

À genoux, elle se pencha pour tenter d'attraper sa torche allumée, braquée sur une énorme toile d'araignée cachée dans le massif.

Ce n'est pas le moment de réagir comme une gamine.

Elle tendit la main, et un bruit de branche cassée la fit se redresser brusquement. Ce qui l'avait brisée était gros.

Kat surveillait tout autour. Les palpitations dans sa poitrine s'étaient accélérées.

La pénombre avalait la profondeur, et Kat ne distinguait que les arbres les plus proches, le reste n'était qu'un flou gris et noir où le vent dansait sinistrement. Toutes les branches qui flottaient dans ce courant invisible ressemblaient à des fantômes.

Et où diable étaient passés tous les oiseaux, les criquets et les papillons ? Même la nuit il y avait habituellement une population bavarde et visible, se répéta Kat.

Un nouveau craquement de bois retentit au loin.

Un animal. Tu te plaignais du silence, il y en a au moins un dans le coin...

Kat retourna au niveau du sol recouvert d'épines de conifères et étira de nouveau son bras pour essayer de saisir sa lampe.

La toile d'araignée brillait dans le faisceau, véritable voile d'argent.

L'arthropode apparut tout d'un coup. Jaillissant de sa tanière, il traversa son filet en direction de la main de Kat qui n'osa pas bouger, n'en croyant pas ses yeux. Une créature si petite ne devait pas réagir ainsi !

L'araignée tomba sur la main de Kat et avant que celle-ci ne s'en débarrasse, elle était déjà passée sous sa manche.

Kat bondit sur ses pieds et frappa son bras partout où elle croyait deviner l'intruse. Une sensation humide contre la peau au niveau du coude lui indiqua qu'elle venait de l'écraser.

Kat respirait fort. Elle savait très bien ce qui venait de se produire et elle fit volte-face pour regarder de tous côtés.

Ce n'était pas une aberration de la nature, une araignée devenue folle.

Ils étaient là, tout proches.

Nombreux.

C'était la seule explication.

Kat pouvait presque les deviner, en train de se mouvoir entre les végétaux, un fourmillement implacable, monstrueux.

Ils arrivaient.

Avec la tombée de la nuit, elle ne parvenait pas à discerner leur masse, néanmoins, elle sut qu'ils étaient sur le point de s'abattre sur elle, alors elle se mit à courir. Aussi vite que possible. Sans même réfléchir à la direction.

Elle enjamba une souche devant elle, se glissa entre deux rochers couverts de mousse et, ignorant les ecchymoses qui lui meurtrissaient le flanc, elle accéléra. Le paysage lui fouettait le visage, entaillant ses joues.

Kat courait pour sa vie.

Une fine particule la heurta au front, puis une autre rebondit contre sa main battante. Des sifflements étranges l'entouraient.

Plutôt un bourdonnement...

Une des abeilles qui l'avaient rattrapée se glissa sous son col et la piqua. Une décharge électrifia Kat depuis sa nuque.

Une autre planta son dard dans son menton, puis une troisième dans son cou. Des taches noires surgissaient de partout et un bruissement phénoménal se resserra tout autour de Kat qui trébucha et roula dans la terre.

Elle voulut repartir aussitôt mais les fougères tremblèrent sur le passage d'une armée qui la cerna immédiatement.

Des scarabées, des scolopendres, des coléoptères, des blattes et cafards, des mantes religieuses et des araignées de toutes sortes se déversèrent de partout.

Kat voulut crier mais les abeilles menaçaient de se jeter dans sa gorge et elle se boucha le nez pour les empêcher de s'y engouffrer.

Les insectes et leurs semblables recouvrirent les chaussures de Kat, puis se précipitèrent sous son pantalon.

Elle pouvait sentir leurs membres minuscules l'escalader et, malgré tous les coups qu'elle leur donnait, elle n'écrasait qu'une infime portion de l'armada. Ils lacéraient son dos, gonflaient ses vêtements, un flot discontinu se répandait sur le festin humain. Quelque chose de gros, de mou et garni de nombreuses pattes s'accrochait à son soutien-gorge et tentait de remonter vers sa gorge, probablement une araignée gigantesque, velue et rapide que Kat voulut saisir, avant qu'une autre surgisse derrière. Un interminable mille-pattes se faufila sur son aine et chercha à s'introduire dans sa culotte ; Kat cogna dessus à s'en faire mal, mais il passa malgré tout. Elle étouffa un rugissement à travers ses lèvres scellées.

Un scorpion grimpait sur sa manche et des centaines de carapaces chitineuses s'agrippaient dans ses cheveux, envahissaient son sweat-shirt. Une de ces abominations tentait de se faufiler dans le conduit de son oreille. D'autres se précipitaient sur son visage. Sa peau avait disparu sous une carapace de cuticules. Le bruit était infernal, un crissement à devenir fou.

Ils la rongeaient, tout doucement. Des milliers de coups de mandibules, encore et encore, et Kat sut qu'elle saignerait bientôt par tous les pores déchiquetés. La horde allait l'envahir par chaque orifice et se repaître de l'intérieur.

La souffrance serait intolérable. Sans fin.

Kat ne put se retenir plus longtemps.

Son hurlement ressembla au rugissement d'un fauve à l'agonie.

Il résonna entre les arbres et se perdit dans l'immensité de la forêt.

57.

Le cri inhumain fit vrombir les vitres de la voiture et Atticus baissa le son. Même pour lui, la voix gutturale de John Tardy était trop forte lorsqu'il braillait de la sorte. La route pour rentrer de Kansas City vers Wichita, puis ensuite jusqu'à Carson Mills, était désespérante d'ennui. Des champs à perte de vue, plats et monochromes, des bandes tantôt dorées, d'émeraude ou de bronze qui s'enchaînaient sans la moindre variation pendant des kilomètres et des kilomètres.

Pour ne pas s'endormir, Atticus éclusait les albums les plus entraînants qu'il avait emportés. Il en était à *Cause of Death* d'Obituary, du death metal caustique à souhait, parfait pour réveiller un mort.

L'aller-retour lui avait pris la journée, dont sept heures rien que pour le trajet.

Mais il avait fait ce qu'il devait et rentrait avec le coffre chargé de matériel.

Il ne s'était pas étonné de n'avoir aucune nouvelle de Kat Kordell, tous deux savaient les lignes téléphoniques sous probable surveillance et s'ils ne pouvaient rien se dire, il n'y avait aucun intérêt à perdre son temps.

Atticus devrait encore tout préparer, faire des essais, et peaufiner leur plan selon ce que Kat aurait à lui raconter de sa reconnaissance, mais cela attendrait le lendemain. Le flic était fourbu, et il ne rêvait que de se coucher à l'instant où il franchirait le seuil de sa chambre.

Elle comprendrait, il en était sûr. Même s'ils ne se connaissaient pas, il commençait déjà à l'apprécier. Son caractère, son honnêteté, sa franchise, des qualités qu'il pouvait détecter. Rares.

Le matin, très tôt, alors qu'ils achetaient du café et une salade de fruits à la station-service en face de leur hôtel, et avant qu'ils ne se séparent pour la journée, elle lui avait dit :

– Je peux vous poser une question qui pourrait être très vexante si je me trompe ?

– Allez-y, faites feu.

– Eh bien... Vous êtes gay, Atticus ?

Il avait ri. Sa meilleure réponse.

– D'habitude les gens mettent plusieurs mois avant d'avoir un doute et le double avant d'oser demander.

– Juste une intuition. Je suis désolée si c'est trop intime. Je n'aurais pas dû, pardon.

Il avait haussé les épaules.

– Ça doit changer quelque chose ?

– Me rassurer lorsque je dors dans un lit en face du vôtre, c'est tout.

Il s'était assis dans sa voiture avant de conclure :

– Vous allez dormir comme un bébé ce soir. Bon courage, soyez prudente.

Et à présent qu'il se garait face à l'hôtel sans constater la présence de la Nissan, Atticus se mit à espérer qu'elle avait écouté son dernier conseil.

Elle n'était pas dans la chambre. Atticus vérifia l'heure. 22 h 30. Ça n'était pas normal.

Il alla demander à l'accueil s'ils l'avaient vue ou s'il y avait un message, sans succès. Il l'appela et tomba sur la messagerie. *Pas bon. Pas bon du tout.*

Atticus inspecta le hall, puis le parking, à la recherche du moindre signe, une présence, un véhicule suspect. Rien.

Un début de panique l'envahit et il parvint à se contenir. S'ils l'avaient retrouvée ? *Dans ce cas, elle est morte...*

Sauf qu'il n'y avait aucune trace. Et Atticus imaginait mal EneK tenter un enlèvement en plein jour, encore moins dans une petite ville où tout le monde s'observe en permanence. Si près de leur centre opérationnel, ils se devaient d'être aussi discrets que possible.

Il se précipita à son volant et démarra en trombe, direction l'ouest. Kat avait été précise dans sa description du site et de l'endroit où elle avait déniché une planque. Atticus tomba sur le chemin de terre qu'elle avait mentionné et roula doucement, phares allumés pour ne pas basculer dans le petit ravin qui le bordait.

Il tomba sur la Nissan environ un kilomètre plus loin.

Machinalement, dès qu'il sortit de sa voiture il mit la main à l'arrière de sa ceinture où se trouvait habituellement son holster, avant de se souvenir qu'il n'avait pas d'arme. Impossible avec le trajet en avion. Il n'avait rien d'autre que ses sens.

Le véhicule de location était verrouillé. Rien à l'intérieur.

Peut-être qu'elle a repéré un élément qui méritait qu'elle s'attarde un peu...

Atticus essayait de se rassurer mais il n'y croyait pas lui-même.

Il alla fouiller son coffre pour en extraire une lampe qu'il venait d'acheter à Kansas City et balaya les environs avec son faisceau surpuissant. Il n'y avait rien.

Puis il inspecta le sol et remarqua des traces de pneus récentes. En les suivant, il nota qu'elles recouvraient celles laissées par la Nissan. *Véhicule arrivé après Kat.*

Il n'en était pas sûr mais il pensa qu'il pouvait s'agir d'un pick-up ou d'une camionnette à cause de la largeur des pneus et de l'empattement lorsqu'il avait manœuvré pour ressortir.

Ils l'ont eue.

Atticus ressentit une brûlure le long de l'œsophage, et sa tête lui tournait.

Kat Kordell.

Aussitôt, la culpabilité s'empara de lui. Il n'aurait pas dû la laisser approcher si près, seule. C'était un rôle pour lui. Sauf qu'il ne pouvait être partout à la fois et que ce qu'il était allé faire à Kansas City, Kat n'aurait pas pu s'en charger.

– KAT ! s'écria-t-il. KAT !

Il sonda le sous-bois environnant et refit un passage plus rapide. Il commençait à paniquer. *Pas elle. Pas comme ça...*

La lame blanche de sa lampe découpait une bande dans la nuit, faisant sortir racines, écorces et herbes hautes. Il pouvait s'enfoncer là-dedans à sa recherche mais doutait de la pertinence d'une telle entreprise.

C'est fini. Elle n'y est plus. Ils l'ont emportée.

Peut-être que son squelette gisait parmi les orties et la mousse.

Non ! Arrête. Elle n'est pas morte...

Atticus insista et releva finalement ce qui ressemblait aux traces d'un passage : feuillage écrasé, branchages cassés. Il s'y lança, son cône blanc en guise de guide, révélant un serpentin difficile à suivre, l'obligeant à avancer lentement. Régulièrement, il s'époumonait en hurlant le nom de Kat tout en sachant que ça ne servait à rien, c'était plus fort que lui.

Une chouette répondit à ses appels depuis les hauteurs des arbres.

Atticus se sentait horriblement seul et vulnérable dans la nuit, au sein de cette forêt sans fin. Sa lampe dansait dans l'obscurité, irrégulière, arrosant devant, derrière et sur les côtés, Atticus traquait un indice de la présence de sa partenaire, et plus il s'enfonçait, plus l'espoir s'amenuisait. Son cœur, a contrario, grossissait dans sa poitrine, cognant de plus en plus fort, l'étouffant presque.

Pas ça... Pas elle..., répétait-il in petto.

La trace était difficile à remonter, il la perdait souvent, s'obligeant à revenir sur ses pas pour l'étudier de nouveau. Les minutes passaient, la fraîcheur s'intensifiait et toute une faune indétectable commençait à prendre ses aises, agitant un buisson, sautant d'une branche à l'autre dans son dos ou s'interpellant par des cris aigus. Atticus avait des moments de faiblesse qu'il chassait d'un revers de manche et en pensant à Kat, à l'urgence, la nécessité absolue de se montrer à la hauteur.

Mais il l'appelait de moins en moins.

Soudain, il marcha sur quelque chose qui craqua, des débris spongieux. Sa lame de lumière révéla plusieurs insectes écrasés sur la terre et Atticus dut prendre une longue et profonde inspiration pour se calmer. Il fouilla les environs et en trouva encore d'autres.

Des agglomérats broyés. Comme il en avait déjà vu sur la scène de crime d'Oscar Riotto.

Elle a couru, elle a marché dessus parce qu'il y en avait partout...

Comprenant ce qui s'était passé, Atticus fut pris d'un vertige, il posa les mains sur ses cuisses pour respirer.

Puis il hurla. Toute sa rage, ses peurs, sa culpabilité et ses frustrations mêlées dans le même rugissement.

La forêt tout entière se tut.

Il demeura ainsi les yeux fermés, les traits déformés par l'émotion, incapable de se redresser. Il luttait avec lui-même pour voir la vérité en face. Il envisageait tous les scénarios possibles, cherchant à se convaincre qu'elle avait pu s'en tirer, mais l'évidence était sous ses yeux. La voiture encore présente, aucune nouvelle... Personne ne pouvait réchapper des nuées d'EneK.

Peu à peu, le peuple nocturne ressortit de ses tanières, de sa stupeur, et la nature se remit en marche, vivante et audible, et pourtant toujours invisible.

Tout à coup, Atticus ressentit un violent désir de revanche, une pulsion de destruction. Il eut envie de foncer illico au camp, d'enfoncer les barrières et de se précipiter dans les installations pour tout pulvériser à coups de calandre.

Il redescendit d'un cran.

D'abord s'occuper des restes.

Atticus regarda autour de lui, l'immensité tout en dégradé d'obscurité. Il renonça. Il ne pouvait improviser une battue tout seul sur un terrain aussi vaste, jamais il ne la retrouverait ainsi.

Quand tout sera fini, je reviendrai.

Il s'en fit la promesse. Lui offrir une sépulture. Il le lui devait.

En attendant, il lui fallait repartir, il n'avait plus de temps à perdre. Sans Kat pour l'aider, il devrait tout faire lui-même.

Il ne laisserait pas une nuit de plus s'écouler sans agir.

D'abord, il devait se mettre à l'abri. Si EneK avait localisé Kat, ils savaient probablement qu'il était lui-même dans le secteur et qu'ils ne risquaient aucune fuite via quelque journaliste que ce soit. Ils avaient eu le temps de conduire leurs investigations pour s'assurer qu'Atticus n'avait aucune preuve, ni prévenu personne. Rentrer à l'hôtel était compromis.

Il pouvait encore loger en bord de nationale, dans un relais pour routiers, et régler en cash. Pour une nuit, cela tiendrait. *À condition de me débarrasser de mon téléphone maintenant.*

Il n'était pas prêt, mais c'était décidé. Atticus déclencherait le début des opérations demain, à la première heure.

Sans l'aide de la détective privée, il s'interrogea sur ses chances de réussir à infiltrer le camp. Elle l'avait bien briefé. Il savait comment faire.

C'était une folie de plus au royaume des déments.

Ce n'était pas la première.

Atticus pria pour que ça ne soit pas la dernière.

58.

Galvin Hutchinson rota des relents de sa bière.

Sa mission était accomplie, il pouvait filer au lit.

Depuis le temps que cette salope lui collait au train !

Le problème était réglé à présent, et il se sentait soulagé. Lorsqu'il avait accepté ce job, jamais il n'aurait imaginé qu'une détective privée de New York finirait par remonter sa piste jusqu'ici. C'était une futée, celle-là. Et pas moche avec ça. Un vrai gâchis...

À vrai dire, il y avait beaucoup de choses qu'il n'aurait jamais imaginées lorsqu'il avait pris le boulot. La paye était l'une d'entre elles. Il avait plus mis de côté en un an que durant toute son existence. Et les primes promises allaient faire exploser les compteurs !

Ce n'était pas volé au regard de ce qu'il devait accomplir et des risques. Mais tout de même, il avait déjà commis quelques délits et crimes mineurs, sans jamais flirter avec des sommes pareilles dans le viseur.

L'ampleur que ça allait prendre non plus, il ne l'avait pas vue venir. Lorsqu'il avait passé ces trois mois enfermé ici, avec cinq autres gusses, pour perfectionner leurs « techniques d'endoctrinement », il savait qu'il plongeait dans l'illégalité, ça faisait partie du deal initial. Il y aurait des lignes rouges à franchir, et pas qu'une fois. Il y aurait du sang versé, il était prévenu, il avait été sélectionné pour ça aussi. Galvin n'avait pas peur de tuer. Le monde est un sac de vipères, et pour bouffer, il fallait mordre le premier. Mais de là à assister aux sacrifices, ça, il devait bien l'avouer, ça l'avait marqué. Les jambes sciées, la mâchoire par terre, il s'en était presque pissé dessus. Lui ! Galvin Hutchinson ! Ces mecs ne plaisantaient pas lorsqu'ils annonçaient qu'un nouvel ordre mondial se préparait et qu'ils en seraient les maîtres d'œuvre. Galvin avait compris sa chance d'être sélectionné, et rien que pour ça, il les en remerciait chaque jour.

Et puis, apprendre à manipuler les insectes, Galvin avait adoré.

Le sentiment de pleine puissance lorsqu'il sortait les Noyaux Directeurs de leurs caisses et qu'il lâchait toutes ces petites bêtes pour les guider à distance, afin qu'elles s'agglutinent au passage autour de tout ce qu'elles trouveraient jusqu'à former une masse effroyable. C'était jouissif.

Le pouvoir de vie ou de mort sur n'importe qui.

On le lui avait répété entre ces murs, il était un élu. Lorsque viendrait la destruction du monde, il ferait partie des derniers survivants. Alors le monde serait à rebâtir, et il en serait l'un des rois, avec tout un peuple de survivants soumis à ses ordres.

Galvin avait hâte. Lui qui n'avait jamais vraiment cru en ces conneries d'église, voilà qu'on lui parlait de devenir l'artisan de l'Apocalypse, un dieu vivant...

Il n'avait qu'un regret : ne pas pouvoir choisir ses survivants. Il aurait mis cette pute de Marcia sur sa liste, rien que pour pouvoir la soumettre, l'enfiler et la cogner à loisir, en souvenir du bon vieux temps.

Les règles étaient sévères sur le camp niveau cul. Galvin et ses semblables ne pouvaient pas baiser qui ils voulaient, c'était prohibé, le genre d'interdiction de classe 1, de celles qui vous expédiaient direct dans le Jardin. Et personne ne désirait finir dans le Jardin. Personne. Si Galvin voulait s'approprier une fille, il fallait qu'il en fasse la demande, et, uniquement si elle était validée, il pouvait se faire la fille. À partir de là, elle était extraite du campus, séparée des autres pour être enfermée dans le harem des chefs. Un autre des privilèges des élus.

Ouais, ce job exigeait le pire de soi, mais il avait ses compensations, se répétait souvent Galvin, même s'il avait parfois peur. C'était un sentiment qu'il n'aimait pas évoquer, cela le perturbait, mais il devait bien avouer qu'il lui arrivait de craindre les autres. Ceux qui commandaient, cinq hommes et femmes, froids comme la mort, impitoyables. Galvin n'aimait pas comment ils le regardaient avec mépris. Une fois il en avait entendu deux chuchoter, ils se considéraient comme des surhommes. Rien que ça. Des fils de pute, oui ! Ils n'avaient pas intérêt à la lui faire à l'envers, eux. Galvin surveillait son compte en banque régulièrement pour s'assurer qu'on ne l'entourloupait pas. Tout ce pognon dont il ne savait quoi faire. Lorsqu'il serait roi, ce serait son magot de départ. Parce que quoi qu'en disaient les autres, Galvin était convaincu que le fric aurait son importance. Les hommes ne savaient rien faire sans argent. Le troc, c'était du provisoire. Sur ses terres, Galvin aurait le dollar pour monnaie royale. Il voyait ça comme ça. Assis sur un trône, des filles à poil allongées à ses pieds, à ses ordres.

Le grand jour approchait.

Galvin ignorait exactement quelle forme il prendrait. Tout ce qu'il savait, c'est que les insectes du monde entier allaient surgir de la terre et bouffer la planète jusqu'à ce qu'il ne reste qu'une poignée de survivants. Quelques milliers suffiraient, qu'on se partagerait entre élus.

Ce serait l'enfer. Lui serait protégé, tout ce qu'il avait à faire c'était avaler une pilule chaque matin, pour que ses phéromones naturelles ne dégagent plus la molécule qui rendait fous les insectes. Tous les autres êtres humains y passeraient. On le lui avait expliqué en détail, chiffres à l'appui, pour qu'il le répète encore et encore à ses adeptes.

Chaque homme ou femme, là-dehors, aurait contre lui un milliard et cinq cents millions de ces saloperies sur le cul. Chacun.

Déjà qu'avec deux moustiques dans sa piaule Galvin n'arrivait pas à s'endormir, il préférait ne pas se représenter ce qu'un milliard et demi d'insectes pourraient bien lui faire.

Et ça, fois sept milliards.

Il en avait des vertiges.

Combien de temps cela prendrait-il ? Et quelles seraient les conséquences ensuite ? Il l'ignorait mais savait que les chefs avaient tout préparé. Il suivrait les instructions à la lettre.

Galvin jeta sa canette de bière vide dans le container devant son bâtiment et badgea pour que le verrou électronique s'ouvre. Il entendit les murmures des discussions dans les chambres.

Demain il les rassemblerait, tous ses adeptes, pour faire un tour au Jardin. Cela faisait longtemps qu'ils n'avaient pas eu une séance de révision. Ne pas douter du pouvoir. Se soumettre et se préparer. Pour être les dominants par la suite. Réaliser la chance qu'ils avaient, le privilège inouï. Lorsque viendrait l'heure de l'Apocalypse, chacun d'eux ferait son choix. Se donner à la cause ou survivre et devenir baron ou baronne. Il y aurait tant à reconstruire, les Enfants de Jean auraient besoin de volontaires.

Oui, c'était leur tour. Demain il ferait une démonstration.

Galvin eut un rictus mauvais. Ses yeux d'un bleu arctique brillèrent.

Ce serait lui aux commandes.

Du gibier frais venait d'arriver.

Droit dans la gueule du loup.

59.

Chaque nid-de-poule ou virage serré le chahutait. Atticus se retenait aux parois de la camionnette, au milieu des larges sacs de linge.

Grimper à bord avait été un jeu d'enfant. À 6 heures du matin, il guettait le quai de chargement de la blanchisserie industrielle. Les bons de livraison étaient affichés sur le mur où chaque conducteur venait prendre le sien, Atticus avait juste eu besoin de surveiller celui qui l'intéressait. Profitant de ce que le livreur était occupé à signer sa feuille de route, Atticus s'était glissé à l'arrière.

En sortir au bon moment serait la partie la plus délicate.

Jake avait expliqué à Kat comment il s'était plutôt facilement échappé du camp avec Lorette en suivant cette méthode, et le plan de la détective privée fonctionnait parfaitement. Restait à espérer que la sécurité sur place n'ait pas repéré la faille et redoublé de vigilance, sinon Atticus n'aurait pas même le temps de poser un pied à l'intérieur.

En réalité, tout n'était à présent plus qu'une question d'improvisation. À tout moment, il pouvait se faire repérer. Avant qu'il parvienne à se faire une idée claire des lieux et à accéder au cœur des installations, il lui faudrait de la chance. Beaucoup. Mais il n'avait pas mieux.

Atticus était fataliste. Aller le plus loin possible, jusqu'au bout si c'était envisageable.

Chaque fois qu'il songeait à Kat Kordell, son ventre se creusait et son cœur tressautait. Il avait du mal à la croire morte et ne cessait de se demander s'il n'y avait pas une infime chance qu'elle soit encore en vie, simplement enlevée par les gardes des Enfants de Jean pour être interrogée, plutôt que dévorée par les insectes.

Le véhicule ralentit et la nature de la route changea.

On entre dans la forêt. Encore cinq minutes et ce sera les barrières.

Le moment de vérité.

Le premier d'une longue série.

Les freins crissèrent lorsqu'ils furent au niveau de l'entrée du camp. Atticus put entendre l'échange entre le chauffeur et le vigile.

— Blanchisserie, comme d'hab.

— Allez-y. Vous vous mettrez sur l'emplacement de droite lorsque vous sortirez, pour l'inspection, je veux pas bloquer le passage.

— Entendu.

Au moins c'était évident désormais : Atticus ne pourrait pas repartir de la même manière. Ils craignaient les évasions, assez peu une intrusion. Qui serait assez fou pour oser venir ici planqué dans des sacs de linge ?

La camionnette roula encore sur plusieurs centaines de mètres jusqu'à s'immobiliser. Le moteur se coupa.

C'est maintenant que ça va se jouer.

Les portes arrière s'ouvrirent en grand et le livreur attrapa le premier ballot en grognant sous l'effort. Dès qu'il se fut éloigné, Atticus se dégagea de sa cachette et s'approcha du bord.

L'homme tirait sa marchandise en direction d'une porte desservant le niveau inférieur d'un long bâtiment rectangulaire. Un garde en uniforme noir l'accompagnait pour déverrouiller l'accès à l'aide d'un badge.

Atticus sauta dans l'herbe et se précipita jusqu'à une cabane qui abritait un transformateur électrique, puis se plaqua contre la paroi.

S'il y avait une caméra pointée dans sa direction et si un planton avait l'œil sur le moniteur à cet instant, c'en était fini de lui, l'alerte était déjà donnée.

Allez, crois un peu en ta bonne étoile. Il doit y avoir des dizaines de caméras, et seulement un ou deux contrôleurs. Il y a du passage, faudrait vraiment pas avoir de bol pour qu'ils voient le bon écran au bon moment.

Il se rassurait comme il le pouvait.

Atticus pencha la tête pour se faire une idée de son environnement. Ce n'était pas très compliqué. Kat lui avait déjà dressé un croquis sommaire de ce qu'elle avait vu, dans l'attente d'y retourner pour observer leur sécurité... À la pensée de la détective privée, Atticus serra les poings.

Il reconnut ce qui servait d'unités de vie, toutes similaires, et il était au pied de l'une d'entre elles.

Un coup d'œil derrière lui confirma la présence des deux hautes cheminées.

Elles fumaient.

Atticus expira profondément. Il était nerveux. Il consulta le téléphone portable neuf qu'il avait acheté la veille à Kansas City pour se débarrasser du sien au cas où il aurait servi de balise GPS à EneK pour le pister à distance. Le réseau normal était correct mais rien du côté d'Internet. Comme Kat le lui avait rapporté.

Au loin, une demi-douzaine d'hommes et de femmes sortirent d'un dortoir pour se rendre vers le dôme impressionnant qui siégeait entre des hangars. Un homme, l'air mauvais, les guidait, un badge autour du cou.

Atticus ne pourrait se rendre nulle part sans une accréditation. Chacun ici devait disposer de la sienne et il supposa qu'il y avait différents niveaux d'autorisation. Voler celle d'un « simple » volontaire serait plus aisé, mais ne lui ouvrirait pas toutes les portes...

Atticus prit son mal en patience et surveilla les allées et venues du livreur de la blanchisserie. Lorsque celui-ci eut terminé de décharger, il salua le garde et remonta à bord pour s'éloigner.

Le garde était de dos.

Maintenant ou jamais.

Le cœur d'Atticus battait à tout rompre, il avait les paumes humides, et il doutait d'en être capable. Le type portait une arme de poing dans un holster à la hanche. S'il entendait Atticus venir, il l'abattrait en un mouvement.

Avant que l'hésitation ne le paralyse, le flic s'élança, une panthère se rapprochant de sa proie dans la savane, gueule implacable de concentration, tête rentrée dans les épaules, démarche souple et silencieuse.

Il saisit le garde par le bras et l'arrière de son gilet et écouta ses instincts : assurer ce qu'il savait faire de mieux. Des mouvements répétés mille fois à l'école de police et en situation par la suite. Clé de bras pour immobiliser un suspect.

Sauf que le garde commença à se débattre et voulut crier.

Atticus parvint à le maîtriser, le bras du mercenaire tendu derrière lui, pris dans un étau, et le fit pivoter de force vers les marches qui descendaient dans le bâtiment. Il lui cogna le crâne contre la rampe de béton pour l'empêcher de donner l'alerte. Une fois. Deux fois. Puis encore plus fort. Sous l'effet du stress, Atticus insista avec une violence féroce, jusqu'à ce que le corps du garde perde toute résistance et qu'il bascule dans l'escalier.

Une grosse coulée de sang inonda le visage du mercenaire.

Atticus haletait.

L'heure n'était pas à la culpabilité. Il s'empressa de lui prendre son badge pour ouvrir la porte du sous-sol et le traîna à l'intérieur en le prenant sous les bras. Une rapide inspection lui confirma l'existence d'un réduit qui ne servait qu'à accéder aux tuyaux du chauffage et serait parfait pour dissimuler le corps. Mais avant cela, Atticus le déshabilla. Il était en panique à l'idée que quelqu'un puisse surgir à tout moment, et ses gestes en devenaient moins sûrs.

Baisse d'un cran, sinon tu n'arriveras à rien.

Il travailla sur son souffle. Un peu de yoga lui avait appris que tout partait de là. Sa respiration redevint plus normale et ses idées s'éclaircirent peu à peu.

Le garde était plus grand que lui et sa tenue n'était pas très ajustée, mais ça pouvait faire illusion avec quelques revers. Pour les deux pointures en trop des chaussures, Atticus ajouta les chaussettes de sa victime sur les siennes. Ce serait mieux que rien. L'arme était un Glock. *Parfait.* Facile à utiliser. À bout portant, même un débutant pouvait faire mouche. Il glissa le chargeur supplémentaire à sa ceinture.

Vas-tu t'en servir pour abattre des êtres humains de sang-froid ?

Non. Il en serait incapable. Ce serait un moyen de soumission. De bluff. Tirer serait au-dessus de ses forces. Il le pensait sincèrement. Même en territoire ennemi, en danger de mort permanent, il ne reniait pas tout ce qui avait fait de lui un flic et qui le poussait à jouer sa vie en venant ici au nom de ce qui était bien, de la vérité et de la justice.

Atticus improvisa des liens avec de la ficelle qui traînait dans un placard d'entretien et bâillonna le garde avec des chiffons. Une méchante plaie lui ouvrait tout le front jusqu'à la tempe. Atticus doutait que l'homme puisse survivre s'il l'abandonnait là, il lui avait fendu la boîte crânienne.

Pas le choix. C'est trop tard maintenant, il fallait y réfléchir avant de le cogner !

Il ne devait pas s'encombrer de pitié s'il voulait lui-même survivre. Mais ce n'était décidément pas dans sa nature, il savait qu'il n'assumerait pas. *Bon sang ! Focalise-toi sur ta priorité !*

Il essuya la blessure et improvisa un bandage avant de refermer la porte.

Avant de ressortir, Atticus accrocha ses lunettes de soleil par une branche sur le devant de sa tenue. Il les ajusta au mieux pour paraître décontracté.

Dehors, il versa de la terre sur le sang dans l'escalier puis respira à pleins poumons avant de se lancer.

De loin, il n'était qu'un garde parmi d'autres.

Il commençait à y croire.

Le bâtiment central, tout rond et haut de plus de vingt mètres, n'était qu'à un sprint devant lui.

S'il y avait un poste de contrôle général, il serait ici.

Atticus s'efforça d'éloigner son angoisse et il prit cette direction, d'un pas aussi assuré que possible.

Le vrombissement d'un hélicoptère le surplomba tout d'un coup.

Le même appareil que celui qui l'avait amené chez Edwin Kowalski.

Dans un claquement de pales assourdissant, il vira de bord et se posa sur le toit du complexe central.

Cet enfoiré est là.

Atticus pressa l'allure.

60.

L'étape après la mort était un engourdissement général des membres. Le corps ne répondait plus. Sauf pour envoyer les signaux de la douleur aux nerfs. Des pointes, comme des aiguilles plantées dans la chair un peu partout. Chaque blessure pulsait, irradiant vers les os, jusqu'au cerveau endolori.

Reprendre conscience ressemblait à une noyade dans une eau bouillante dont on vous sortait en vous tirant par les cheveux. Une longue respiration, les poumons brûlés, sans oser ouvrir les paupières, la connexion avec la souffrance de l'organisme, l'incompréhension, un tunnel à traverser le long duquel les sens demeuraient brouillons, comme en décalage.

Venait en dernier la mémoire.

De ce qu'on était, ce qu'on avait vécu, et les derniers instants.

Un cri. Un souffle. La panique. Aucun repère.

Kat se recroquevilla en poussant un râle tant l'effort à fournir fut violent. Elle manqua de repartir dans l'inconscience, mais sa rage de vie la maintint à flot.

Elle se souvenait de l'horreur de l'attaque, les insectes sur elle, partout, grouillants, avides de percer son enveloppe, remuant pour l'étouffer, les piqûres, les morsures puis le néant. Un bref instant, il lui parut qu'elle avait repris conscience, elle crut revoir une ombre, humaine, l'impression d'être transportée, jetée en vrac avant de sombrer.

Elle avait mal partout. Ses doigts palpèrent son ventre couvert de minuscules blessures. Des boutons également, réaction aux dards. Cela la piquait, la démangeait, des pieds jusqu'aux oreilles. C'était insupportable.

Je suis en vie.

Après un examen sommaire qui lui confirma que son état général n'était pas beau à voir mais les dégâts globalement superficiels, elle se redressa lentement pour s'asseoir.

Elle était encore dans la forêt.

Ils l'avaient laissée sur place.

Kat ne comprenait pas. Elle s'appuya sur une pierre mousseuse et observa.

Elle ne reconnaissait pas le paysage de jour.

Puis elle distingua les murs au-delà de la végétation.

Qu'est-ce que...

Ils l'entouraient à trois cent soixante degrés.

Une immense serre. Elle gisait au centre d'une parcelle de bois entièrement reconstituée, un biotope artificiel assez vaste, ceint de parois métalliques lisses qui formaient un dôme d'au moins vingt mètres de haut dont le sommet était entièrement vitré.

Kat repéra les larges fenêtres en hauteur, observatoire parfait.

Maintenant qu'elle avait complètement repris ses esprits, elle s'aperçut que la forêt manquait de l'essentiel pour être vraie.

Le son.

Elle est encore plus silencieuse que celle d'hier soir, avant l'attaque...

Rien que d'y repenser, Kat en eut la chair de poule. Elle posa une main sur sa poitrine, croyant qu'elle allait vomir, mais la nausée passa.

Il n'y avait pas un animal, pas un oiseau. Rien que des arbres, des fougères, des taillis...

Un espace plus dégagé formait un sentier de terre sur lequel elle se trouvait. Il conduisait au centre de l'installation, dans une clairière où s'alignaient des boîtes noires, semblables à des ruches.

Kat comprit alors.

Je suis dans leur réserve. C'est ici qu'ils conservent leurs saloperies.

Ils allaient la donner à bouffer à leurs insectes.

Pourquoi l'avoir sauvée de la mort la veille au soir si c'était pour la tuer dès le lendemain ?

Je suis un sacrifice. Un exemple.

Kat voulut se mettre debout mais ses jambes ne répondirent pas.

Elle poussa un gémissement contrarié et allait recommencer lorsqu'elle distingua du mouvement derrière les baies vitrées, tout en haut.

Les Enfants de Jean arrivaient.

La cérémonie allait pouvoir démarrer.

– Non, non..., s'énerva Kat en tirant sur ses bras pour se hisser.

Des visages se plaquèrent aux carreaux pour l'observer. Cinq ou six personnes, sans expression.

– Ne faites pas ça, murmura-t-elle. Je vous en supplie, ne faites pas ça...

Une jambe. Sa cheville était engourdie mais elle pouvait sentir son pied.

Puis Kat reconnut celui qui se posta en bout de file. Son sourire cruel, et surtout ses yeux.

Regard transparent. De glace.

Galvin Hutchinson.

Ne t'avise pas de faire ça, espèce d'ordure !

Kat ramena son autre jambe sous elle et poussa. Tout doucement, elle y parvenait. Elle allait se tenir debout.

Elle jetait des coups d'œil paniqués vers les hauteurs, pour vérifier où ils en étaient.

Soudain, elle accrocha des traits familiers. Une femme, jeune, cheveux de jais, plombée par un air triste, désespéré.

Lena.

Un déclic mécanique résonna et des trappes coulissèrent.

Les monstres étaient lâchés.

61.

Le badge ouvrit la porte en acier et Atticus pénétra dans le bâtiment rond, menton rentré dans le cou pour éviter d'exposer son visage aux caméras.

Il fut immédiatement confronté à un problème majeur. Couloirs, escaliers, embranchements.

Il n'avait aucune idée d'où aller.

Les limites de l'improvisation. Il devait trouver le cœur des installations, sans quoi il serait venu pour rien.

Et vite. Ils vont me repérer si je traîne trop.

Atticus vit un plan d'évacuation sur le mur et l'étudia pour se faire une idée de l'architecture générale. Il y avait un vaste espace au centre qui occupait les deux tiers du bâtiment, semblable à une cour intérieure. Plusieurs niveaux tout autour, des pièces partout, mais sans annotation, impossible de deviner quoi que ce soit d'autre. *Se rapprocher du sommet, l'une de ces salles-là qui dominent.* De toute façon, il n'avait pas mieux.

Il s'élança, gravit les marches et entendit une porte s'ouvrir juste au-dessus. Trop tard pour se cacher.

Deux hommes apparurent, un en blouse blanche, l'autre habillé normalement, et après avoir reconnu son uniforme, ils réagirent comme s'il n'existait pas.

Atticus en fut ragaillardi. Cela pouvait peut-être fonctionner, finalement.

Si je trouve le centre des opérations ou quelque chose dans le genre.

Il se rendit au quatrième étage, le plus haut, et arpenta les coursives aux aguets, à l'affût du moindre panneau, d'une indication qui lui permettrait de se repérer. Tout était d'un blanc pur, clinique, et sentait le désinfectant. Il s'aventura dans plusieurs pièces, salle de réunion déserte, laboratoire inutilisé, entrepôt rempli de cartons, sans jamais croiser personne. Il commençait à se demander s'il n'avait pas commis une erreur en croyant que c'était d'ici que tout était dirigé, lorsque deux gardes en noir surgirent au bout d'un corridor interminable.

Face à eux, il était certain que le subterfuge ne tiendrait pas. Atticus poussa la première porte venue et se retrouva dans un open space avec une dizaine de bureaux. Là encore, sans le moindre occupant.

Les gardes se rapprochaient.

Atticus prit son Glock. S'ils venaient ici, il n'aurait pas d'autre choix.

Leurs pas résonnaient sur le lino.

Le flic mit la porte en joue. *Soyez obéissants surtout, les gars, ne m'obligez pas à faire ce que je ne veux pas faire.*

Maintenant qu'il était confronté à la situation, il s'interrogea. Est-ce que la peur ne pouvait pas le pousser à commettre l'irréparable ? Pour protéger sa vie...

Atticus ne voulait pas le savoir.

Les ombres passèrent sous le vantail, sans ralentir.

Ils s'éloignaient.

Atticus soupira.

Il rangea son arme et examina les lieux. C'était improbable toutes ces infrastructures vides, sans un seul employé...

Soit ils ont vu trop grand, soit tout est terminé et ils sont prêts à lancer la phase finale.

Cela semblait logique. Pendant des mois, il y avait eu des dizaines de chercheurs, chacun assigné à une tâche, sans que personne ne sache véritablement à quoi sa mission allait servir, n'ayant pas la vision d'ensemble. Ceux-là avaient dû être recrutés pour leurs compétences, probablement pas des « volontaires » comme les Enfants de Jean. Par conséquent, des individus difficiles à rallier à une cause aussi folle que l'Apocalypse. Ils n'étaient au courant de rien. Une fois leur job effectué, ils avaient été remerciés ou expédiés ailleurs pour laisser place à toutes les recrues candidates à la fin des temps. Ne pas mélanger tout le monde. Le cloisonnement pour conserver le contrôle et le secret.

Atticus attendit encore une minute par prudence et retourna dans le couloir. De ce qu'il comprenait, celui-ci devait faire le tour de la grande étendue centrale. D'après le plan d'évacuation, la portion nord desservait une enfilade d'antichambres vers des lieux plus spacieux, une sorte d'observatoire dominant la cour intérieure, et tout au bout ce qui devait être l'escalier vers le toit. La piste d'atterrissage de l'hélicoptère.

Edwin Kowalski devait être quelque part de ce côté.

Atticus accéléra. Il y avait bien quelques caméras, mais dans l'ensemble l'intérieur des locaux était moins surveillé que l'extérieur. Il priait pour que son déguisement suffise à le rendre méconnaissable sur les moniteurs.

Il franchit un coude et ralentit. Il y était. Série de portes noires, dont plusieurs disposaient d'une serrure électronique. *Sécurité renforcée. C'est là.*

Il fonça sur la première et posa son badge sur la plaque adaptée.

Un voyant rouge s'afficha.

Il n'avait pas le bon niveau d'accréditation. Cela renforça sa conviction qu'il touchait au but. Il en essaya une autre, avec le même résultat.

En face, il distingua des voix dans ce qui devait être l'observatoire.

Le ton montait, on aurait dit une dispute. Un homme aboya des ordres.

Puis Atticus n'eut pas le temps d'en savoir plus.
L'alarme se déclencha.
Une sirène puissante.
Sa présence avait été découverte.

62.

Le bourdonnement d'une ruche en vol commençait à s'amplifier dans le biodôme.

Kat savait ce qui allait suivre. D'abord les volants, les plus rapides, des piqûres sur tout le corps, jusqu'à ce qu'elle n'en puisse plus, jusqu'à ce qu'elle en avale, qu'ils lui bouchent la vue, l'enveloppent telle une tornade d'ailes et de dards. Les plus gros coléoptères formaient le second rideau, tombant comme des bombardiers vivants, scarabées et lucanes cerf-volant avec leurs énormes mandibules ouvertes.

Puis les rampants surgiraient. Par milliers. Araignées hystériques, scorpions inflexibles, blattes et cafards sournois, mille-pattes vicieux, suivis par des sauterelles et des grillons. Tous n'auraient qu'un but, l'envahir, la pénétrer, pour la déchirer et la manger vivante.

Mais le pire serait la dernière vague. Celle de laquelle elle avait réchappé dans la forêt, la veille. Les fourmis nomades. Atticus lui avait tout expliqué. Après leur passage, il ne resterait que son squelette.

Kat se tenait debout et la terreur redonna du tonus à ses jambes. Elle trébucha les premiers pas, puis parvint à accélérer pour remonter le sentier, et vit une porte, imposante, en acier trempé. Elle se jeta dessus et poussa, en vain. Il n'y avait aucune poignée, juste une plaque magnétique pour y apposer un badge.

Verrouillage électronique. Kat tambourina sur le battant puis, entendant la végétation s'agiter dans son dos, elle tira de toutes ses forces en insérant le bout de ses doigts dans la rainure du milieu.

Elle savait la souffrance qui l'attendait si elle ne parvenait pas à sortir, et cette idée n'était pas loin de la rendre folle avant même qu'ils ne la tuent.

Kat cria de rage et de désespoir et s'arracha deux ongles, s'ouvrant jusqu'au sang.

Elle revit l'entrepôt et la cuve. C'était à présent son tour.

– NON ! NON ! hurla-t-elle.

Derrière elle, les fougères dansèrent sur le passage d'un tapis ondulant et affamé, déchaîné par les messages phéromonaux diffusés tout autour de Kat.

À cette pensée, elle étudia les murs, le sol, dans l'espoir d'y détecter un appareil qu'elle aurait pu obstruer pour retarder la meute. Il n'y avait rien.

Comment font-ils ? Il doit y avoir une machine ou...

Elle n'avait plus le temps, ils se rapprochaient, ils la traquaient.

Kat s'élança sur le sentier puis, voyant un nuage noir tournoyer à sa recherche, elle changea de cap pour sauter à travers les buissons, entre les troncs, jusqu'à rejoindre un espace plus dégagé où elle grimpa sur l'estoc d'un chêne renversé.

Tout en haut, derrière la baie, Lena la regardait se débattre, l'œil vitreux.

– Lena ! vociféra Kat sans savoir si depuis sa vigie elle pouvait l'entendre. Je vous en supplie, Lena ! Aidez-moi !

Au son de son nom, la jeune femme tressauta. Elle cligna des paupières, plusieurs fois, pour s'assurer qu'elle ne rêvait pas. Kat insista :

– Lena Fowlings ! C'est votre mère qui m'envoie ! Annie !

La horde crissante venait de changer de direction. Ils l'avaient repérée.

– Je vous en supplie, Lena ! Ne les laissez pas vous détruire ! Je sais qui vous êtes ! Je sais que vous n'êtes pas celle qu'ils essayent de fabriquer ! Aidez-moi !

Les premières abeilles surgirent et Kat bondit plus loin en frappant à l'aveugle autour d'elle. Elle déboucha dans la clairière au centre.

– J'ai rencontré Cécile ! s'époumona Kat. Ashlee, Silas, ils m'ont parlé de vous ! Et j'ai vu ce que Galvin Hutchinson vous a obligée à faire à Vénus ! Ça n'est pas vous, Lena !

Au loin la jeune femme fixa cette étrangère qui énumérait les visages de sa vie, puis elle pivota en direction de Galvin qui lui répondit avec véhémence.

Un coléoptère volumineux se positionna juste au-dessus de Kat qui remarqua de fins reflets argentés sur sa carapace d'ébène. Du câblage miniature.

Et elle repensa aux explications d'Atticus. Des impulsions électriques dans le système nerveux et les ganglions, ou ce genre de choses. Le scarabée transportait un rectangle cuivré sur son dos, fondu dans sa cuticule, d'où se répandaient les fils.

Ils le contrôlent à distance ! Le diffuseur de phéromones, c'est lui ! Il est en train de les larguer sur moi pour attirer les autres.

C'était le guide. La télécommande du groupe.

Kat plia ses jambes et avec une détente boostée par l'adrénaline, elle parvint à smasher le coléoptère et l'envoya valdinguer contre une souche.

Était-elle débarrassée ?

Elle sauta au sol et s'éloigna de vingt mètres pour vérifier.

La masse crépitante tourna à son tour et fonça sur elle. Il devait y en avoir d'autres. Kat scrutait tout autour d'elle, à la recherche de scarabées cyborgs, mais les abeilles commençaient à affluer.

– Lena ! Je vous en supplie ! Pensez à Tanie !

Le bourdonnement s'intensifia et, brusquement, Kat ne vit plus rien. Ils étaient sur elle.

Le tourbillon frénétique se resserra et les premières piqûres lui brûlèrent la peau.

C'était trop tard. Déjà le sol se remplissait de tous les autres rampants, et ils se précipitèrent sur Kat, avides de chair, une vague à la sensation horrible, qui lui fouetta les chevilles avant de s'introduire sous le fin tissu de ses vêtements.

Et de remonter.

Kat lutta comme une folle.

Ils l'envahissaient.

Lena n'avait pas réagi.

63.

Craignant que le couloir ne se remplisse rapidement de gardes à sa recherche, Atticus entra au culot dans l'observatoire où éclatait la dispute. Il espérait profiter de la tension pour se faufiler le plus discrètement possible.

Mais à l'intérieur, il tomba sur une demi-douzaine d'individus, des volontaires, l'air hagard, qui ne savaient s'ils devaient regarder à travers l'immense baie vitrée ou vers l'homme qui s'énervait. Ce dernier était leur responsable, aucun doute n'était possible. Athlétique, blond, émacié, il toisa Atticus de ses iris inflexibles d'un bleu délavé.

— C'est quoi ce bordel avec l'alarme ? gueula-t-il à son intention.

— Un exercice, improvisa Atticus tout en cherchant une porte de sortie.

— Chopez-moi cette connasse, ordonna l'homme au flic.

Il désignait une fille de vingt ans environ, l'air désespéré, look vaguement gothique défraîchi. Manifestement la responsable de l'altercation.

— Tu vas regretter de toujours la ramener, s'emporta le kapo. Allez, garde, attrapez-moi cette petite pute !

Atticus était pris au piège. Il devait obéir. Il examina les autres : gênés, nerveux. Tous soumis à l'autorité. Et il comprit qu'ils ne seraient pas un problème.

Il dut prendre sa décision très vite et ne fut pas certain de faire le bon choix.

Il se rapprocha des deux qui se faisaient face et au moment où il aurait dû s'emparer de la fille, Atticus lança son poing dans le visage de l'homme, qui vola en arrière sous le choc et la surprise.

Galvin Hutchinson, bagarreur qui encaissait bien, se raccrocha au mur avant d'esquiver le crochet suivant et répliqua en pleines côtes.

Atticus gémit en se courbant et reçut un autre poing sur la pommette qui fit exploser un flash aveuglant sous son crâne. Il tituba et par réflexe voulut saisir son arme, mais Galvin l'en empêcha en se jetant sur lui.

Les deux hommes roulèrent au sol et perdirent le Glock qui glissa hors de portée. Coups de genou, étranglements, l'assaut prenait une tournure sauvage.

Derrière, Lena sortit de sa stupeur et s'empara d'une tablette tactile qui était disposée sur un pupitre. L'écran affichait des boutons, des curseurs de niveau, ainsi que des représentations de joysticks. Elle pianota à toute vitesse dessus.

Galvin était parvenu à prendre l'avantage sur son opposant et se tenait à califourchon sur lui. Il leva le bras pour écraser son poing sur le visage d'Atticus, mais ce dernier le chopa par les couilles et pressa puis, d'un soubresaut, parvint à dégager Galvin qui se renversa sur le côté afin de lui échapper.

Les deux avaient le souffle coupé, du sang devant les yeux. Ils s'empoignèrent par le col et les épaules pour se fracasser contre la paroi vitrée. Les Enfants de Jean assistaient au spectacle, sans réagir, médusés.

Galvin attrapa le visage d'Atticus pour l'écraser contre le carreau fendu. Presque vingt mètres plus bas, un vaste jardin d'hiver bruissait d'une agitation étrange.

Atticus frappa son agresseur à la tempe.

Galvin se mit à crier, enragé, et la pression contre la fenêtre s'intensifia. Atticus entendit clairement la vitre se fendre davan-

tage. Il allait la traverser, se faire trancher la jugulaire au passage.

Une ombre apparut dans le dos de Galvin et abattit la tablette
tactile de toutes ses forces sur son crâne. L'homme en fut sonné,
assez pour permettre à Atticus de le repousser.

Lena reculait. Son expression avait changé. Elle s'était libérée.

La porte s'ouvrit sur six gardes en uniforme noir et, avant
qu'Atticus ait pu se jeter sur son arme au sol, ils le maîtrisèrent
et le soumirent, ne lui laissant aucune chance d'y échapper.

Cette fois, songea Atticus, c'était terminé.

64.

Le sarcophage vivant d'insectes se désagrégea et, aussi vite qu'ils avaient fondu sur Kat, ils repartirent dans la nature.

En état de choc, Kat laissa sans bouger les derniers retardataires lui courir dessus. Elle était sur ses genoux, une douleur qui pulsait de tous ses pores la maintenait consciente, mais son esprit n'y était plus.

Elle ne comprenait pas.

La mort abominable à laquelle elle s'était résignée, abdiquant face à l'évidence, l'avait fuie. Pour la deuxième fois. À quel jeu pervers jouaient-ils avec elle ? Combien de fois allaient-ils lui faire subir ce supplice avant d'autoriser leurs créatures à la consommer entièrement ?

Kat resta ainsi plusieurs minutes, sans parvenir à faire mieux qu'un battement de paupières.

Elle avait mal. Ça venait des microscopiques plaies disséminées sur son corps et de sa réaction à tous les dards plantés dans son derme. Toutefois, ce n'était rien à côté de ce qu'elle ressentait psychiquement. Ils étaient en train de la détruire mentalement, avoir son enveloppe physique ne leur suffisait pas, il fallait qu'ils brisent son âme avant.

La colère se réveilla, monta et envahit Kat.

Cela suffit à la faire se lever, avec difficulté, essuyer le voile humide qui lui recouvrait le visage, un suaire de sang. Elle leva les yeux vers l'observatoire.

Vide.

Où étaient-ils passés ? Pourquoi ne pas assister à l'apothéose du spectacle ?

Maintenant qu'elle y pensait, Kat avait cru entendre une alerte lancinante pendant qu'elle essayait vainement d'échapper à ses prédateurs. Une alarme ?

Elle tituba dans la clairière, surprise de ne plus percevoir le vrombissement des nuées ou le cliquètement effroyable des armées au sol. Tous rentrés dans leurs tanières.

Dans l'attente du prochain signal.

Kat erra sur le sentier jusqu'à la porte, où elle s'attendait à devoir rebrousser chemin.

Elle était entrouverte.

Le cœur de Kat fit un bond.

Était-ce un traquenard ? Encore un de leurs jeux cruels pour lui redonner espoir avant de mieux l'humilier ?

Elle tira sur le vantail – un de ses ongles était encore fiché dans le joint de caoutchouc –, et dévoila un couloir blanc, impeccable.

Kat fit un pas prudent, puis un autre. Personne.

Qu'est-ce qui s'est passé ?

Leur création leur avait échappé et ravageait le camp ? Non, cela semblait peu crédible. Alors quoi ? Un incendie ? Il n'y avait ni fumée, ni odeur... Et par où aller ?

Des bruits de pas résonnèrent plus loin, on venait dans sa direction.

Kat ne sut où se cacher, un sentiment de panique à l'idée d'être reprise si vite la tétanisa sur place et, avec un regret terrible, elle ne vit d'autre solution que de retourner dans le biodôme pour s'y fondre, le temps que les pas se soient éloignés.

Et s'ils referment ? Non, je ne supporterai pas une attaque de plus.

Ils se rapprochaient.

Kat fit demi-tour à contrecœur et repoussa le battant au maximum avant d'aller s'accroupir derrière un massif de bambous.

Contre toute attente, les pas ne s'éloignèrent pas, au contraire, deux personnes pénétrèrent dans la serre.

– Tu t'es prise pour quoi, hein ? tonitrua une voix masculine. Petite conne. Puisque tu voulais l'aider, tu vas la rejoindre !

Kat se déplia juste assez pour reconnaître Galvin Hutchinson et Lena. Lui était amoché, tuméfié, et Lena entravée, les mains dans le dos. En voyant sa silhouette frêle, il était difficile d'imaginer qu'elle ait pu lui causer autant de dégâts.

Lena trébucha et roula au sol.

– Je vais t'apprendre à me défier ! s'écria Galvin en lui donnant un coup de pied dans les côtes. Je vais me faire plaisir, tu sais ? Je ne raterai rien de ce qu'ils vont t'infliger quand ils boufferont tes globes oculaires et que tu hurleras, la gueule pleine de ces saloperies ! Tu m'entends ? Personne ne s'oppose à moi. Personne ! Je suis le roi Hutchinson !

Il poussa un rugissement dément. Il avait perdu la raison. Kat ignorait si ça n'était que le résultat d'un délitement programmé depuis longtemps ou les conséquences de ce qu'il faisait ici, entre ces murs. Mais elle sut qu'il allait repartir et fermer la porte, et elles seraient prises au piège, bonnes pour mourir. *Ça ne va pas recommencer.* Kat ne finirait pas dévorée. Non. Tout plutôt que de ressentir de nouveau leurs milliers de pattes sur elle, leurs mandibules la découper...

Elle ramassa un bambou séché et en testa la rigidité avant de choisir la pointe la plus effilée. Kat n'était plus dans l'analyse froide de la situation. Son instinct de survie la commandait, mû par la plus terrible des énergies : la peur.

Sans plus réfléchir, elle s'approcha dans le dos de Galvin.

Le psychopathe perçut le son des pas dans les feuilles au tout dernier moment, et pivota vers Kat.

Il sembla n'en pas croire ses yeux et la stupeur le figea une seconde.

Suffisante pour que Kat plante, avec toute la rage qu'elle avait accumulée, le bambou dans le ventre de son tortionnaire.

Sans état d'âme, elle l'enfonça et tourna, les mâchoires comprimées, les yeux saillants, narines dilatées.

L'incompréhension, puis l'hystérie déformèrent les traits de Galvin, qui chercha à l'attraper. Comme ses bras étaient trop courts, il saisit le bambou lui-même et l'enfonça plus encore afin de se rapprocher de Kat. Il voulut resserrer ses doigts autour du cou de son assaillante, mais elle le mordit à la joue, ses dents déchirant la peau jusqu'au sang. Puis elle le repoussa violemment et Galvin s'effondra.

Possédée par une pulsion folle née de la terreur, la haine et la colère, Kat s'empara du bambou et le planta une nouvelle fois dans la poitrine de l'ordure qui se cambra.

Du sang lui sortit par la bouche.

Le bambou s'envola encore et traversa sa gorge de part en part, pour se ficher en dessous, dans la terre.

Kat recula.

Galvin poussa un long râle puis mourut en la fixant, incrédule.

Elle tremblait.

65.

Edwin Kowalski avait installé son bureau au sommet, dominant la serre. Celui-ci ressemblait à l'un de ces bathyscaphes miniatures, avec un nez de plexiglas arrondi, à la différence qu'ici une ouverture avait été pratiquée en son centre pour ériger un balcon afin de surplomber le biodôme. Parfait promontoire pour se délecter de sa création.

Dans la pièce, les gardes assirent Atticus sur une chaise avant qu'Edwin leur indique de l'installer à l'extérieur, sur la passerelle en fer. Ils s'exécutèrent après avoir défait une sécurité qui permit d'ouvrir la barrière et ainsi de reculer la chaise jusqu'à l'extrémité, sans plus aucun garde-fou. Atticus avait les mains immobilisées dans le dos par des Serflex et, ainsi positionné, il tournait le dos au vide, prêt à basculer au moindre ordre du magnat. L'installation était bien rodée, et il sut qu'il n'était pas le premier à occuper cette place.

Le chef des mercenaires déposa les affaires d'Atticus sur une table, à l'intérieur de la pièce.

– Voilà tout ce qu'il avait sur lui lorsqu'on l'a pris.

– Il n'a pas endommagé les structures ?

– Non, rien.

– Bien, laissez-nous.

L'homme parut déstabilisé par cet ordre.

– Seul avec lui ?

Kowalski releva le menton pour le fixer d'un regard impérieux, et le garde recula avant de sortir avec ses hommes.

Le milliardaire détaillait les possessions d'Atticus. Il écarta de l'index le Glock, les lunettes de soleil et le téléphone portable pour s'intéresser à un livre. Une version de poche de *L'Odyssée* d'Homère.

— Je ne vous voyais pas lecteur de mythologie grecque, inspecteur, dit-il de sa voix sans émotion. Pourquoi ce livre ?

— Vous demanderez à votre soldat. Il était dans ses fringues quand je l'ai assommé.

Kowalski haussa les sourcils et se détourna des affaires pour faire face à son prisonnier.

— C'était plus fort que vous, n'est-ce pas ? demanda-t-il. Vous pourriez vivre paisiblement chez vous, et pourtant il a fallu que vous vous entêtiez. J'étais prêt à vous oublier, Atticus.

— Pas moi.

Kowalski secoua la tête, dépité.

— Et vous voici ici, dans un équilibre précaire au-dessus des abysses.

Atticus sentait une légère brise depuis le promontoire. Il se répétait que c'était comme se tenir assis sur un plongeoir, rien de plus, il ne fallait pas regarder en bas et tout irait bien. *Sauf qu'il n'y a pas d'eau pour amortir la chute si je bascule...*

— Au moins vous faites le sale boulot vous-même, répliqua le flic.

— Oh, je suis un homme qui prend ses responsabilités. Ai-je seulement le choix ? J'ai toujours été seul, vous savez ? Enfant, puis adolescent, un solitaire profond. Je n'ai jamais su si c'est le rejet des autres qui a fait de moi ce misanthrope ou si je l'étais déjà, dans mes gènes, et que j'aie tout fait pour provoquer ce comportement. L'argent isole, Atticus, et le pouvoir, n'en parlons pas. En définitive, j'ai tout fait pour le rester.

— Parce que vous êtes un *surhomme* ? ironisa Atticus. Vos semblables ne vous méritent pas !

Kowalski afficha un air admiratif.

– Vous vous tenez sur le seuil de la mort et vous trouvez la force d'en rire, bravo. Peu ont ce courage.

– Vous parlez d'expérience.

Rictus sardonique.

– Disons que vous n'êtes pas le premier à vous tenir ici même, confirma-t-il. Il a fallu parfois... *convaincre* des réticences. Mais pour en revenir à votre question, non je ne m'estime pas supérieur.

– Et tout ça, alors ? Votre projet de Surhumains !

Kowalski secoua doucement la tête. Il regarda Atticus pendant de longues secondes, le jaugeant. Intelligent, il savait que le flic le faisait parler pour repousser l'échéance. Il décida de jouer le jeu, mais pas pour lui offrir quelques minutes de vie, rien que pour lui-même. L'occasion était trop belle, trop rare. Il lui confia :

– Cette solitude est telle que je ne partage mes convictions avec personne. Jamais. Pas même mes plus fidèles collaborateurs. Ils ne comprendraient pas. Eux croient encore au surhomme.

Atticus en fut perdu. Si Kowalski n'était pas motivé par l'idée d'offrir à l'humanité son éclosion ultime, alors pourquoi faisait-il tout cela ?

– Pas vous ?

Kowalski l'étudia encore et décida de se lancer dans cet échange exceptionnel pour lui, de partager ses pensées.

– N'êtes-vous pas lucide, inspecteur ? C'est un doux rêve, une utopie pour philosophe. Nous sommes et demeurerons à jamais des animaux, avec différents degrés de développement, de civilisation, mais des animaux malgré tout. Le surhomme est un mythe intellectuel, il peut naître de nos mains, certainement pas provenir de notre chair et de notre âme si corruptibles. Dans le fond, le vrai Surhumain n'est rien d'autre que la machine.

– Alors... pourquoi tout ça ?

– Parce qu'il me fallait un prétexte. Comment rassembler des forces vives autour de moi, les motiver, les endoctriner pour qu'elles donnent tout, dans le plus grand secret, sans un objectif noble ? Vous pensiez que tout ces gens ne sont que des criminels en puissance, à se frotter les mains à l'idée de faire du mal au monde ? S'il vous plaît, Atticus, ça n'est pas digne de vous. Non, le surhomme est ce qui guide mes troupes.

– Et vous ?

– Moi ?

Il étouffa un ricanement.

– Je veux nous rendre service, dit-il après un silence. L'espèce humaine est condamnée. Nous ne sommes pas capables des sacrifices nécessaires, individuellement, pour sauver la collectivité. Au contraire, même : notre modèle bascule de plus en plus dans l'égoïsme, la course au confort, toujours plus... La planète est moribonde, et bientôt les glaces des pôles fondront sous l'effet de nos pollutions, les contrées habitables se réduiront drastiquement, les dérèglements climatiques rendront la culture et l'élevage difficiles. Et nous, humains en surpopulation, afin de survivre, nous nous mènerons des guerres acharnées pour le moindre lopin sous des latitudes respirables. Les UV viendront nous cuire à petit feu, les épidémies se répandront avec les nouveaux virus libérés des glaces, et lentement, nous disparaîtrons.

Atticus s'efforçait de rester concentré sur le discours, ne surtout pas penser à lui, au vide dans son dos, juste faire parler Kowalski, le plus longtemps possible.

– Vous pourriez consacrer votre fortune à trouver des solutions plutôt que de renoncer.

– Je laisse ça aux autres milliardaires qui s'escriment vainement à rêver d'un monde amélioré... avec des intentions fondamentalement mégalos en arrière-plan. Et aucun n'y parvient. Il est trop tard, nous avons dépassé le point de non-retour, il faut être lucide. Moi je suis en fait le plus altruiste, je pense à toute notre espèce et pas à mon petit nombril.

– C'est ça le rêve d'un homme qui a tout ?

Le magnat fit la moue.

– Comme vous le dites, j'ai tout accompli et je n'ai pas cinquante ans. Que puis-je espérer de mieux à présent ? L'illusion affadissante d'une romance provisoire ? Contribuer à mettre au monde des rejetons qui souffriront un jour de mon égoïsme et mourront probablement avec notre modèle en pleine décomposition ? Gagner toujours plus ? Pour en faire quoi ? J'ai tout, Atticus. Tout. Et n'en retire pas de satisfaction. Je suis toujours aussi seul, sans plaisirs. Et la gloire vaine de figurer un jour dans les livres d'histoire ne m'intéresse pas.

Atticus n'en revenait pas, il ne put s'empêcher d'en rire, amer.

– Aimer son prochain ? Rendre le monde meilleur ? Je peux vous donner des idées si vous voulez...

– Mais vous ne m'écoutez pas ? Je veux rendre service à mon espèce ! Abréger son passage terrestre, laisser la place, en toute humilité, et consacrer mon succès entier à nous épargner une lente agonie, n'est-ce pas une déclaration d'amour ultime ? Je ne vais pas survivre non plus, vous comprenez ? Je m'y prépare depuis des années, j'ai accepté mon propre sacrifice !

Pendant un bref instant, Atticus crut enfin déceler un soupçon d'humanité dans l'attitude et le regard d'Edwin Kowalski. Il s'interrogea alors sur la motivation réelle qui l'habitait, inconsciemment. Sa propre terreur de la mort ne le poussait-elle pas à vouloir tout accélérer, et embarquer la civilisation entière avec lui ? Mourir avec le monde plutôt que seul. Juste un pauvre type terrorisé par sa propre fugacité, mais avec les moyens d'un dieu.

Atticus songea à lui, ses heures de doute le soir, ainsi qu'au bref échange qu'il avait eu avec Kat, dans le bar, et son cœur se serra. Dans le fond, ils se ressemblaient terriblement.

Il s'efforça de revenir à l'instant présent, à trouver de quoi relancer la conversation, pour toujours gagner un peu de temps, pour vivre.

– Et vous pensez que vos sbires vont vous suivre ?

– Laissez-les se débattre avec leurs névroses. Chacun a sa raison d'être parmi nous. Et ceux qui ne veulent pas se sacrifier s'imaginent qu'en avalant une pilule ils seront protégés... Naïfs. Je ne veux pas de sélection, inspecteur, je ne veux pas d'humanité 2.0 qui commettra inlassablement les mêmes erreurs, non, je veux le repos éternel, pour chacun.

— En nous donnant à manger aux insectes... Quelle fin digne !

— Ils sont l'essentiel de la vie sur notre globe, il me semble légitime qu'ils soient l'instrument de notre destruction, avant que nous ne foutions tout en l'air. Mais si vous avez le sens du drame, la suite va vous plaire. J'ai investi massivement, et en secret, dans le secteur bancaire. Lorsque nous serons prêts, les Enfants de Jean partiront aux quatre coins de la terre pour accomplir leur destin. Ils transmettront les ordres pour que mes prises de position au sein des sept plus grandes Bourses mondiales entraînent un début de panique. Compte tenu de la fragilité de l'économie internationale, l'effet sera immédiat. Les marchés s'effondreront. Ce sera le commencement. Les sept trompettes de l'Apocalypse.

Kowalski se fendit d'un air satisfait, avant d'ajouter :

— Pendant que chacun se débattra pour sauver ses maigres économies, que le tissu social se délitera dans la peur et la frustration, le chaos rendra toute opération de coordination impossible et alors mes satellites diffuseront le signal pour que tous les sites qui stockent les phéromones ouvrent leurs vannes. J'en ai implanté partout. Littéralement. Nos laboratoires ont œuvré vingt-quatre heures sur vingt-quatre afin de produire des quantités astronomiques de phéromones. Nous allons diffuser de quoi rendre folles toutes les bestioles imaginables, les rendre affamées, démentes, obsédées par l'idée de dévorer toute la chair possible. Car mes phéromones vont rendre notre odeur humaine irrésistible. Nous transformant en proies. Les insectes se soulève-ront en masse, et ce sera la fin. Il ne restera personne pour me juger, ni pour me remercier d'être le seul à avoir osé, à avoir agi plutôt que d'attendre.

— Connard, souffla le flic entre ses lèvres, presque inaudible.

S'il entendit, le milliardaire ne s'en montra pas le moins du monde offensé et, trop heureux d'enfin trouver un interlocuteur à sa mesure, poursuivit :

– C'est toujours la même rengaine, n'est-ce pas ? Chacun veut, mais personne ne prend ses responsabilités. Tous critiquent, mais personne ne propose ou n'agit. Prompts à condamner, jusqu'à ce qu'il faille un volontaire pour endosser le rôle de bourreau, et là plus personne n'assume.

– Sauf les psychopathes.

Un semblant de rire étouffé de l'intérieur et seulement trahi par un sifflement nasal secoua Edwin Kowalski.

– Nous naviguons sur un navire qui ne peut supporter que dix personnes alors que nous sommes déjà quinze, et nous continuons de nous reproduire. Parce que nous avons vécu égoïstement, bientôt il faudra jeter par-dessus bord la moitié des passagers, mais personne ne voudra le faire, chacun détournera le regard en serrant son enfant contre lui et en priant pour que ce soit le voisin qui tombe. Et si personne ne se hisse au-dessus pour accomplir le sale boulot, alors nous coulerons tous. Voilà ce qui se passe, Atticus. Des guerres, des famines, des maladies, pendant des décennies, et à la fin, notre perte. Je vais arracher le bandage une bonne fois pour toutes plutôt que d'y aller lentement et de souffrir inutilement.

L'inspecteur se pencha du mieux qu'il put malgré ses entraves.

– Heureusement que vous êtes là, Edwin.

Ce dernier perdit toute trace de sympathie et son visage, qui s'était légèrement ouvert le temps de la confidence, se referma aussitôt.

– Je pense qu'il est temps de vous dire adieu, Atticus.

Kowalski tira sur sa veste impeccable et avec la détermination d'une machine se dirigea vers Atticus pour faire basculer la chaise dans le vide.

66.

Le téléphone sur la table se mit à vibrer. Edwin Kowalski l'ignora et saisit la chaise d'Atticus par le bord de l'assise.

– Ce fut un plaisir de rompre ma solitude le temps de cette conversation, inspecteur.

Atticus lui donna un coup dans le genou et le milliardaire trébucha, se retenant à la rambarde.

Il avait l'œil mauvais à présent.

Il se releva et alla chercher le Glock pour revenir finir le travail.

La porte s'ouvrit.

Atticus ne reconnut pas tout de suite celle qui entrait, avec sa peau boursouflée et meurtrie, un pied-de-biche à la main, prête à en découdre.

Kat !

Lena la suivait.

Kowalski était un homme vif. Il comprit tout de suite et pointa son semi-automatique vers Kat, qui s'arrêta à moins de six mètres de lui.

– Encore un pas et vous êtes morte, menaça-t-il. Que faites-vous là ?

Kat avait le pied-de-biche dressé au-dessus d'elle. Atticus vit dans son attitude qu'elle était prête à le lancer. *Ne fais pas ça.* L'autre répliquerait immédiatement d'une ou deux balles. Elle ne pourrait pas s'en sortir comme ça.

Kowalski longea la structure en plexiglas de la baie pour atteindre son bureau et, de sa main libre, il tâtonna sur les touches du poste téléphonique. *Il appelle la sécurité.*

Atticus voulut se relever, ou se jeter en avant dans la pièce pour l'en empêcher, mais ses liens étaient trop serrés et il ne put que faire un léger bond. La chaise trembla et pendant une seconde il crut qu'il allait vraiment basculer dans le vide.

Le téléphone portable d'Atticus vibra à nouveau.

– Vous devriez répondre, dit Atticus à l'intention de Kowalski. C'est pour vous.

Le milliardaire l'ignora.

Mais un hélicoptère rasa le bâtiment et fit trembler les murs. *Dennis Wallen.*

Atticus s'était fait une opinion immédiate du flic de Wichita et ne s'était pas trompé. Un homme intègre.

Pour la première fois, Edwin Kowalski sembla un peu moins indifférent et se mit à déglutir, une inquiétude dans le regard.

– Décrochez ! s'écria Atticus.

Ce fut Lena qui appuya sur le bouton et mit le haut-parleur.

– Hack ? demanda Atticus. Tu as les images ?

– C'est en ligne depuis une demi-heure, et on est à onze millions de vues en direct, le compteur n'arrête pas de grimper.

Kowalski parut perdre pied. Soudain il saisit ce qui se passait et ouvrit le livre d'Homère. *L'Odyssée* avait été évidée de l'intérieur et cachait un boîtier noir. Atticus lui avait menti. Le livre était bien à lui.

– Émetteur 4G Hotspot, lâcha Atticus. La caméra est dans les lunettes de soleil à côté. Souriez, Mr Kowalski, vous êtes une star à présent, et vous ne serez plus jamais seul.

L'hélicoptère les survolait, le faux plafond frémissait.

La voix de Hack ordonna :

– Maintenant ne faites pas le con devant le monde entier, Kowalski, vous le regretteriez. Posez cette arme. Le camp entier est cerné.

Le standard téléphonique du bureau se mit à sonner. La sécurité.

Les premières sirènes se devinaient au loin, à l'extérieur.

Kowalski était livide. Il regardait alternativement Kat et Atticus.

– Il y a de nombreuses façons de mettre fin au monde, dit-il.

Puis il retourna le canon de son arme contre sa tempe et pressa la détente dans une gerbe de lumière et de sang.

67.

Dennis Wallen avait vingt-deux ans d'expérience dans la police de Wichita et il avait été aux premières loges dans des affaires parfois surprenantes. Il n'était pas encore un « vieux de la vieille » mais, dans une certaine mesure, s'estimait déjà blasé.

Lorsque la veille Atticus Gore, le flic de Los Angeles, était passé le revoir sur son trajet pour Kansas City et lui avait réclamé la plus grande attention, Dennis avait été intrigué.

Gore l'avait prévenu : ce qu'il avait à raconter serait difficile à croire et, s'il se décidait à l'aider, il lui faudrait faire preuve de prudence et d'une grande méfiance, notamment en évitant le circuit hiérarchique habituel – peu importait la sanction. Puis il lui avait tout dit. Et là, Dennis Wallen avait réalisé qu'il pouvait encore tomber sur le cul.

Gore avait tout partagé. Sans exception, y compris en quoi consistait son plan : acheter un téléphone prépayé, intraçable par les équipes d'EneK, pour joindre son collègue Hack. Ne pouvant appeler directement le grand blond – Atticus craignait qu'il soit lui aussi encore sur écoute –, il passerait par son épouse. Il doutait que la surveillance s'étende jusqu'à elle.

À partir de là, Hack aurait pour mission de foncer à Venice trouver Sam Trappier pour lui demander de monter la partie informatique de son stratagème. Trappier l'avait prouvé, il détestait la technologie et tout ce qui allait avec, mais appliquait l'art de la guerre de Sun Tzu : connais ton ennemi. Et Atticus était persuadé qu'il saurait se montrer à la hauteur. Préparer l'interface sans éveiller l'attention. Une bonne dose de paranoïa enrobée d'un savoir technique, tout Trappier en somme.

À Kansas City, Atticus achèterait une caméra espion (qu'il avait finalement trouvée dans une version déguisée en lunettes de soleil) et un émetteur 4G Hotspot, puisqu'on ne captait pas Internet sur les téléphones, probablement à cause d'un brouilleur sélectif du camp. L'émetteur permettrait de rediffuser le signal vidéo et sonore sur le réseau téléphonique jusqu'à Trappier qui n'aurait plus qu'à le mettre en ligne, en direct, et à faire en sorte que la nouvelle se propage le plus vite possible.

Atticus ne demandait qu'une chose à Dennis Wallen : se préparer. Mobiliser des renforts. Officiellement sur un prétexte bidon, et c'était à lui de l'inventer pour que ce soit crédible. Mais s'il voulait l'aider, ils devraient être prêts lorsque le signal viendrait. Ensuite, Wallen devait rassembler ses troupes sur la route près du camp des Enfants de Jean et regarder sur Internet.

Si Atticus se plantait, il n'y aurait rien et Wallen en serait quitte pour expliquer à ses supérieurs ce qu'il lui avait pris de sonner le branle-bas de combat dans le sud de l'État sans en référer à quiconque auparavant.

Mais si le Californien disait vrai et parvenait à ses fins, aussi fou soit son plan, alors Wallen serait le premier sur place, et pourrait se faire plaisir en arrêtant tout ce petit monde.

Cette histoire était ridicule, les directives de Gore encore plus, et ça ressemblait surtout à un mauvais western où la cavalerie débarquait en force sur un prétexte fumeux.

Mais Dennis Wallen avait du flair pour cerner les gens et cet Atticus Gore, aussi loufoque soit son nom, puait à mille lieues la sincérité. Alors lorsqu'il vit et entendit ce que déblatérait Edwin Kowalski, en direct, sur son téléphone portable, Wallen sut que son intuition ne l'avait pas lâché.

Et puis Dennis, en pur produit du Kansas, avait toujours adoré les westerns.

Kat Kordell était allongée sur un brancard, dans l'attente d'être transférée par ambulance. Les premiers secours s'étaient montrés rassurants quant à son état, mais elle devait être emmenée à l'hôpital de Wichita pour subir des examens plus détaillés et panser ses nombreuses blessures.

Atticus arriva en courant. Avec toute l'agitation qui avait suivi l'intervention des forces de l'ordre, il n'avait pas pu la voir. Il fit signe aux brancardiers d'attendre une seconde et il se pencha sur elle.

— Merci, dit-il en lui adressant son sourire le plus sincère.

— C'est à Lena qu'il faut le dire, c'est elle qui a mentionné ce garde qui s'est battu avec Hutchinson et qu'elle n'avait jamais vu avant, avec un accent de la côte Ouest, mal rasé et des grosses lèvres. J'ai compris que ça ne pouvait être que vous. Ensuite elle m'a guidée jusqu'en haut.

— Elle a vraiment dit ça ? Des grosses lèvres ?

Kat parvint à lui sourire également, malgré la douleur.

— Où est-elle ? demanda la détective privée.

— Avec les hommes de Wallen, elle sera entendue comme les autres. Il va falloir clarifier son rôle depuis le début. Mais je suis sûr que ce qu'elle a fait pour vous jouera en sa faveur pour la suite.

En s'emparant de la tablette tactile, Lena avait stoppé l'assaut des insectes et déverrouillé la porte, sauvant Kat d'une mort atroce.

Le brancardier informa Atticus qu'il était temps d'y aller.

— Vous ne dormirez pas bien dans les semaines à venir, ajouta Atticus. Allez-y doucement sur les somnifères et les antidépresseurs, et si vous préférez venir savourer le climat de LA pour vous changer les idées, vous aurez un guide. Et puis j'ai plutôt bon goût en matière de musique, si ça vous tente.

Il lui adressa un clin d'œil complice.

Elle lui prit la main et serra.

Au-dessus d'eux, les premiers hélicoptères des chaînes d'informations débarquèrent dans la précipitation et il devint impossible de s'entendre.

68.

Le jeans retroussé jusqu'en haut des mollets, Atticus marchait sur la plage de Santa Monica. Le ressac lui glaçait les chevilles avec la régularité d'une horloge et il admirait les ombres des phoques jouant dans les vagues du Pacifique.

Eli Hackenberg était à ses côtés ; sa femme, Alicia, et leurs deux filles un peu plus loin sur le sable, au sec, en train de rire.

– T'es célèbre maintenant ! plaisanta Hack. La vidéo a dépassé les cent millions de vues avec le replay. Non, mais t'imagines ? Mon aînée dit que ça va au moins tripler d'ici la fin de la semaine. Le scandale du siècle.

Ils avançaient lentement, contemplatifs.

– Ça te fait rien ? insista le grand blond.

Atticus haussa les épaules.

– Je n'ai pas fait ça pour la course à la diffusion, je voulais juste faire pression pour obliger les autorités à réagir.

– Mes gamines veulent faire un selfie avec toi, tu te rends compte ? T'es passé de pestiféré à icône du LAPD ! Demande-leur ce que tu veux. Même à la RHD !

– Je ne crois pas...

– Tu vas faire quoi alors ?

– Je ne sais pas. La même chose qu'avant je pense. T'es pas si mauvais comme partenaire.

– Putain, tu pourrais en profiter, te la couler douce et…

– C'est pas mon truc, Hack. Et puis il va y avoir des mois, sinon des années d'enquête et de jugement. Je n'ai pas fini.

Ils gardèrent le silence un moment, avant que Hack ne revienne à la charge.

– Tu as des couilles. Je voulais te le dire. Je le pense et d'autres à Hollywood Station aussi, même s'ils ne le diront pas.

Atticus plissa les yeux à cause du soleil, mais ne répondit pas.

– À quoi tu penses ?

Atticus prit le temps de réfléchir. À quoi pensait-il, au fond, réellement ? Au-delà du superficiel, du provisoire ? À ce garde dont il avait fracassé le crâne contre la rampe de béton et qui ne sortirait peut-être jamais du coma ? À tous ceux qui étaient morts à cause de la folie d'un homme ? À ce coup de feu qui avait permis à ce lâche d'Edwin Kowalski de s'enfuir à jamais ? Atticus ne savait pas. Le monde l'étourdissait dès qu'il y pensait sérieusement. Tout allait trop vite pour lui. La technologie, les modes, le fric, le pouvoir, la bêtise… Des hommes et des femmes dont on ne savait rien pouvaient accéder à des fortunes en l'espace de dix ou quinze ans, influencer nos mœurs, voire les définir, et s'improvisaient maîtres de la terre sans aucun garde-fou.

Atticus considérait l'humanité comme pleine de forces souterraines, capable de fédérer des majorités et faire émerger des courants porteurs, des nécessités communes, inconscientes, s'ajustant en permanence pour maintenir son équilibre. C'était ce principe qui avait dirigé notre espèce à travers les deux derniers siècles, tandis que l'industrialisation et la mondialisation nous uniformisaient.

À présent, Atticus se demandait si ces mouvements de masse n'étaient pas tout simplement devenus des leurres. Ils n'étaient plus le fruit de nos évolutions, mais étaient désormais fabriqués et moulés par le désir d'une petite poignée de dirigeants qui façonnaient la planète au gré de leur convoitise. Des milliardaires aptes à définir ce que seraient nos *besoins* de demain, nos comportements, afin de nous rendre prédictibles, malléables. De parfaits outils au service de leurs empires.

Le discours de Samuel Trappier l'avait passablement contaminé, songea-t-il en observant les phoques glisser dans les rouleaux.

– À rien, Hack, je pense à rien.

De retour dans son quartier de Silver Lake, Atticus ouvrit toutes les fenêtres de sa petite maison pour la faire respirer. Il ressentait l'envie d'être traversé de fraîcheur, de l'odeur des fleurs et des arbres qui poussaient alentour. Le coucher de soleil lui rappela celui de Carson Mills, plus tôt dans la semaine, magnifique. Une part de lui savait déjà ce soir-là qu'il s'engageait sur un chemin dangereux et qu'il assistait peut-être pour la dernière fois au spectacle d'un crépuscule. N'était-ce pas l'éphémère qui rendait toute chose désirable et plus intense encore ? Les certitudes, l'acquis, la routine, tout ça n'était pas lui.

Atticus passa devant les étagères de CD et prit celui qui s'imposait.

Son portable sonna et il reconnut le numéro. Atticus lui avait laissé un message plus tôt dans l'après-midi. À lui et à trois autres, comme autant de bouteilles à la mer. N'importe lequel, du moment qu'un au moins le rappelle. Atticus se trouva pathétique et triste. Pourquoi s'entêtait-il dans ce schéma ? Il y avait d'autres solutions, les rues regorgeaient de vies prêtes à le surprendre, à le porter...

Il vérifia son portefeuille : il avait du cash, largement de quoi faire.

Son bonheur éphémère à lui, il l'achetait. Avec sa tranquillité.

Et ma solitude.

Edwin Kowalski l'avait toujours eue pour compagne lui aussi, et il le revendiquait.

Atticus comprit à cet instant que ce qui le rendait si sombre, ce poids qui ne le quittait plus, était dû à l'écho qu'avait trouvé le discours du milliardaire en lui.

Si son remède était inacceptable, le diagnostic, en revanche, résonnait avec sa part de vérité.

Atticus observa les maisons en contrebas et sur l'autre colline, en face. Les lumières brillaient, et au-delà, qu'il ne pouvait distinguer, bien d'autres s'allumaient à mesure que la comédie humaine jouait sa partition du soir dans une insouciance et, aussi, un égoïsme qui la conduiraient à sa perte.

Atticus prit le portable et envoya un SMS. « Chez moi, dans une heure. »

Puis il mit le disque sur la platine.

Entombed, *Left Hand Path*.

La musique se déchaîna. Pleine de rage et de mélancolie.

69.

Kat se tenait à l'écart lorsque Annie retrouva sa fille. Elle la vit ne pas oser la prendre dans ses bras, craindre sa réaction, avant que son cœur de mère ne pulvérise toute réticence et qu'elle la serre fort contre elle en pleurant. Kat ne l'avait jamais vue si humaine. Lena se laissa faire, sans aucune effusion, mais elle resta près de sa mère lorsqu'elles se décollèrent pour se faire face.

Kat s'éclipsa discrètement, la suite ne lui appartenait plus.

Les ennuis judiciaires ne faisaient que commencer pour Lena Fowlings, mais au moins elle avait obtenu d'attendre libre la procédure.

Kat rentra à Brooklyn en taxi. Elle ne voulait pas du regard interloqué des passagers du métro sur son visage gonflé, rouge et bosselé. Les médecins avaient annoncé qu'il faudrait dix jours avant qu'elle retrouve ses traits habituels. Kat avait plaisanté en disant qu'au moins d'ici là elle n'avait plus besoin de Botox et ils avaient ri. Alors qu'à l'intérieur, elle tremblait encore.

Elle était incapable de s'endormir sans laisser une lampe allumée, et encore moins sans un peu de chimie pour écarter ses cauchemars.

La vue de la moindre mouche la paralysait.

Il faudra du temps, ça va aller, juste être forte et patiente.

À peine rentrée à New York, Mitch avait accouru à son chevet lorsqu'elle l'avait appelé pour tout lui dire. Il dormait auprès d'elle chaque soir. Sa présence et sa gentillesse lui faisaient du bien.

Et pourtant, jamais elle ne s'était autant interrogée sur la lâcheté dont elle faisait preuve dans sa relation avec lui. Elle l'aimait bien, il était pratique.

Et ça n'allait pas au-delà. Était-ce là son ambition pour le restant de ses jours ?

La plupart des gens vivent ainsi, par facilité, habitude.

Si tout le monde se contentait d'une petite vie, alors...

Les panneaux publicitaires gigantesques inondaient les artères de Manhattan, faisant presque pâlir le soleil, et mettant au défi la population de ne pas posséder, de ne pas avoir pour être, de ne pas se définir à travers sa consommation. Les boulevards grouillaient d'une faune compacte équipée ou désireuse de le devenir. Juste des insectes évolués, considéra Kat avec amertume. Vouant un culte sacré au consumérisme. Jusqu'où cela les mènerait-il ?

La pointe sud de l'île ajouta la démesure des buildings froids de ses banques, autant de donjons de pierre et d'acier emprisonnant le sang de la civilisation.

– Finalement, laissez-moi là, commanda Kat.

Elle respira à pleins poumons le vent du sud chargé d'embruns et se dirigea vers le Brooklyn Bridge, qu'elle remonta à son rythme, croisant d'autres badauds et des amoureux, main dans la main.

En voyant l'eau noire plus bas, une tentation effrayante crispa Kat qui préféra ne pas s'arrêter, ne pas s'y confronter. Elle savait désormais qu'elle abritait des pulsions de mort qui la dépassaient. Elle se revoyait enfoncer son arme dans le corps de Galvin Hutchinson, encore et encore, jusqu'à ce qu'il expire, à moitié noyé par son propre sang. Elle en avait été capable. Des doutes, des inquiétudes, de grandes questions, Kat n'avait pas fini d'être habitée par ce qu'elle avait vécu là-bas, dans le Kansas.

La peur passerait. Mais pas sa nature profonde.

Elle n'était pas parvenue au bout du pont qu'elle prit son téléphone. C'était idiot mais il lui semblait qu'une seule personne pouvait la comprendre en cet instant.

Atticus décrocha tout de suite.

— Vous en avez mis du temps, lui reprocha-t-il sans le penser.

— À quoi ? Vous faire signe ?

— Je pensais qu'on se parlerait plus vite.

Kat ne savait même pas pourquoi elle passait ce coup de fil, elle n'était pas sûre d'avoir quoi que ce soit à partager avec lui.

— Que faites-vous ? interrogea-t-elle.

— J'attends quelqu'un.

— Important ?

Atticus souffla dans le combiné pour soupeser sa réponse.

— Hélas, non.

— C'est étonnant notre capacité à nous imposer ce qui n'est pas nécessairement le meilleur pour nous, vous ne trouvez pas ?

Il ne répondit pas.

— Vous arrivez à dormir en ce moment ? s'enquit-il.

— Si je n'écoute pas votre conseil, oui.

— Je comprends.

La voix d'Atticus était chaude. Rassurante.

— Si j'étais en Californie, vous lui poseriez un lapin pour moi ?

— Vous ne combleriez pas les mêmes besoins.

— Ça ne répond pas à ma question.

Atticus ricana.

— Oui. Pour vous, oui.

Sans réfléchir davantage, Kat demanda :

— Vous croyez qu'il y a des vols pour Los Angeles à cette heure ?

— Dans la ville qui ne dort pas ? Si ça peut se vendre, alors oui, j'en suis sûr.

Il y eut un long silence plein de battements de cœur, d'hésitation, de respirations lentes. Puis Kat dit :

— J'arrive.

Remerciements

Pour les sceptiques qui pensent que le postulat de ce roman relève trop du domaine de la science-fiction, laissez-moi vous citer trois exemples parmi bien d'autres que j'ai eu l'occasion de découvrir en préparant ce livre.

En 2007, la DARPA (l'agence pour les projets de recherche avancée de défense aux États-Unis) a reconnu travailler sur des insectes qu'ils contrôleraient à distance, notamment en insérant des puces dans des larves de papillon. L'objectif était d'avoir le contrôle total sur la créature. La DARPA œuvre généralement dans le plus grand secret et aucune autre information n'a filtré à ce sujet par la suite.

Mais en 2008, l'université du Michigan a présenté lors d'une conférence un scarabée cyborg qui était au cœur du projet MEMS, *Micro Electro Mechanical Systems* (microsystèmes électromécaniques). Ils lui avaient implanté des électrodes miniaturisées afin de pouvoir le diriger. À l'époque, ils parvenaient déjà à le faire voler en zigzag et en rond. On a appris par la suite que le projet était entièrement financé par... la DARPA, sous le nom de Hi-MEMS, pour *Hybrid Insect MEMS*.

C'était il y a plus de dix ans... Imaginez les progrès depuis.

Plus récemment, des fuites ont permis d'apprendre que le Pentagone préparait des insectes génétiquement modifiés, ce qu'il a finalement confirmé. Le programme est en cours.

Alors, science-fiction ?

Les lieux, parfois surréalistes, que je décris dans ce roman existent réellement. Skid Row et sa cité de tentes, The Hole et ses poules au milieu de New York. J'ai voulu vous immerger dans ces univers, parfois aussi vous interroger.

Ceci est une fiction, mais elle se nourrit de réalités, certaines sont sinistres.

Puisqu'on évoque la réalité, sachez qu'il n'y a plus de section homicides à Hollywood Station, elle a été rattachée à d'autres services lors d'un regroupement il y a quelques années. Je préférais intégrer mes héros dans un commissariat plus vivant, sectorisé, plus modeste, et garder l'esprit d'Hollywood. Appelez ça la licence romanesque !

Carson Mills, en revanche, est entièrement de mon invention. Mon terrain de jeu rien qu'à moi.

La phrase que Lena s'est fait tatouer dans le dos, au chapitre 16, est de Kerouac, dans *Sur la route*.

Mes amis sont comme les feuilles d'un arbre, ils recueillent l'eau, captent le soleil, et moi, au bout, je picore ce qu'ils m'offrent. Merci à vous d'être toujours là, mes histoires se nourrissent aussi de nos confiances, échanges et confidences.

À celles et ceux que je croise parfois quelques heures seulement et qui répondent à mes questions farfelues (inquiétantes bien souvent !), merci.

Merci à toi Charles, Bro de LA, base américaine et base de cœur !

L'accueil du LAPD a été formidable, et je tiens à les remercier pour ce professionnalisme, cette sympathie et ce sens rare du partage. Je pense notamment au capitaine Cory Palka qui régnait sur Hollywood Station jusqu'à récemment. Merci beaucoup à James Dickson pour le temps qu'il m'a consacré, et qu'il m'offre encore souvent, toujours volontaire pour répondre à mes interrogations les plus pointilleuses ! Générosité et sens du détail le caractérisent.

Je tiens à saluer également toutes les équipes de mon éditeur Albin Michel qui œuvrent dans l'ombre pour faire le pont entre moi et vous, lecteurs. Je donne les idées mais la conception réussie de mes ouvrages, c'est eux ! Qu'ils soient remerciés ici. Richard et Caroline en premier lieu, sur qui je peux m'appuyer au moindre doute. C'est précieux, un éditeur de cette qualité.

Pour finir, je serais incapable de sortir les histoires qui bouillonnent sous mon crâne si je n'avais pas une famille aimante et compréhensive. Abbie, Peter, merci de m'offrir ce temps. Faustine, tu es mon étoile du Nord, celle qui brille le plus fort, et sur laquelle je sais pouvoir compter pour ne jamais me perdre. Je vous aime.

La petite voix qui me chuchote des histoires me laisse entendre qu'elle en a encore au moins une à me raconter avec le personnage d'Atticus Gore. J'espère que vous l'avez apprécié, il reviendra un de ces jours.

Un dernier mot sur les insectes et autres arthropodes, si vous le voulez bien. Je ne leur donne pas le bon rôle dans ce livre, la tentation était trop grande pour un romancier qui aime jouer sur nos peurs. Cependant, je vous encourage à vous renseigner sur le monde formidable de ces petites bestioles, insectes et « cousins », arachnides, myriapodes, etc. Car hélas leur biomasse ne cesse de diminuer, année après année. Bien sûr, l'activité humaine est le principal responsable de cette extinction programmée. Le résultat de cet « Armageddon écologique », comme l'appellent certains scientifiques, fournirait un bon sujet de roman d'horreur, autour d'une planète devenue non viable pour notre espèce – sauf que ça ne sera pas une fiction si on continue sur le même rythme. À nous de voir...

À l'occasion, ouvrez une page Internet ou un livre sur le monde fascinant de ces minuscules créatures, et n'oubliez pas ce qu'on raconte à nos enfants : il ne faut pas avoir peur, ça n'est pas la petite bête qui va manger la grosse ! Enfin... c'était vrai jusqu'à ce roman.

Venez donc discuter sur Twitter : @ChattamMaxime.

Maxime Chattam,
Edgecombe, le 13 juillet 2019

DU MÊME AUTEUR

Composition Nord Compo
Impression CPI Brodard & Taupin en octobre 2019
Éditions Albin Michel
22, rue Huyghens, 75014 Paris
www.albin-michel.fr
ISBN : 978-2-226-31949-4
N° d'édition : 21929/01 – N° d'impression : 3035649
Dépôt légal : novembre 2019
Imprimé en France